dieta
south
beach

dieta south beach

przełożyła
bożena
jóźwiak

arthur
agatston

REBIS

Tytuł oryginału
The South Beach Diet

Konsultacja medyczna
dr hab. med. Maciej Krawczyński

Redakcja
Elżbieta Bandel

Opracowanie graficzne i projekt okładki
Piotr Majewski

Fotografia na okładce
Stockbyte / Theta

Uwaga
Książka ta jest wyłącznie poradnikiem, a nie podręcznikiem medycznym. Zawarte
w niej informacje mają na celu pomóc w podejmowaniu świadomych decyzji
dotyczących zdrowia. Nie jest zamiarem autora, aby jej zalecenia stosować zamiast
leczenia przepisanego przez lekarza. Jeśli sądzicie Państwo, że wasz problem jest
natury medycznej, proszę koniecznie skontaktować się z lekarzem.
Fakt, że w książce wymieniono konkretne firmy, organizacje lub instytucje, nie
oznacza, że wydawca udziela im poparcia, podobnie jak wymienienie konkretnych
firm, organizacji i instytucji nie oznacza, że popierają one tę książkę.

Wydanie I (dodruk)

ISBN 83-7301-580-9

Dom Wydawniczy REBIS Sp. z o.o.
ul. Żmigrodzka 41/49, 60-171 Poznań
tel. 867-47-08, 867-81-40; fax 867-37-74
e-mail: rebis@rebis.com.pl
www.rebis.com.pl
Fotoskład: Z. P. Akapit, Poznań, ul. Czernichowska 50B, tel. 879-38-88

Książkę dedykuję mojej żonie Sari
za jej wsparcie, entuzjazm i miłość

Podziękowania

P isanie tych podziękowań jest bardzo frustrujące, gdyż nie mogę wymienić wszystkich osób, które mnie wspierały i wywarły wpływ na moją pracę. Jednak badania, które zaowocowały stworzeniem diety South Beach, były prowadzone wspólnym wysiłkiem i pragnę tu wspomnieć o tych, którzy bezpośrednio mi pomagali. Moje badania nad profilaktyką chorób rozpoczęły się od wykrywania stopnia uwapnienia w tętnicach wieńcowych za pomocą szybkiej tomografii komputerowej EBT. Podczas tych prac moim wspaniałym i niezastąpionym partnerem był i jest doktor Warren Janowitz. David King i doktor Manuel Viamonte Jr przez cały czas ogromnie nas wspierali i służyli radą.

Kiedy postanowiłem pracować nad dietą, która przeciwstawia się powszechnie przyjętym przekonaniom, zwróciłem się najpierw do Marie Almon, dietetyczki, która stała się dla mnie nieocenioną współpracowniczką. Wsparcia i rad udzielali nam również koledzy i współpracownicy: doktor Gervasio Lamas, doktor Eric Lieberman, doktor Charlie Hennekens, doktor Robert Superko, doktor Wade Aude, doktor Francisco Lopez-Jimenez i doktor Ronald Goldberg.

Kristi Krueger i Jana Ross ze stacji telewizyjnej WPLG Channel 10 wspaniale pomogły przedstawić dietę South Beach szerszemu odbiorcy.

Na koniec, kiedy wydanie książki stanęło pod znakiem zapytania, ruszyła z pomocą autorka, wykładowca i przyjaciółka Linda Richman, która skontaktowała mnie z moim wspaniałym agentem, Richardem Pine'em.

CZĘŚĆ PIERWSZA

Zrozumienie diety South Beach

Tracisz na wadze, zyskujesz życie

Dieta South Beach nie jest dietą niskowęglowodanową. Nie jest też dietą niskotłuszczową.

Uczy natomiast, jak oprzeć odżywianie na właściwych tłuszczach i węglowodanach – które będziemy nazywać dobrymi – i bez specjalnego trudu obchodzić się bez złych. W rezultacie będziesz zdrowy i schudniesz – od 4 do ponad 6 kilogramów w ciągu najbliższych 2 tygodni.

Oto jak tego dokonasz.

Będziesz jeść normalne porcje wołowiny, kurczaka, indyka, ryb i owoców morza.

Będziesz jeść mnóstwo warzyw. Jajka. Ser. Orzechy.

Będziesz jeść sałatki z sosami na prawdziwej oliwie.

Będziesz zjadać trzy dobrze zbilansowane posiłki dziennie, a twoim zadaniem będzie jeść tak, by się nasycić. Nic bardziej nie zniechęca do stosowania diety niż ciągłe uczucie głodu. Żaden rozsądny program żywienia nie może od ciebie wymagać, żebyś przez całe życie czuł się źle. Będziesz zatem zachęcany do zjadania przekąsek przed południem i wczesnym popołudniem, nawet jeśli uważasz, że to niepotrzebne. Po obiedzie będziesz mógł zjeść deser.

Oczywiście, będziesz pić wodę oraz kawę i herbatę, jeśli zechcesz.

Natomiast przez następne 14 dni nie będzie ci wolno jeść chleba, ryżu, ziemniaków, makaronu ani pieczywa. Owoców także nie. Zanim wpadniesz w panikę: zaczniesz znowu dodawać te produkty do swojej diety po dwóch tygodniach. Jednak teraz są one niedozwolone.

Przez dwa tygodnie żadnych cukierków, ciast, ciastek czy lodów. Żadnego piwa ani alkoholu jakiegokolwiek rodzaju. Po zakończeniu tej fazy będziesz mógł pić wino, które jest korzystne z różnych powodów. Jednak ani kropli przez pierwsze dwa tygodnie.

Jeśli jesteś osobą, która nie wyobraża sobie życia bez makaronu, chleba lub ziemniaków, lub nawet przez jeden dzień nie potrafi się obyć bez czegoś słodkiego, pragnę cię zapewnić, że będziesz zdumiony, jak bezboleśnie miną dwa tygodnie bez tych artykułów. Pierwsze dwa dni mogą być trudne, lecz kiedy już wciągniesz się w dietę, nie będziesz zbyt mocno odczuwać ich braku. Nie oznacza to wcale, że przez cały czas będziesz walczyć z pokusami – w ciągu pierwszego tygodnia apetyt na te produkty praktycznie zniknie. Stwierdzam to z takim przekonaniem, ponieważ tak mi mówiło bardzo wiele osób z nadwagą, które z powodzeniem stosowały tę dietę. Być może po raz pierwszy słyszysz o diecie South Beach, ale istnieje ona już od kilku lat – a w tym czasie pomogła setkom ludzi schudnąć i utrzymać prawidłową masę ciała.

Tak zatem wygląda Faza 1 – okres najściślejszej diety.

Po dwóch tygodniach stosowania się do jej zaleceń będziesz o 4 do 6 kilogramów lżejszy niż dzisiaj. Większość zbędnego tłuszczu zniknie z okolic pasa, tak że natychmiast zauważysz różnicę po swoich ubraniach. Łatwiej ci będzie zasunąć zamek w dżinsach, a sweter po zapięciu nie będzie się rozchylał między guzikami.

Tak wyglądają zauważalne dla ciebie skutki diety. Jednak w twoim organizmie dokonają się również zmiany wewnętrzne, których nie potrafisz dostrzec. Poprawi się sposób reagowania organizmu na pokarmy, które powodowały nadwagę. Możesz sobie wyobrazić, że masz w środku wyłącznik, który kiedyś tam został włączony. Teraz, tylko dzięki modyfikacji diety, uda ci się go wyłączyć. Łaknienie rządzące dotychczas twoimi nawykami żywieniowymi zniknie i nie wróci, dopóki będziesz przestrzegać tej diety. Utrata masy ciała nie będzie następstwem tego, że mniej zjesz. Spowoduje ją to, że będziesz jeść mniej pokarmów wywołujących te niedobre pragnienia, mniej produktów, które umożliwiają organizmowi odkładanie zapasów tłuszczu.

Wskutek tej właśnie zmiany będziesz dalej chudnąć po upływie pierwszej, czternastodniowej fazy, mimo że wówczas zaczniesz już dodawać do swojego jadłospisu niektóre z zabronionych wcześniej produktów. Nadal będziesz na diecie, ale jeśli uwielbiasz chleb, będziesz mógł go jeść. Jeśli nie możesz żyć bez makaronu, wprowadzisz go ponownie. Może to być również ryż lub płatki zbożowe. Ziemniaki. No, a owoce zdecydowanie powrócą.

Czekolada? Jeśli poprawia ci samopoczucie, to tak. Oczywiście będziesz musiał wybierać, na które z tych smakołyków sobie pozwolić. Nie możesz jeść ich wszystkich przez cały czas. Nauczysz się cieszyć nimi z nieco większą rozwagą. Jednak znowu będziesz mógł się nimi delektować.

Tak wygląda Faza 2.

Będziesz przestrzegał jej zasad i tracił na wadze tak długo, aż osiągniesz swój cel. Jak długo to potrwa, zależy od tego, ile musisz schudnąć. W Fazie 2 traci się średnio od 0,5 do 1 kilograma tygodniowo. Kiedy już osiągniesz pożądaną masę ciała, przejdziesz na jeszcze bardziej złagodzoną formę diety, która pomoże ci ją utrzymać.

Będzie to Faza 3, przy której pozostaniesz przez resztę życia. Kiedy dotrzesz do tego etapu, przekonasz się, że nie traktujesz już takiego sposobu odżywiania jako diety, tylko jako styl życia. Będziesz jadł normalne porcje normalnych potraw. Możesz wówczas zupełnie zapomnieć o diecie South Beach, jeżeli będziesz się stosował do jej kilku podstawowych zasad.

Podczas gdy ty będziesz chudnąć, a organizm będzie się uczył inaczej reagować na różne potrawy, dokona się w tobie jeszcze jedna zmiana – zmiana składu chemicznego krwi, która przyniesie długofalowe korzyści twojemu układowi sercowo-naczyniowemu. Poprawią się niewidoczne wskaźniki, o które zazwyczaj troszczą się tylko kardiolodzy i chorzy na serce. Dzięki tej ostatniej zmianie znacznie zwiększysz swoje szanse długiego i zdrowego życia – czyli mimo starzenia się, pozostaniesz zdrowy i sprawny.

Możesz rozpocząć dietę South Beach, kierując się tylko chęcią schudnięcia. Jeśli będziesz się do niej stosował i przy niej pozostaniesz, z pewnością to osiągniesz. Jednocześnie jednak zrobisz dla siebie coś znacznie lepszego. Nie przesadzam wcale, mówiąc, że ta dieta, w ramach korzyści ubocznych, może uratować ci życie.

Dobre i złe węglowodany

Nie jestem lekarzem dietetykiem. Prawdę mówiąc, jako lekarz zajmowałem się głównie metodami nieinwazyjnego obrazowania funkcjonowania układu sercowo-naczyniowego, opracowując metodę pozwalającą uzyskiwać szczegółowe obrazy serca i naczyń wieńcowych. Dzięki tej metodzie można wcześnie wykrywać i leczyć problemy zdrowotne, zanim doprowadzą do zawału lub udaru. Obecnie mogę z dumą powiedzieć, że na całym świecie przy badaniach za pomocą tomografii komputerowej stopień uwapnienia naczyń wieńcowych podawany jest w skali Agatstona, a badania przesiewowe poziomu wapnia są często nazywane metodą Agatstona. Jednocześnie prowadzę pełnoetatową praktykę kardiologiczną, zarówno kliniczną, jak i badawczą.

Zatem, jak do tego doszło, że zajmuję się również dietą odchudzającą, która stała się fenomenem tutaj, na południu Florydy, i pomogła niezliczonym kobietom i mężczyznom – często dwudziesto- i trzydziestoletnim, czyli dość młodym, by być wnukami moich normalnych pacjentów kardiologicznych – osiągnąć figurę pozwalającą na noszenie bikini lub obcisłych spodenek kąpielowych Speedo?

Muszę przyznać, że nie byłem przygotowany na popularność, która stała się moim udziałem. Obecnie stale zatrzymują mnie ludzie, którzy widzieli mnie w wiadomościach telewizyjnych lub czytali o sukcesie tej diety w gazetach i czasopismach. Jeśli wziąć pod uwagę, że Miami Beach ma na całym świecie opinię miejsca przyciągającego osoby piękne i dbające o swoje ciało, a przy tym pełni rolę eleganckiej placówki świata mody, zupełnie się nie spodziewałem takiego rozgłosu.

Wszystko to zaczęło się jako poważne przedsięwzięcie medyczne. W połowie lat dziewięćdziesiątych byłem tylko jednym z wielu kardiologów rozczarowanych niskotłuszczową i wysokowęglowodanową dietą zalecaną przez Amerykańskie Towarzystwo Kardiologiczne (American Heart Association, AHA) jako właściwa metoda odżywiania się i utrzymania odpowiedniej dla zdrowia masy ciała. Żaden z propagowanych wówczas niskotłuszczowych sposobów żywienia nie był niezawodny, szczególnie w dłuższej perspektywie. Oczywiście moja troska nie dotyczyła wyglądu pacjentów, tylko dziesiątków problemów z sercem i układem krwionośnym wynikających z otyłości. Szukałem diety, która pomoże zapobiegać tym schorzeniom i cofnąć procesy, które już się rozwinęły.

Nie znalazłem takiej diety, ale za to opracowałem własną. Obecnie radzę sobie niemal tak samo swobodnie z zagadnieniami związanymi z odżywianiem, jak z tematyką kardiologiczną. Często występuję z wykładami dla lekarzy, badaczy i innych specjalistów opieki zdrowotnej zajmujących się ustalaniem dla pacjentów rozsądnych diet, które pomogą im schudnąć. Wprawdzie zainteresowałem się dietami, żeby stosować je w celach leczniczych, ale obecnie widzę, jak ogromną rolę odgrywają korzyści estetyczne związane z chudnięciem, ponieważ to właśnie one tak skutecznie motywują zarówno młodych, jak i starszych do przestrzegania określonych zasad odżywiania – znacznie skuteczniej, jak się wydaje, niż perspektywa posiadania zdrowego serca. Poprawa wyglądu podnosi nas na duchu, co jest korzystne dla całego organizmu i pomaga wielu pacjentom ustrzec się przed powrotem do złych nawyków żywieniowych. Ostatecznym rezultatem jest zdrowy układ sercowo-naczyniowy – a to właśnie było moim celem, kiedy zaczynałem badania.

Przedsięwzięcie, które początkowo było tylko chwilowym wypadem do świata żywienia, doprowadziło mnie do opracowania prostej, uzasadnionej medycznie diety, która daje dobre rezultaty – i to w sposób bezstresowy – w wypadku większości osób, które próbowały jej przestrzegać. Ponadto została ona zbadana naukowo (w przeciwieństwie do wielu innych), w wyniku czego stwierdzono, że jest skuteczna, zarówno jeśli chodzi o utratę masy ciała, jak i poprawę stanu układu sercowo-naczyniowego.

Kiedy to wszystko się zaczynało, nie miałem oczywiście pojęcia, co z tego wyniknie. Wiedziałem tylko, że wielu moich pacjentów – z każdym rokiem więcej – cierpi na nadwagę, która w dużej mierze jest odpowiedzialna za ich problemy z sercem. Mogłem ich leczyć za pomocą najnowocześniejszych metod i leków, ale dopóki nie zmienili swojego sposobu odżywiania, była to często walka z góry skazana na przegraną. Ich nawyki żywieniowe powodowały niebezpiecznie wysoki poziom cholesterolu i trójglicerydów we krwi, a jest to jeden z głównych czynników prowadzących do blokowania tętnic i zapalenia naczyń krwionośnych. Poza tym występował u nich jeszcze jeden, niezbyt dobrze znany problem związany z odżywianiem, tak zwany zespół metaboliczny (stan przedcukrzycowy), stwierdzony u niemal połowy Amerykanów, którzy doznali zawału serca.

Poszukiwania odpowiedniego programu utraty masy ciała

Początkiem mojej drogi do zapobiegania chorobom poprzez dietę był właściwie moment, gdy trzydzieści lat temu rozpocząłem specjalizację kardiologiczną. W trakcie nauki pod koniec lat siedemdziesiątych nie mogłem się już doczekać, kiedy będę leczył pacjentów chorych na serce, mimo że wówczas niewiele mieliśmy środków zapobiegawczych. Spytałem wówczas najbardziej cenionego kardiologa, jakiego znałem: „Jak najlepiej można zapobiegać chorobom serca?" Odpowiedź brzmiała: „Wybrać odpowiednich rodziców". Jeśli odziedziczyłeś zdrowy układ sercowo-naczyniowy, mogłeś dożyć późnej starości. Jeśli natomiast w poprzednich pokoleniach już w młodym wieku pojawiała się choroba serca, niewiele można było zrobić, żeby zapobiec przeznaczeniu.

W 1984 roku uczestniczyłem w kursie zorganizowanym przez Heart House w Bethesda w stanie Maryland, będącym krajową siedzibą American College of Cardiology. Wysłuchałem tam wykładu wspaniałego uczonego i charyzmatycznego nauczyciela Billa Castellego, który kierował słynnymi na całym świecie Badaniami nad Sercem we Framingham. Doktor Castelli przedstawił nam wyniki zakończonych niedawno „Prób klinicznych zapobiegania pierwotnej chorobie wieńcowej poprzez badania nad lipidami" finansowanych przez Narodowe Instytuty Zdrowia. Były to pierwsze badania, które udowodniły, że obniżenie poziomu cholesterolu może zmniejszyć ryzyko zawału serca. W tamtych czasach jedynym lekarstwem stosowanym w leczeniu zbyt wysokiego poziomu cholesterolu była tak zwana żywica, nieprzyjemny w smaku, ziarnisty proszek, który należało przyjmować kilka razy dziennie przed posiłkami. Dlatego wszystkich uczestników bardzo ucieszyły zapewnienia doktora Castellego, że jeśli przekonamy pacjentów do stosowania pierwszej diety opracowanej przez Amerykańskie Towarzystwo Kardiologiczne, możemy obniżyć u nich poziom cholesterolu i położyć kres pladze chorób serca w Stanach Zjednoczonych.

Wszyscy rozjechaliśmy się do domów pełni zapału, gotowi wskazać swoim pacjentom drogę do poprawy zdrowia i mądrego odżywiania się. Wróciłem do Miami, ufny w swoją nowo nabytą wiedzę o tym, jak ratować życie pacjentów. Nawet żartowaliśmy sobie z żoną, że kiedy znikną choroby serca, powinienem zmienić specjalizację na jakąś rozwijającą się dziedzinę, na przykład chirurgię plastyczną. Niestety, okazało się, że jako kardiologowi nie grozi mi bezrobocie.

Zacząłem doradzać pacjentom stosowanie niskotłuszczowej i wysokowęglowodanowej diety propagowanej przez Amerykańskie Towarzystwo Kardiologiczne, ale rezultaty zupełnie nie odpowiadały moim oczekiwaniom. Często obserwowałem początkowy umiarkowany spadek całkowitego poziomu cholesterolu i lekki spadek masy ciała. Potem cholesterol nieuchronnie wracał do poprzedniego lub wyższego poziomu, podobnie jak utracone kilogramy. Takie same scenariusze wystąpiły u pacjentów moich kolegów. Podobne wyniki dały liczne badania zależności pomiędzy dietą a cholesterolem, udokumentowane w literaturze specjalistycznej – nie potrafiliśmy utrzymać spadku poziomu cholesterolu i/lub masy ciała, stosując dietę niskotłuszczową i wysokowęglowodanową. Nie przeprowadzono żadnych przekonujących badań pokazujących, że dieta Amerykańskiego Towarzystwa Kardiologicznego ratuje życie.

Przez lata pracy doradzałem stosowanie większości cieszących się wielkim uznaniem diet – począwszy od diety Pritikina poprzez rozmaite nowsze programy niskotłuszczowego, zdrowego dla serca odżywiania, w tym program Ornisha i kilka diet Amerykańskiego Towarzystwa Kardiologicznego. Wszystkie, z różnych powodów, sromotnie zawodziły. Jedne były zbyt trudne, żeby przez dłuższy czas przestrzegać ich zaleceń, a przy innych obietnica poprawy składu chemicznego krwi i stanu serca pozostawała tylko obietnicą. Zniechęcony tymi wynikami przestałem w końcu doradzać pacjentom, jak się mają odżywiać, gdyż nie potrafiłem zaoferować im niczego, co naprawdę by pomagało. Jak wielu innych kardiologów w owym czasie, sięgnąłem wówczas po statyny – leki, które akurat wchodziły na rynek. Okazało się, że niezwykle skutecznie obniżają poziom cholesterolu, choć nie masę ciała.

Jednocześnie postanowiłem podjąć jeszcze jedną, ostatnią próbę związaną z odżywianiem i poświęcić nieco czasu na własne badania nad dietami i otyłością. Podobnie jak większość lekarzy nie byłem zbyt biegły w tej dziedzinie. Zatem pierwszym zadaniem, które sobie wyznaczyłem, było zapoznanie się z wszystkimi ówczesnymi dietami odchudzającymi, zarówno poważnymi programami opartymi na podstawach naukowych, jak i modnymi nowinkami okupującymi pierwsze miejsca na listach bestsellerów. W tym czasie w literaturze kardiologicznej znalazłem też informacje o powszechnym występowaniu tzw. zespołu insulinooporności oraz jego wpływie na otyłość i choroby serca.

Naukowe podstawy sukcesu

Obecnie wiemy, że jednym z ubocznych skutków nadwagi jest upośledzenie zdolności insuliny do prawidłowego przetwarzania paliwa zasilającego nasz organizm, czyli tłuszczów i cukrów. Zaburzenie to zwane jest insulinoopornością. W rezultacie organizm gromadzi większy zapas tłuszczu, niż powinien, szczególnie w okolicy pasa. Od najdawniejszych czasów gatunek ludzki był genetycznie przystosowany do tworzenia zapasów tłuszczu, gdyż miało mu to umożliwić przetrwanie w okresach głodu.

Tymczasem obecnie ucztujemy, a nie doświadczamy głodu, toteż gromadzimy tłuszcz, którego organizm nie musi wykorzystywać. Większość naszej nadwagi jest spowodowana spożywaniem węglowodanów, szczególnie w postaci produktów z wysoko przetworzonych surowców, takich jak pieczywo cukiernicze, chleb, chipsy czy inne podobne przekąski. W nowoczesnych procesach produkcji surowce pozbawiane są błonnika, co zmienia ich naturalny skład, a jednocześnie powoduje, że nasz sposób ich metabolizowania zdecydowanie zmienia się na gorsze.

Badania pokazują, że wystarczy spożywać mniej „złych" węglowodanów, a działanie insuliny samo zaczyna się regulować. Jednocześnie obserwujemy szybki spadek masy ciała, gdyż zaczynamy prawidłowo metabolizować węglowodany. Dodatkowo, wraz ze zmniejszeniem ich spożycia zmniejsza się ich łaknienie. W rezultacie zmniejszenie spożycia wysoko przetworzonych węglowodanów wpływa na poprawę składu chemicznego krwi, gdyż obniża się poziom trójglicerydów i cholesterolu.

W wyniku tego rozumowania pierwszą zasadą, jaką przyjąłem w swojej diecie, było dopuszczenie dobrych węglowodanów (w owocach, warzywach i pełnych ziarnach) oraz zdecydowane ograniczenie spożycia złych (głównie w wysoko przetworzonych produktach, z których podczas produkcji usunięto większość błonnika). W ten sposób likwidujemy pierwotną przyczynę otyłości. Metoda ta zdecydowanie różni się choćby od diety Atkinsa, która nakazuje unikania praktycznie w s z y s t k i c h węglowodanów, w związku z czym trzeba się odżywiać głównie białkami. Ponadto w diecie Atkinsa dopuszczalne jest nieograniczone spożycie tłuszczów nasyconych, takich jakie występują na przykład w maśle i czerwonym mięsie. Jak wiadomo, są to „złe" tłuszcze, które mogą prowadzić do schorzeń układu sercowo--naczyniowego, zawału i udaru. Nie powstrzymało to milionów osób przed zastosowaniem tej diety, jednak w moim umyśle kardiologa natychmiast uruchomiło alarm. Nawet jeśli się schudnie i utrzyma pożądaną masę ciała, to zjadanie tak dużych ilości tłuszczów nasyconych może pogorszyć skład chemiczny krwi.

Mój program zakładał wyeliminowanie pewnych węglowodanów, ale nie wszystkich. Prawdę mówiąc, zachęcał nawet do jedzenia tych dobrych. Na przykład, biała mąka i biały cukier były niedozwolone, ale można było jeść pieczywo, płatki zbożowe oraz makaron z pełnego ziarna. Zalecałem również mnóstwo warzyw i owoce. Wybrałem takie rozwiązanie nie tylko dlatego, że dostarczają one ważnych składników odżywczych i dużej ilości błonnika, ale również z powodów praktycznych. Przecież nie każdy chce na zawsze zrezygnować z warzyw, owoców, chleba czy makaronu, nawet w zamian za dietę pozwalającą jeść 0,5 kg bekonu na śniadanie, 0,5 kg hamburgerów (oczywiście bez bułki) na obiad i duży stek na kolację. A skoro ludzie mają ochotę jeść chleb, makaron czy ryż, należy stworzyć taką dietę, która umożliwi zaspokojenie tego pragnienia.

W celu zrekompensowania zmniejszonej ogólnej ilości węglowodanów moja dieta pozwalała jeść dużo białka zwierzęcego i tłuszczów. Takie założenie przeciwstawiało się słynnym dietom opracowanym specjalnie dla osób chorych na serce, jak dieta Pritikina czy Ornisha. Dla kardiologa było to stąpanie po bardzo cienkim lodzie. Jednak moje dotychczasowe doświadczenia pokazały, że ścisłe przestrzeganie tak zwanych zdrowych dla serca sposobów odżywiania jest niemal niemożliwe, gdyż zmusza pacjenta do jedzenia przez dłuższy czas pokarmów o bardzo niskiej zawartości tłuszczu, na co może on nie mieć ochoty. Tymczasem dieta South Beach pozwala na włączenie do jadłospisu chudej wołowiny, wieprzowiny, cielęciny i baraniny.

Surowe ograniczenie ilości spożywanego mięsa w diecie niskotłuszczowej było niepotrzebne, bo najnowsze badania wykazały, że chude mięso nie wywiera szkodliwego wpływu na skład chemiczny krwi. Nawet żółtka jaj są dla nas korzystne, wbrew panującemu wcześniej przekonaniu. Są one źródłem naturalnej witaminy E i mają neutralny lub nawet korzystny wpływ na równowagę pomiędzy dobrym a złym cholesterolem. W mojej diecie zalecałem kurczaka, indyka i ryby (szczególnie tłuste, takie jak łosoś, tuńczyk i makrela), jak również orzechy oraz sery i jogurty niskotłuszczowe. Ogólnie rzecz biorąc, pożywienie niskotłuszczowe może nie być najlepszym pomysłem – tłuszcze zastępuje się węglowodanami, a te są tuczące. Jednak niskotłuszczowe produkty mleczne, jak ser, mleko czy jogurt, są wyjątkiem od tej zasady, gdyż mają dobre właściwości odżywcze i nie tuczą.

W swojej diecie zalecałem również spożywanie dużych ilości tłuszczów jedno- i wielonienasyconych, w rodzaju spożywanych powszechnie w rejonie Morza Śródziemnego, np. oliwy z oliwek, oleju z rzepaku typu canola oraz oleju arachidowego. Są to wszystko dobre tłuszcze i mogą w rzeczywistości nawet zmniejszyć ryzyko zawału lub udaru. Ich dodatkową zaletą jest to, że poprawiają smak potraw. Poza tym dają uczucie sytości – co jest główną troską diety obiecującej, że nie będziesz chodzić głodny.

Kiedy już stworzyłem podstawy diety, znalazłem odpowiedniego królika doświadczalnego do sprawdzenia tych założeń – mężczyznę w średnim wieku z rosnącym brzuszkiem, czyli siebie. Przeszedłem na dietę. Zrezygnowałem z chleba, makaronu, ryżu i ziemniaków. Nie brałem do ust piwa. Przestałem jeść owoce, przynajmniej na początku, gdyż zawierają one dużo fruktozy, czyli cukru owocowego. Jednak poza tym postanowiłem jeść jak najbardziej normalnie – trzy posiłki dziennie plus przekąski, kiedy poczuję głód.

Już po tygodniu zauważyłem różnicę. Zgubiłem w tym czasie cztery kilogramy – a wcale nie było to trudne. Nie cierpiałem głodu ani nie pragnąłem rozpaczliwie zjeść jakiegoś smakołyku. Nie miałem wrażenia, że zostałem czegoś pozbawiony.

Niemal z zakłopotaniem poszedłem do Marie Almon, głównego dietetyka klinicznego w naszym szpitalu – Mount Sinai Medical Center w Miami Beach – i opowiedziałem jej o swoim eksperymencie. Przyznała, że diety niskotłuszczowe, które zalecaliśmy swoim pacjentom, rzeczywiście nie skutkują. Wzięliśmy zatem za podstawę zasady, które opracowałem, i rozwinęliśmy je w rozsądny program żywienia.

Rozwiązania praktyczne

Opierając się na moich doświadczeniach klinicznych i literaturze, ustaliliśmy jeszcze kilka innych wytycznych. Przede wszystkim doszliśmy do wniosku, że dotychczasowe diety zawodziły głównie dlatego, iż były zbyt sztywne i skomplikowane. Dieta uzasadniona pod względem medycznym i żywieniowym, która jednak nie bierze pod uwagę funkcjonowania człowieka jako całości – a nie tylko jego układu pokarmowego i metabolizmu – jest po prostu nieudana. Zatem nasz program żywienia miał być prosty i elastyczny, z jak najmniejszą liczbą reguł. Miał pozwalać stosującym go osobom na jedzenie tego, co lubią, jednocześnie poprawiając im skład chemiczny krwi oraz pomagając schudnąć i utrzymać przez długi czas pożądaną masę ciała. Chodziło przecież o to, by efekty kuracji trwały przez całe życie, a nie kilka miesięcy czy rok. Tylko dzięki spełnieniu tych warunków nasz program miał szansę przekształcić się z diety w styl życia – sposób zachowania i odżywiania, który normalny człowiek może kontynuować przez całe życie.

Mając to na uwadze, ustaliliśmy, że nie będziemy wymagać od ludzi, żeby na zawsze odmówili sobie wszelkich przyjemności związanych z jedzeniem. Zwykle, kiedy już pozwolisz sobie na odstępstwa od określonej diety, jesteś pozostawiony sam sobie. Twórcy kuracji odchudzających nie biorą pod uwagę słabości ludzkiego charakteru i nie uczą, jak włączyć nieuchronne potknięcia do programu. W rezultacie osoby, które dziś troszkę oszukały, zazwyczaj nazajutrz oszukują jeszcze bardziej, a potem ześlizgują się po równi pochyłej do miejsca, gdzie trudno już mówić o diecie – wszystkie zasady zostały złamane, a człowiek, który znalazł się w punkcie wyjścia, jest przygnębiony i rozczarowany. Właśnie dlatego w naszej diecie nie żałujemy również deserów, które Marie Almon skomponowała specjalnie dla celów naszej kuracji. Są one naprawdę pyszne, choć wykorzystuje się do ich przyrządzenia wyłącznie „dozwolone" surowce.

Ponadto uznaliśmy, że zdarzą się dni, kiedy po prostu będziesz m u s i a ł zjeść lody czekoladowe czy ciasto bezowe. Sam jestem uzależniony od czekolady, więc wierzcie mi, że w pełni to rozumiem. Nasza dieta pozwala na nagięcie lub nawet złamanie zasad, bylebyś tylko rozumiał, jakich narobiłeś szkód, i wiedział, jak je naprawić. Jeśli w wyniku oszukiwania przybędzie ci parę kilogramów lub masa ciała przestanie spadać, jest to tylko drobna komplikacja, z którą łatwo można się uporać – a nie od razu koniec świata. Urok trzyetapowej konstrukcji diety South Beach polega między innymi na tym, że można łatwo przeskakiwać z jednego etapu na inny. Jeśli realizując Fazę 2, wyjedziesz na wakacje, gdzie pozwolisz sobie na zbyt wiele smakołyków, możesz potem wrócić na tydzień do Fazy 1, pozbyć się kilogramów, które ci w tym czasie przybyły, i kontynuować Fazę 2.

Na koniec, należy brać pod uwagę, że jesteśmy istotami praktycznymi. Nikt przez dłuższy czas nie będzie przestrzegał kuracji odchudzającej opartej na skomplikowanym jadłospisie lub wymagającej przyjmowania różnych suplementów o ściśle ustalonych porach, gdyż jest to po prostu zbyt męczące. Wiele popularnych diet jest właśnie z tego względu bardzo trudnych, a przy tym nie ma żadnego uzasadnienia naukowego dla takich komplikacji. Nic dziwnego, że zawodzą. Większość z nas prowadzi dostatecznie skomplikowane życie, nawet bez konieczności przebywania co dwie godziny w pobliżu lodówki. Nikt też nie ma ochoty chodzić wszędzie z pudełkiem na lekarstwa lub broszurką pełną zaleceń. Zatem nasza dieta miała być oparta na łatwych do przygotowania potrawach oraz składnikach, które bez trudu można kupić w supermarkecie lub większości restauracji. Wymaga ona jedzenia przekąsek pomiędzy głównymi posiłkami, ale są to rzeczy, które można rano wrzucić do teczki lub plecaka i zjeść w biegu. Nasza dieta różni się od innych także tym, że nie trzeba liczyć kalorii ani procentowej zawartości tłuszczów, węglowodanów i białek w posiłkach czy ograniczać wielkości zjadanych porcji. Najważniejsze, żeby jeść dobre węglowodany i dobre tłuszcze. Jeśli przestrzegamy tego warunku, to kwestia porcji i proporcji reguluje się sama. Dzięki spożywaniu właściwych tłuszczów i węglowodanów po prostu nie będziesz głodny.

Postanowiliśmy również, że nasza dieta musi przynosić efekty nawet bez ćwiczeń fizycznych. Oczywiście, ćwiczenia poprawiają przemianę materii, a wówczas odchudzanie jest bardziej skuteczne. Ponadto regularny wysiłek fizyczny odgrywa kluczową rolę w zapobieganiu chorobom serca. Jednak dieta South Beach nie wymaga ćwiczeń, żeby przynosić rezultaty. Jeżeli jesteś aktywny fizycznie, będziesz szybciej tracił zbędne kilogramy, ale jeśli nie, to i tak schudniesz.

Zasady diety South Beach są elastyczne i oparte na zdrowym rozsądku i prawdziwej nauce – w przeciwieństwie do modnych dziś pseudonaukowych zasad żywienia. Mieliśmy nadzieję, że uda nam się znaleźć praktyczne i wykonalne rozwiązanie problemu otyłości dręczącego tak wiele osób przychodzących do naszych gabinetów i szpitali. Wierzyliśmy, że przyniesie ono pożądane skutki większości z nich. Jednak oczywiście nie mogliśmy wiedzieć tego na pewno, dopóki pacjenci go nie wypróbowali.

MOJA DIETA SOUTH BEACH

KAREN G.: STRACIŁAM 15 KILOGRAMÓW I UTRZYMUJĘ TĘ WAGĘ

Właśnie byłam po rozwodzie i przeprowadziłam się z Arizony z powrotem do Miami Beach. Oczywiście, każdy w tej sytuacji przechodzi na „dietę rozwodową", jak to nazywam – wiecie, przed wami perspektywa chodzenia na randki po raz pierwszy od bardzo, bardzo długiego czasu. A co z tymi dodatkowymi kilogramami, które przybyły w ciągu trzydziestu lat małżeństwa, kiedy myślałaś, że to nie ma już znaczenia?

W każdym razie przeczytałam w gazecie o diecie South

Beach i wydała mi się łatwa, więc postarałam się o bardziej szczegółowe informacje. Moim wielkim problemem jest to, że nie znoszę uczucia głodu. Po prostu nie lubię tego wrażenia. Dawniej stosowałam różne niskotłuszczowe diety i zawsze czułam się głodna. Jednak w tej zasadą jest, żeby jeść, jeśli poczuje się głód. Kiedy usiądziesz do posiłku, masz jeść, dopóki się nie najesz.

Moją słabością nie były słodycze, tylko produkty słone i bogate w skrobię – chipsy ziemniaczane, frytki, prażona kukurydza. Kiedy szłam do hipermarketu, najpierw kupowałam wielką torbę prażonej kukurydzy, a zanim skończyłam zakupy, była pusta. Nigdy nie poszłam do kina bez prażonej kukurydzy z masłem – nigdy, przenigdy. Miałam męża, który codziennie życzył sobie na obiad wszystko, co możliwe. Musiała być sałatka, mięso, ziemniaki, jarzyny i chleb – zawsze chleb. Dla mnie odmówienie sobie chleba z masłem, gdy jedliśmy w restauracji, było naprawdę wielkim poświęceniem. Wiecie, w większości diet można jeść chleb, ale bez masła. Tymczasem w tej można masło, ale nie chleb. A jeśli już jesz chleb, to musi być z pełnego ziarna i zanurzony w oliwie, a nie posmarowany masłem.

Nie było mi łatwo w ciągu tych pierwszych tygodni, podczas ścisłej fazy. Musiałam zrezygnować ze wszystkich rzeczy, które uwielbiałam – chleba, ziemniaków, ryżu, makaronu, chipsów ziemniaczanych. Prawdę mówiąc, nie był to dla mnie miły okres. Czułam się... no, może nie źle, ale nie czułam się sobą. Przez pierwsze trzy tygodnie miałam wrażenie, że pozbywam się tego całego świństwa z organizmu. I wprawdzie nigdy nie byłam głodna, ale nadal miałam wielki apetyt na wszystko, czego nie mogłam jeść.

Jednak teraz już nawet nie pragnę tych rzeczy. Apetyt na nie zniknął. Teraz, kiedy mam ochotę na sałatkę, mogę ją zjeść, i to z sosem. Prawdziwym sosem do sałatek, a nie jakimś ohydnie smakującym paskudztwem.

Moja mama też przeszła na tę dietę, kiedy zobaczyła, ile schudłam. Ma już 81 lat i bardzo wysoki poziom cholesterolu. Po pierwszych dwóch tygodniach powiedziała do mnie: „Wiesz, naprawdę czuję się głodna". A ja na to: „Mamo, najlepsze w tej diecie jest to, że nie musisz być głodna. Jedz. Jeśli jesteś głodna, weź sobie kawałek sera". Jej się wydawało, że skoro to jest dieta, to człowiek powinien być głodny. Jednak posłuchała mojej rady i zaczęła jeść, a i tak straciła ponad siedem kilogramów, co dotąd nigdy jej się nie udawało.

Jestem naprawdę przekonana do tej diety. Niewiele oszukuję. Wcale nie jem makaronu ani ryżu. Można jeść brązowy ryż, ale go nie lubię. Żadnych ziemniaków, poza słodkimi, ale nawet te tylko pieczone. I niezbyt często. Nie jem słodyczy. Dodałam z powrotem chleb, bo nadal go uwielbiam. Jednak nie jem go codziennie, tylko jakieś dwa, trzy razy na tydzień. No i nigdy nie jem białego, tylko pełnoziarnisty, ryżowy albo pumpernikiel, ale nawet wtedy pytam, czy nie ma w nich dodatku białej mąki. Często się zdarza, że jest. Na przykład, chleb ryżowy kupowany w supermarkecie ją zawiera. Trzeba więc na to uważać.

Szczerze mówiąc, najlepsze w tej diecie jest to, że można pójść do każdej restauracji. Wszędzie przygotują ci na lunch sałatkę z warzyw i sera, ryby albo mięsa. Wszędzie też dostaniesz sałatkę z kurczaka lub tuńczyka. Mogę iść do Burger Kinga i wziąć kanapkę z kurczakiem z grilla, po czym odłożyć chleb. Idę do restauracji włoskiej, a tam szykują mi cielęcinę z parmezanem bez panierki – tylko sos pomidorowy i ser na wierzchu. W restauracji serwującej steki mogę wziąć koktajl z krewetek, a potem stek z warzywami – szparagami na parze lub fasolką szparagową z dodatkiem masła. Staram się z tym nie przesadzać, ale to jednak prawdziwe masło. Biorę też sałatkę z sosem z sera pleśniowego. I to wcale nie jest oszukiwanie!

Przeszłam na tę dietę trzy lata temu. Schudłam piętnaście kilogramów i utrzymuję osiągniętą wagę. Znowu czuję się zadowolona. Noszę teraz rozmiar 12 i bardzo mi z tym dobrze. Pewnie, że chętnie bym schudła jeszcze pięć kilogramów, ale nie mam zamiaru się zabijać, żeby tego dokonać. Przedtem nosiłam szesnastkę. Musiałam chodzić do sklepów z dużymi rozmiarami, a to nic przyjemnego.

Krótki przegląd popularnych diet

J eśli myśląc o kuracjach odchudzających, czujesz się zdezorientowany, to nie jesteś w tym osamotniony. W każdej chwili można wskazać całą gamę popularnych diet – od niskotłuszczowych wysokowęglowodanowych do wysokotłuszczowych niskowęglowodanowych. Jedne zalecają spożywanie dużej ilości białka, inne wymagają ścisłego zestawiania określonych składników odżywczych w każdym posiłku. Na podstawie swojej praktyki medycznej mogę stwierdzić, że zrozumienie rozumowania kryjącego się za dietą prowadzi do jej przestrzegania. Dlatego właśnie spróbuję przedstawić sedno zasad diety South Beach.

Jednak najpierw krótki przegląd historyczny, żeby wprowadzić cię w temat.

Początek współczesnej erze poprawy zdrowia poprzez chudnięcie dały zalecenia dietetyczne Amerykańskiego Towarzystwa Kardiologicznego, oparte na pionierskich badaniach przeprowadzonych po drugiej wojnie światowej przez doktora Ansela Keysa z University of Minnesota. Porównał on sposób odżywiania ze wskaźnikiem zawałów serca w różnych krajach całego świata i stwierdził, że tam, gdzie spożywano mniej tłuszczów, ludzie cieszyli się lepszym zdrowiem, jeśli chodzi o układ sercowo-naczyniowy. Było to w dużej mierze słuszne spostrzeżenie i pogłębiło naszą wiedzę o tym, jak odżywianie wpływa na zdrowie.

Jednak wnioski doktora Keysa nie były do końca słuszne i minęło jeszcze wiele lat, zanim uzupełniliśmy wiedzę o tym, jak powiązane jest odżywianie ze zdrowiem (szczególnie w aspekcie kardiologicznym).

Kiedy doktor Keys przeprowadzał swoje badania związku pomiędzy spożyciem tłuszczów a chorobami serca, odkrył, że grecka wyspa Kreta stanowi wyjątek wśród zbadanych miejsc, gdyż ludność spożywa tam bardzo dużo tłuszczu, a mimo to rzadko zdarzają się zawały serca. Ponieważ stało to w sprzeczności z wszystkimi innymi wynikami, odrzucono ten przypadek. Okazało się, że była to bardzo niefortunna decyzja.

Głównie na podstawie odkryć doktora Keysa i innych podobnych badań opracowano ogólnokrajowe zalecenia, żeby obniżyć ogólne spożycie tłuszczów. Zdecydowano wówczas, by nie przeprowadzać kosztujących miliony dolarów badań skutków diety niskotłuszczowej, tylko opracować wytyczne na podstawie posiadanych danych. Należy uczciwie przyznać, że trudno jest zmierzyć długofalowy wpływ diety na układ sercowo-naczyniowy. Miażdżyca tętnic rozwija się przez wiele lat, zanim stanie się na tyle zaawansowana, żeby spowodować zawał lub udar. W związku z tym prawidłowe badania diety musiałyby trwać równie długo, co pociągałoby za sobą ogromne koszty.

Zalecenia dotyczące diety niskotłuszczowej miały również podtekst polityczny – był to rodzaj „poprawności żywieniowej" podobnej do panującej w ostatnich latach poprawności politycznej. Gary Taubes w czasopiśmie „Science" z marca 2001 doskonale opisał rolę senackiej komisji kierowanej przez George'a McGoverna w tworzeniu naszych ogólnokrajowych zaleceń dotyczących diety. Komisja McGoverna została początkowo utworzona w celu zwalczania niedożywienia, jednak w latach siedemdziesiątych przestawiła się na nowe zadanie – zapobieganie otyłości. Rozpoczynając walkę z tym problemem, kierowała się przyjętym z góry założeniem, że tłuszcz jest z natury czymś złym, a jego nadmierne spożycie stanowi główną przyczynę otyłości i chorób serca w Stanach Zjednoczonych. Jednocześnie była skłonna podejrzewać, że każdy, kto nie wierzy, iż tłuszcz jest wrogiem publicznym numer jeden, ulega niewłaściwym wpływom przemysłu mięsnego, drobiarskiego lub mleczarskiego. Pogląd, że najlepsza dla naszego zdrowia jest dieta o niskiej ogólnej zawartości tłuszczu i dużej zawartości węglowodanów, stał się obowiązującą normą, mimo że nie było na to żadnych dowodów.

Tłuszcze a węglowodany: dyskusja

Jak wyglądają Amerykanie obecnie, kiedy minęły już lata od ogłoszenia zaleceń na temat niskotłuszczowego i wysokowęglowodanowego odżywiania? Jesteśmy coraz grubsi. Na dodatek rozpowszechniła się insulinoniezależna cukrzyca dorosłych, będąca wyraźną oznaką nieprawidłowego składu chemicznego krwi. Dlaczego zalecenia się nie sprawdziły? Po pierwsze, zakładano, że niskotłuszczowa dieta amerykańska będzie odzwierciedleniem podobnego, wysokowęglowodanowego sposobu odżywiania się w krajach takich jak Chiny i Japonia, gdzie wskaźnik zawałów serca jest bardzo niski. Jednak u nas wkroczył przemysł przetwórstwa żywności, starając się dostarczyć produkty niskotłuszczowe i smaczne. Zaczęto wytwarzać pyszne, wysoko przetworzone artykuły spożywcze, w tym ciastka i pieczywo, reklamując je, zgodnie z prawdą, jako niskotłuszczowe i pozbawione cholesterolu. Jednak z czasem zostały one skrytykowane przez specjalistów od spraw żywienia jako źródło „pustych kalorii". W produktach z pełnego ziarna cukry i skrobia są związane z błonnikiem i składnikami odżywczymi, zatem jedząc je, otrzymujemy niejako cały pakiet. Podczas przetwarzania ziarna błonnik (a przy okazji inne potrzebne składniki) zostaje usunięty, żeby można było łatwiej i szybciej ugotować na przykład ryż. Tyle że w rezultacie spożywamy samą skrobię, dostarczając organizmowi wyłącznie kalorii – pustych, gdyż pozbawionych niezbędnych składników odżywczych i błonnika.

Sytuację jeszcze pogorszyło to, że piramida żywieniowa propagowana przez Departament Rolnictwa (USDA) miała w podstawie tak zwane „węglowodany złożone" – chleb, makaron i ryż. Podobnie jak większość Amerykanów uznałem, że oznacza to, iż mogę jeść te produkty do woli i mimo to być szczupły i zdrowy do końca swoich dni. W szkole medycznej uczono mnie, że jedynym negatywnym skutkiem spożycia cukru jest próchnica zębów. Jeśli pamiętasz lata siedemdziesiąte, to zapewne przypominasz sobie, że przeciwstawiano wówczas zdrowy chleb, makaron i ryż szkodliwemu mięsu.

Czego się nauczyliśmy od tamtych czasów? Bardzo dużo. Przede wszystkim, gdy Ansel Keys prowadził swoje badania, nie wiedziano jeszcze, że błonnik odgrywa tak ważną rolę w naszym odżywianiu. Dopiero w latach siedemdziesiątych zaczęto go doceniać. Jednak nawet wówczas przypisywano mu tylko dobry wpływ na funkcjonowanie jelit i okrężnicy. W 1980 roku doktor Keys napisał książkę podsumowującą jego badania. Stwierdza w niej, że błonnik m o ż e być ważnym czynnikiem nie uwzględnionym w jego wcześniejszych pracach.

Okazuje się, że Stany Zjednoczone oraz kraje z północy Europy, gdzie występuje duże spożycie tłuszczów i wysoki wskaźnik zawałów serca, mają również najniższą zawartość błonnika w produkowanych u siebie węglowodanach. Natomiast w krajach mniej rozwiniętych, gdzie spożywa się produkty wysokowęglowodanowe i niskotłuszczowe, zawartość błonnika jest bardzo duża. W latach dziewięćdziesiątych naukowcy z Harvard School of Nutrition pod przewodnictwem doktora Waltera C. Willeta prześledzili zależność pomiędzy spożyciem błonnika a wskaźnikiem zawałów serca. Okazało się, że węglowodany bogate w błonnik, takie jak warzywa czy produkty zbożowe z pełnego ziarna, znacząco zmniejszają zagrożenia związane ze spożywaniem większości tłuszczów. Tylko tłuszcze nasycone pozostają nadal czynnikiem ryzyka, ale już nie tak ważnym.

Kiedy Amerykańskie Towarzystwo Kardiologiczne i inne ogólnokrajowe stowarzyszenia po raz pierwszy opublikowały swoje zalecenia, w Stanach Zjednoczonych spożywano głównie niezdrowe tłuszcze nasycone. Niewiele jeszcze wiedziano o oddziaływaniu innych tłuszczów, na przykład oliwy z oliwek, oleju arachidowego, ryb i innych. Ponieważ nawet specjaliści nie rozumieli w pełni wpływu tłuszczów na nasze zdrowie, zalecano, żeby ograniczyć ich ogólne spożycie. W rezultacie spożycie tłuszczów nasyconych rzeczywiście znacząco spadło. Obniżył się także poziom całkowitego cholesterolu u Amerykanów, mimo że jesteśmy coraz bardziej otyli. Dlaczego? Ponieważ jemy mniej tłuszczów nasyconych, a więcej dobrych. Tylko że wraz ze spadkiem złego cholesterolu obniża się też poziom dobrego, który poprawia funkcjonowanie układu sercowo-naczyniowego. Z kolei stężenie trzeciego rodzaju tłuszczów obecnych w naszej krwi – trójglicerydów – wzrasta i jest to jeszcze jeden szkodliwy skutek otyłości. Trójglicerydy powodują niedrożność tętnic.

Na koniec, dowiedzieliśmy się też znacznie więcej o różnych właściwościach tłuszczów i węglowodanów, jeśli chodzi o przybieranie na wadze. Generalnie, gram tłuszczu ma więcej kalorii niż gram węglowodanów. Wiedzieliśmy o tym od dawna, ale nie rozumieliśmy znaczenia tego faktu. Uznawaliśmy po prostu, że węglowodany są mniej tuczące. W rzeczywistości może być nawet odwrotnie. Jedząc tłuszcze, szybko zaspokajamy głód i w rezultacie wiemy, kiedy przestać. Wysoko przetworzone węglowodany powodują szybkie zmiany poziomu cukru we krwi i pobudzają głód, co prowadzi do przejadania się i otyłości. Tego również nie wiedziano w czasach, gdy propagowano dietę niskotłuszczową wysokowęglowodanową.

Pod koniec lat siedemdziesiątych doktor David Jenkins z University of Toronto wprowadził pojęcie indeksu glikemicznego. Wskazuje on, do jakiego stopnia spożycie określonego pokarmu podnosi poziom cukru we krwi, a tym samym wpływa na przybieranie na wadze. Jednym z zaskakujących odkryć było to, że pewne produkty skrobiowe, jak biały chleb i ziemniaki, podnoszą poziom glukozy we krwi szybciej niż cukier stołowy. Tworzona w najlepszych intencjach piramida żywieniowa amerykańskiego Departamentu Rolnictwa okazała się oparta na cukrach! Szerokie rozpowszechnienie tych zaleceń doprowadziło do tego, że Amerykanie zaczęli tyć. Krajowe wytyczne tworzone z myślą, żebyśmy byli szczupli i zdrowi, spowodowały, że jesteśmy grubsi i bardziej chorzy.

Przegląd popularnych diet

A jak wygląda sprawa z popularnymi dietami szeroko reklamowanymi w okresie trzydziestu lat, które upłynęły od ogłoszenia tych wytycznych? Początkowo większość tych kuracji odchudzających również opierała się na zasadzie, by jeść mało tłuszczów i dużo węglowodanów. Najpopularniejsza była dieta Pritikina, narzucająca bardzo ostre ograniczenia całkowitej ilości spożywanych tłuszczów. W ostatnich latach Pritikin złagodził swoje poglądy na temat tłuszczów nienasyconych. Szanuję lekarzy promujących dietę Pritikina za ich zaangażowanie w zapobieganie chorobom serca, tym bardziej że udało im się przekonać społeczeństwo do konieczności ćwiczeń fizycznych. Jednak nawet jej rzecznicy przyznają, że trudno jej przestrzegać i wymaga bardzo dużego zaangażowania ze strony pacjenta. Ponadto wysoka zawartość węglowodanów w pożywieniu może podnieść poziom cholesterolu i trójglicerydów u niektórych osób. Z pewnością nie jest to dieta do powszechnego stosowania.

Na początku lat siedemdziesiątych doktor Robert Atkins napisał *Dr. Atkins' Diet Revolution**, która wszystkich zbulwersowała, gdyż propagowała coś wręcz odwrotnego do obowiązującej niskotłuszczowej doktryny. Atkins nawoływał do stosowania diety bogatej w tłuszcze nasycone, a ubogiej w węglowodany, toteż jego teorie zostały natychmiast potępione przez sławy z dziedziny medycyny i żywienia. Tę krytykę podważył nieco fakt, że dieta Atkinsa dawała znacznie lepsze rezultaty niż niskotłuszczowa wysokowęglowodanowa dieta Amerykańskiego Towarzystwa Kardiologicznego. Jednak Atkins był atakowany częściowo dlatego, że jego zalecenia do tego stopnia ograniczały spożycie węglowodanów, iż tłuszcz zgromadzony w organizmie był rozkładany na paliwo, co powodowało stan zwany ketozą. Zdaję sobie sprawę, że nie ma dowodów na to, by ketoza była niebezpieczna dla osoby otyłej, lecz zdrowej pod innymi względami. Jednak wiąże się z nią obniżenie poziomu płynów w organizmie i odwodnienie, co może spowodować problemy u osób chorych na nerki oraz leczonych środkami przeciw nadciśnieniu. Ogólnie rzecz biorąc, niebezpieczeństwo związane z ketozą jest wyolbrzymione.

Dla mnie główną przyczyną niepokoju, jeśli chodzi o dietę Atkinsa, jest nieograniczone spożycie tłuszczów nasyconych. Istnieją obecnie

---

* W wydaniu polskim ukazała się późniejsza książka doktora Atkinsa pt. *Nowa rewolucyjna dieta doktora Atkinsa*, Warszawa 2000 (przyp. tłum.).

dowody, że bezpośrednio po ich spożyciu następuje zaburzenie w funkcjonowaniu tętnic, również tych dostarczających krew do mięśnia sercowego. W rezultacie wyściółka tych naczyń (śródbłonek) ma skłonność do kurczenia się i powstawania skrzepów. Wyobraź sobie, że w sprzyjających (a raczej fatalnych) okolicznościach spożycie posiłku bogatego w tłuszcze nasycone może wywołać zawał! Ponadto po takim posiłku pewne elementy krwi, zwane cząsteczkami resztkowymi pozostają w krwiobiegu dłużej, niż to wskazane, przyczyniając się do budowania blaszek miażdżycowych w ściankach naczyń krwionośnych. Nie wiedziano o tym wszystkim, gdy doktor Atkins układał swoją dietę, ale wiemy to teraz.

Tego rodzaju negatywne skutki nie występują, gdy spożywamy tłuszcze nienasycone. Dlatego w diecie South Beach tak usilnie zachęcamy do stosowania „dobrych tłuszczów". Dzięki nim potrawy smakują lepiej, a jednocześnie poprawia się stan naczyń krwionośnych.

Kolejną słynną kuracją ostatnich lat jest dieta doktora Deana Ornisha. Prezentuje on podejście podobne do Pritikina. Zachęca do ostrego ograniczenia całkowitej ilości zjadanych tłuszczów i spożywania dużych ilości węglowodanów. Jednocześnie należy dbać o aktywność fizyczną i stosować techniki relaksacyjne. Za pomocą kilku badań o niedużym zasięgu Ornish wykazał, że wskutek jego diety poprawia się stan układu naczyniowego. Dla mnie największym problemem związanym z tą dietą jest fakt, że bardzo trudno jej przestrzegać, z czym zgadza się również sam autor. Moje wątpliwości budzi również ograniczenie spożycia wszystkich tłuszczów. Przecież większość jedno- i wielonienasyconych tłuszczów wywiera korzystne działanie na nasz organizm i naczynia krwionośne. Dlaczego zatem ich nie używać, skoro na dodatek poprawiają smak potraw i sycą? Kolejnym problemem jest to, że u niektórych pacjentów duże spożycie węglowodanów może wywołać stan przedcukrzycowy, który zostanie omówiony w dalszej części książki. Zagadnienie to ma duże znaczenie, gdyż co najmniej jedna czwarta Amerykanów jest podatna na ten stan i stwierdzono go u ponad połowy osób, które doznały zawału. Ornish opracowywał swoją dietę, gdy jeszcze nie znaliśmy szkodliwego wpływu wysoko przetworzonych węglowodanów. Obecnie zwraca uwagę, żeby spożywać węglowodany bogate w błonnik, które nie powodują stanu przedcukrzycowego.

Znam i szanuję zarówno doktora Atkinsa (zm. w 2003 r.), jak i doktora Ornisha. Udało im się przełamać utarte poglądy społeczeństwa i przekonać je do zapobiegania zawałom poprzez zdrowszą dietę i zmianę stylu życia. Obu krytykowano za komercyjny sukces ich programów, ale nie zrezygnowali ze swojej batalii. Konieczne jest spopularyzowanie naukowych zasad żywienia, jeśli mamy poradzić sobie z otyłością i chorobami serca.

Jeśli o mnie chodzi, to nie propaguję ani diety niskotłuszczowej, ani niskowęglowodanowej. Moim celem jest przekonanie czytelników do wybierania odpowiednich tłuszczów i odpowiednich węglowodanów. Nauczysz się jeść potrawy, które są smaczne, zaspokajają apetyt i nie wywołują głodu parę godzin później. Dzięki temu opracujesz najlepszy dla siebie program żywienia, który umożliwi ci szybką utratę zbędnych kilogramów, długotrwałe utrzymanie pożądanej masy ciała i osiągnięcie lepszego stanu zdrowia.

MOJA DIETA SOUTH BEACH

ELLEN P.: SCHUDŁAM 10 KILOGRAMÓW W DWA I PÓŁ MIESIĄCA

Zbliżała się bat micwa mojej najstarszej córki, więc chciałam nieco schudnąć – jakieś 10 kilogramów.

Przez całe życie mogłam jeść wszystko i wcale nie było tego widać. Uwielbiałam słodycze. Czekoladki. Przyjaciółki zawsze mi zazdrościły. Mówiły: „Jakim cudem możesz tyle jeść i nadal być szczupła?"

Dlatego był to dla mnie prawdziwy szok, kiedy po przekroczeniu czterdziestki zaczęłam nagle przybierać na wadze. Chyba zmienił się mój metabolizm. W każdym razie niewiele wiedziałam o odchudzaniu, bo nigdy nie musiałam tego robić. Kiedy przyjrzałam się tym wszystkim kuracjom odchudzającym, stwierdziłam, że nie ma mowy, żebym bez przerwy uważała na wszystko, co jem, albo piła te dietetyczne koktajle. Dlatego ta dieta była dla mnie idealna, bo nigdy nie miałam wrażenia, że muszę jeść rzeczy, których nie lubię, albo wstawać od stołu głodna.

Najtrudniejsze było dla mnie zrezygnowanie na początku ze wszystkich owoców. Uwielbiam owoce i soki owocowe. Poza tym dużo przebywam w domu z trójką moich dzieci i stale daję im jakieś przekąski. Co najmniej dwa razy w tygodniu kupowaliśmy sobie gotowe do upieczenia ciasteczka z kawałkami czekolady. Kupowałam też mnóstwo lodów. Potrafiłam w środku dnia usiąść sobie i zjeść cały pojemnik. Albo sernik. I ciastka. Początkowo nie wiedziałam, czy mi się to uda. Kiedy ktoś mi mówi, czego nie mogę jeść, natychmiast jeszcze bardziej mam na to ochotę. Jednak ta dieta była całkiem w porządku od samego początku. Mój mąż też zaczął jej przestrzegać i zrobił się z tego rodzaj zawodów między nami. Wiem, że nie powinno się tego robić, ale ważyliśmy się codziennie.

Spodobało mi się w tej diecie to, że rzeczywiście prawie od razu się chudnie i dzięki temu poprawia ci się samopoczucie. Kiedy jesteś głodny, możesz zjeść homara, krewetki i stek oraz warzywa i nie musisz za bardzo się ograniczać. Nawet zrezygnowanie ze słodyczy nie było takie trudne. Po pewnym czasie przestajesz nawet mieć na nie apetyt. A jeśli byłam głodna, zjadałam kawałek indyka czy czegoś innego. Albo sera. Pamiętam, jak mój mąż zawsze musiał mieć chleb. Kiedy szliśmy do restauracji, już od progu go wyczuwał. Od kiedy przeszliśmy na dietę, mówił kelnerowi: „Proszę go nawet nie przynosić na nasz stolik. Nie chcemy, żeby nas kusiło".

Byłam na tej diecie przez dwa i pół miesiąca i w tym czasie schudłam 10 kilogramów. Wiem, że ścisłą fazę stosuje się tylko przez 2 tygodnie, lecz ja pozostałam przy niej przez kilka dalszych. Chciałam mieć pewność, że zdążę schudnąć na bat micwę. Poza tym nawet ta faza nie była taka zła.

Sądzę, że teraz jestem na etapie utrzymywania masy ciała. Nie przestrzegam zasad zbyt ściśle, ale też nie odczuwam takiego apetytu jak przedtem. Kiedy idę na zakupy, nawet nie spojrzę na lody, a przecież tak bardzo je lubiłam. Dawniej ciągle jadłam kanapki, a teraz zjadam kawałek indyka czy czegoś innego zawinięty w liść sałaty zamiast chleba. Resztki mięsa kroję na kawałki i wkładam do sałatki. Wcześniej przeważnie nie jadłam śniadania, lecz teraz jem je zawsze i najwyraźniej to ułatwia przestrzeganie diety. Zjadam jajko z bekonem z indyka i to starcza mi do lunchu. Przedtem wprawdzie nie jadłam śniadania, ale jeśli znalazłam pączki, to chętnie zaspokajałam nimi głód. Nadal od czasu do czasu jadam ciasteczka, ale to wszystko, jeśli chodzi o słodycze.

Dzień z życia

N
a początku tej książki opisałem w skrócie, jak minęłyby ci pierwsze tygodnie diety South Beach. Teraz chciałbym do tego wrócić i bardziej szczegółowo przedstawić typowy dzień. Zacznijmy od pierwszego dnia Fazy 1. Niewątpliwie poprzedniego wieczoru urządziłeś sobie ucztę, jednak przespałeś łaknienie spowodowane zjedzeniem węglowodanów, więc nie nastąpiły dalsze szkody. Do chwili kiedy obudziłeś się dziś rano, twój krwiobieg stał się stosunkowo czysty. Twoim najpilniejszym zadaniem jest utrzymać go w tym stanie. Można to osiągnąć, po prostu nie wprowadzając do organizmu złych węglowodanów.

Zaczniemy od omletu z dwóch jajek wzbogaconego dwoma plastrami chudego bekonu usmażonego na patelni spryskanej oliwą z oliwek lub olejem rzepakowym. Pewnie będzie ci brakowało grzanki czy bajgla, ale jeśli tylko oderwiesz myśli od chleba, reszta organizmu też sobie poradzi. Będzie to pierwszy sprawdzian twojego nowego reżimu. Może minąć kilka dni, zanim odzwyczaisz się od dotychczasowej porcji porannych węglowodanów. Jednak naszym celem w Fazie 1 jest rozpoczęcie przeciwdziałania prawdopodobnej niezdolności twojego organizmu do właściwego przetwarzania cukrów i skrobi, co leży u podłoża większości problemów z nadwagą. Chcąc to osiągnąć, należy wykluczyć z diety wszystkie węglowodany, oprócz najzdrowszych. Oznacza to, że dozwolone są tylko te zawierające najwięcej błonnika i składników odżywczych, a najmniej cukrów i skrobi – czyli warzywa i sałatki, przynajmniej przez pierwsze dwa tygodnie.

Dzięki odpowiedniemu połączeniu białek (jajka i bekon) i dobrych tłuszczów (oliwa i bekon) twój żołądek będzie pełen i zajmie się trawieniem. Przez dłuższy czas nie będziesz odczuwał głodu. Oczywiście nie musi to być omlet z bekonem – możesz zjeść dwa jajka z brokułami, szparagami, grzybami lub papryką. W ten sposób dodasz jeszcze do posiłku korzystny dla ciebie błonnik roślinny. Można też zjeść omlet z szynką lub niskotłuszczowym serem.

Do posiłku możesz wypić kawę lub herbatę z niskotłuszczowym

mlekiem i substytutem cukru. Obecnie jest ich bardzo dużo na rynku, więc wybierz ten, który najbardziej ci odpowiada. Ja sam najbardziej lubię słodzik otrzymywany częściowo z pewnej formy cukru, który jednak nie ma kalorii. W niektórych dietach kawa i herbata są niedozwolone, gdyż kofeina nieco zwiększa łaknienie. Jednak wprowadzasz teraz do swego życia i tak dość zmian, nawet bez rezygnowania z porannej kawy.

Zauważyłem podczas swojej praktyki, że bardzo wiele osób z nadwagą nie ma zwyczaju jadać śniadań – szczególnie kobiety. Nie jest to nawet próba ograniczenia kalorii, po prostu nie lubią jeść od rana. Niestety, jest to niekorzystne, gdyż przy takim postępowaniu nadmiernie obniża się poziom cukru we krwi, a wraz z upływem godzin rośnie głód, tak że w porze lunchu mamy ogromny apetyt na niezdrowe węglowodany – takie, które z pewnością utrwalą twoją nadwagę. Zatem rezygnowanie ze śniadania nie jest dobrym pomysłem, szczególnie jeśli starasz się schudnąć.

Planowanie posiłków

W drugiej części tej książki przedstawiono szczegółowy jadłospis wszystkich posiłków dla wszystkich faz tej diety. Jak się przekonasz, będziesz miał do dyspozycji urozmaicony zestaw potraw, nawet w fazie ścisłej. Jest tam na przykład fritata z wędzonym łososiem oraz potrawa, którą nazwaliśmy „babeczkami jarzynowymi", zrobionymi z jajek i szpinaku, które można dla wygody przygotować wcześniej i podgrzewać w kuchence mikrofalowej. W jadłospisie śniadaniowym używamy sporo jajek, co zapewne zaniepokoi niektórych czytelników, gdyż przez lata przestrzegano przed nimi ze względu na dużą zawartość cholesterolu. Tymczasem okazało się, że jajka nie zawierają tłuszczów nasyconych i podwyższają nie tylko zły cholesterol, ale i dobry. Żółtko jest dobrym źródłem naturalnej witaminy E i białek. Zatem jajka są dopuszczalne. W drugiej fazie diety zaczniemy też wprowadzać węglowodany, nawet pełnoziarniste grzanki i angielskie babeczki oraz płatki śniadaniowe o dużej zawartości błonnika. Włączymy też owoce.

Nawet jeśli nie odczuwasz potrzeby zjedzenia drugiego śniadania, powinieneś około 10.30 zjeść jakąś przekąskę. Warto pamiętać, żeby zapakować sobie na przykład paluszki z częściowo odtłuszczonego sera mozzarella. Jak już wspominałem, jedyne niskotłuszczowe produkty, które polecam osobom stosującym tę dietę, to sery i jogurt, gdyż tylko one nie zawierają węglowodanów zamiast tłuszczów. Cukier ogranicza się w nich do laktozy, czyli cukru mlecznego, dopuszczalnego w diecie South Beach. Można je znaleźć w większości supermarketów, gdyż stały się ulubioną przekąską dzieci. Są bardzo wygodne w użyciu i dobrze smakują. Co ważniejsze, nasycasz się dobrymi tłuszczami i białkiem. Dzięki temu nie przychodzisz na lunch głodny jak wilk.

Na lunch możesz zjeść sałatkę z sałaty, pomidorów, kurczaka lub ryby z grilla, doprawioną sosem winegret przyrządzonym na oliwie z oliwek. Popijesz to wodą lub innym napojem bez cukru. Innym razem możesz wybrać krewetki z rusztu na zielonych warzywach lub pomidory nadziewane sałatką z tuńczyka. Bardzo dobra jest też sałatka nicejska. Wszystkie te potrawy można łatwo przygotować w domu lub znaleźć w wielu restauracjach, dzięki modzie na jedzenie lekkich, zdrowych posiłków poza domem. Absolutnie nie staraj się ograniczać zjadanej ilości – ważną cechą tej diety jest to, że możesz dobrze zjeść do syta. Jedzenie to jedna z niezawodnych przyjemności życiowych, a będzie pełna, jeśli wybierzesz właściwe produkty. Jeśli to ci się uda, będziesz mógł od czasu do czasu sprawić sobie przyjemność jakimś niedozwolonym przysmakiem.

Mam nadzieję, że zaczynasz dostrzegać wzorzec, na którym opiera się kompozycja tych posiłków. Wszystkie stanowią kombinację zdrowych węglowodanów, białek i tłuszczów. Są to normalne, codzienne potrawy, których celem jest pełne zaspokojenie głodu, a jednocześnie uwolnienie twojego organizmu od niskiej jakości cukrów i skrobi, które wyrządzają tak wielkie szkody w składzie chemicznym twojej krwi. Nie wiem, czy zauważyłeś, że nie mówimy wcale o liczeniu kalorii, ilości tłuszczu czy wielkości porcji. Dieta South Beach została zaprojektowana w taki sposób, żebyś nie musiał zwracać na to uwagi. Jej cechą charakterystyczną jest prostota. Życie i tak jest skomplikowane, po co jeszcze bardziej je sobie utrudniać, przesadnie analizując wszystko, co jemy. Jeśli jesz właściwe pokarmy, nie musisz stale się martwić, ile ich zjadłeś. Ponieważ tłuszcze i białka znacznie skuteczniej od wysoko oczyszczonych węglowodanów wywołują uczucie sytości, jest mało prawdopodobne, żebyś siedział do późnego wieczoru przed telewizorem, pochłaniając kolejne kęsy steku. Natomiast łatwo sobie wyobrazić, że przez kilka godzin przegryzasz chipsy lub ciasteczka!

Zanim skończysz tę książkę, zyskasz bardzo dobre ogólne pojęcie o tym, które pokarmy możesz jeść do woli, które ograniczać i których unikać. Dowiesz się, na czym polega metabolizm – nie w formie naukowego opisu, tylko w sposób praktyczny, tak że zrozumiesz, w jaki sposób określone pokarmy wpływają na skład chemiczny krwi, a tym samym na masę twojego ciała. Nauczysz się, jak regulować skład krwi i metabolizm poprzez dobór odpowiednich produktów spożywczych.

Wiedza o tym, jak poszczególne produkty wpływają na funkcjonowanie twojego organizmu, pomoże ci schudnąć i utrzymać pożądaną masę ciała. W przyszłości, jeśli pozwolisz sobie na odstępstwo od diety i stwierdzisz, że przybyło ci kilka kilogramów, będziesz wiedzieć, jak naprawić szkody. Indeksy glikemiczne pokarmów podane na str. 80-82 pomogą ci stwierdzić, które produkty powodują tycie. Jednak dobre zrozumienie podstaw tej diety to wszystko, co musisz wiedzieć, aby właściwie się odżywiać. Przekonasz się, że bez trudu będziesz mógł gotować w domu lub jadać poza domem, cały czas trzymając się zaleceń.

Zmień swój sposób myślenia

Dobrze, zatem jest już wczesne popołudnie, zazwyczaj pierwszy niebezpieczny moment, jeśli chodzi o dietę. Normalnie szukałbyś może czegoś słodkiego, gdyż spada ci poziom cukru we krwi, a co za tym idzie, poziom energii. O tej porze wiele osób pędzi do kawiarni, sklepu cukierniczego lub automatu z batonikami. Jednak ty zamiast słodyczy zjesz orzechy – na przykład zwykłe migdały (bez soli, nie prażone). Orzechy zawierają dobre, zdrowe kwasy tłuszczowe, a ponadto sycą. Niestety, łatwo zjeść ich zbyt wiele i zahamować spadek masy ciała. Dlatego radzę odliczyć piętnaście migdałów, orzechów nerkowca czy innych. Niektórzy twierdzą, że wolą pistacje, częściowo dlatego, że są na tyle małe, iż można ich zjeść trzydzieści. Poza tym rozbicie i zjedzenie trzydziestu orzeszków wymaga nieco czasu i przekąska trwa dłużej.

Wreszcie pora zacząć myśleć o obiedzie. Najnowsze trendy w dziedzinie wykwintnego żywienia są zbliżone do tego, co zaleca dieta South Beach, gdyż świeże warzywa, ryby i chude mięso są podstawą naszego programu. W Fazie 1 proponujemy takie potrawy, jak łosoś z rusztu z cytryną, pieczony bakłażan z sałatką, kurczak z balsamicznym sosem winegret, a nawet wołowina z rusztu po londyńsku i pieczarki nadziewane szpinakiem. Tego rodzaju dania możesz znaleźć w jadłospisie dobrych restauracji i z przyjemnością je zjeść. I jest to ścisła faza naszej diety! Jak się przekonasz, w Fazie 1 opieramy się głównie na kurczakach, rybach i chudej wołowinie spożywanych z mnóstwem warzyw i sałatek. Gorąco radzimy, żeby po tym posiłku zjeść także deser.

Drugi niebezpieczny moment to pora pomiędzy obiadem a pójściem spać. Właśnie wówczas nasze dobre intencje i silne postanowienia zostają wystawione na ciężką próbę. Częściowo wynika to z naszych wieczornych zwyczajów. Odprężasz się po męczącym dniu, czytając książkę lub oglądając telewizję, nieraz w towarzystwie przyjaciół lub rodziny, a wówczas włącza się nawyk wspólnego przegryzania różnych przysmaków. Jeśli tak jak ja masz dzieci, to w kuchni zapewne czyha na ciebie wiele pokus. A może po prostu zostałeś przyzwyczajony, żeby po pikantnym obiedzie zjeść coś słodkiego. W każdym razie opracowaliśmy dwa podstawowe desery do stosowania w Fazie 1. Pierwszy i najprostszy to galaretka bez cukru. Osobom, które uwielbiają owoce, może ona nawet nieco zrekompensować ich brak przez te pierwsze dwa tygodnie. W drugim pomyśle wykorzystaliśmy niskotłuszczowy serek ricotta, którego można użyć jako podstawy wielu pysznych i dozwolonych deserów. Przypominają one w smaku włoski przysmak tiramisu przyrządzany z sera, czekolady, kawy i biszkoptów. Do naszego deseru należy wziąć pół szklanki niskotłuszczowej ricotty i wymieszać ją z kilkoma łyżeczkami nie słodzonego kakao, posiekanymi migdałami i słodzikiem do smaku. Jest to naprawdę pyszne i gwarantuję, że będziesz miał wrażenie, iż zjadłeś prawdziwy deser. Wypróbowaliśmy kilka wersji – z olejkiem waniliowym lub migdałowym, skórką cytrynową, a nawet polaliśmy go sosem czekoladowym bez cukru i zapiekliśmy.

I tak wygląda pierwszy dzień diety South Beach! Jeszcze zanim skończyłeś ostatnią łyżeczkę kawowej ricotty, zacząłeś wyzbywać się apetytu na potrawy, które włączyły cię do rosnących (pod każdym względem) szeregów osób z nadwagą. Twoja krew jest już inna niż jeszcze dwadzieścia cztery godziny temu, jest zdrowsza. Odżywiaj się podobnie przez następny dzień, a znajdziesz się jeszcze bliżej swojego celu, którym jest schudnięcie, oraz mojego celu dla ciebie, czyli lepszego ogólnego zdrowia.

MOJA DIETA SOUTH BEACH	**DANIEL S.: OKAZAŁO SIĘ, ŻE TA DIETA JEST DLA MNIE WYJĄTKOWO ŁATWA** Poszedłem do swojego internisty i powiedziałem, żeby mi polecił jakąś dietę. Zapowiedziałem też, że nie chcę żadnych tabletek. Mam sześćdziesiąt jeden lat i ważyłem 120 kilogramów. W wieku dwudziestu kilku

lat byłem jeszcze cięższy – pewnie miałem dobrze ponad 130 kilogramów. Udawało mi się trochę schudnąć, ale potem pojawiał się efekt jo-jo. Fizycznie cieszę się dobrym zdrowiem. Ciśnienie, cholesterol i serce są w porządku. Jednak stale czułem się, jakbym był w letargu, nie dawałem rady poruszać się tak, jak powinienem.

Bardzo dużo jadam poza domem. Miałem zwyczaj wpychać w siebie pełno nieodpowiednich rzeczy. Niewątpliwie należę do ludzi, którzy pod wpływem stresu jedzą, więc nie żałowałem sobie ziemniaków, makaronu i innych tego typu rzeczy. Chleb dosłownie pochłaniałem.

Ze śniadaniem zawsze wszystko było w porządku. Z lunchem całkiem dobrze. Za to popołudnie – czas do obiadu to był problem. Jako coś do przegryzienia wybierałem batonik czekoladowy, ciastka czy inne rzeczy, których z pewnością nie powinienem jeść.

Potem na obiad jadłem wszystko, na co miałem ochotę. Nie robiłem sobie żadnych ograniczeń. Także w kwestii deseru.

Powiedziałbym, że przyczyną mojego upadku były produkty bogate w skrobię. Najgorszy okres był pomiędzy czwartą po południu a ósmą wieczorem. Wyjątkowo stresujące dni były inne już od rana. W taki dzień zjadałem pączki lub ciasto. Mówiłem sobie: Życie jest stresujące. Ciesz się tym, czym możesz.

Jestem na tej diecie od roku i dwóch miesięcy. Jak mówiłem, przedtem wypróbowałem już setki diet. Tysiące. Miałem bardzo dobre wyniki, ale również i dość słabe. Bardzo łatwo jest mi schudnąć, tyle że nigdy nie potrafiłem utrzymać tego stanu. Chudłem przez cztery, sześć miesięcy, a potem stopniowo waga pięła się w górę.

Ta dieta okazała się dla mnie wyjątkowo łatwa. Po początkowej ścisłej fazie mogłem wprowadzić z powrotem wiele rzeczy do swojego jadłospisu. Stwierdziłem, że kiedy dodaliśmy ponownie różne produkty, mogłem prowadzić całkiem normalne życie, z kilkoma własnymi modyfikacjami. Najważniejsze jest wytłumaczenie sobie, że po lunchu nie mogę jeść chleba, ziemniaków czy makaronu. I tego się trzymam od roku, nie jedząc tych pokarmów po siedemnastej. Mogę się obyć bez makaronu i ziemniaków, ale do chleba nadal mam słabość. Dlatego po prostu się zmuszam, żeby z niego rezygnować. W restauracji proszę kelnera, żeby nie przynosił go do stolika. Nie oznacza to, że ani razu nie zjadłem chleba przez miniony rok. Jednak ilekroć skuszę się wieczorem na chleb, makaron czy ziemniaki, to moja masa ciała przestaje spadać. Widać zatem, że jest ścisły związek pomiędzy tymi trzema produktami i utrzymywaniem się nadwagi.

Przy szczególnych okazjach – na przykład na urodziny, kilka tygodni temu – idę do wspaniałej włoskiej restauracji, gdzie przygotowują mi makaron domowej roboty. Pochłonąłem całą miskę wraz z chlebem czosnkowym. Smakowało fantastycznie. Ale to w końcu były moje urodziny i powinienem spędzić je przyjemnie. Tego wieczoru pozwoliłem też sobie na deser. Ale już od następnego dnia nie ruszałem żadnych tego rodzaju rzeczy.

Czasem zjadam trochę chleba na śniadanie lub lunch. Nigdy później. I wcale nie czuję, że czegoś sobie odmawiam. Na tym polega różnica pomiędzy teraźniejszością a przeszłością. Bywa czasem, że widzę chleb i myślę sobie: „O ludzie, ale bym sobie zjadł kawałek". Jednak nauczyłem się bez niego obywać.

Dobre i złe tłuszcze

Początkowo spożywanie wszystkich tłuszczów uważano za niewskazane. Działo się tak na zasadzie skojarzeń. W naszej diecie dominowały tłuszcze nasycone, a ponieważ zebrano wiele dowodów, że są one szkodliwe, uznano wszystkie tłuszcze za szkodliwe. Chcąc wyeliminować z naszego pożywienia nasycone kwasy tłuszczowe, zaczęto popularyzować pewną formę tłuszczów wielonienasyconych – kwasy tłuszczowe trans. Produkuje się je z olejów roślinnych przez częściowe uwodornienie i wykorzystuje między innymi w pieczywie cukierniczym i margarynach. Niestety, okazało się, że są one równie niebezpieczne jak kwasy nasycone. Podwyższają poziom złego cholesterolu i mogą zwiększać ryzyko zawału serca lub udaru.

Coraz więcej badań wykazuje, że istnieje wiele tłuszczów nie powodujących szkodliwych skutków, które są wynikiem spożywania tłuszczów nasyconych oraz nienasyconych typu trans. Ponadto, mamy już liczne dowody, że kwasy nienasycone nie będące formą trans wywierają pozytywny wpływ na nasz organizm. W rejonie śródziemnomorskim, gdzie powszechnie stosuje się w kuchni oliwę lub olej, wskaźniki zawałów i udarów są bardzo niskie.

W najpoważniejszym z opisywanych dotychczas badań diety – Lyon Diet Heart Study – połowa badanych jako tłuszczu używała oleju z rzepaku typu canola, zawierającego głównie jednonienasycone kwasy tłuszczowe (oraz kwasy tłuszczowe omega-3). Wszyscy badani przeszli wcześniej zawał, lecz w grupie spożywającej dobry tłuszcz stwierdzono o 70% mniejszą liczbę powtórnych zawałów.

Inne szeroko zakrojone badania kliniczne – GISSI Prevenzione – wykazały, że spożywanie tłuszczu rybiego zawierającego wielonienasycone kwasy tłuszczowe omega-3 zmniejsza ryzyko nagłego zgonu. Kilka innych badań diet potwierdziło, że spożywanie ryb kilka razy w tygodniu zapobiega zawałowi serca i udarowi. Okazuje się, że kwasy omega-3 to główny składnik, którego brakuje w pożywieniu ludzi Zachodu.

Na koniec należy wspomnieć, że kilka badań udowodniło, iż również różne rodzaje orzechów bogatych w jedno- lub wielonienasycone kwasy tłuszczowe zapobiegają zawałom serca i udarom. Widać więc, że mamy do wyboru rozmaite rodzaje żywności oraz olejów i innych tłuszczów, dzięki którym nasze posiłki będą doskonale smakowały, a jednocześnie korzystnie oddziaływały na zdrowie. Zatem włączenie odpowiednich tłuszczów do diety South Beach było logicznym posunięciem, które na dodatek okazuje się coraz korzystniejsze, w miarę jak ukazują się sprawozdania z badań kolejnych dobrych tłuszczów.

Kiedy już dopracowaliśmy swoją dietę, uznaliśmy, że jest gotowa do prawdziwej, praktycznej próby. Przygotowaliśmy spis zasad, kilka podstawowych jadłospisów, listę dozwolonych i zabronionych pokarmów oraz kilka prostych przepisów. Potem zaczęliśmy wręczać te materiały pacjentom. Jeszcze raz przypomnę, że naszym głównym celem n i e b y ł o odchudzanie dla samego odchudzania. Chodziło nam o poprawę stanu układu sercowo-naczyniowego pacjentów poprzez zmianę składu chemicznego ich krwi. Zależało nam na diecie, która obniży poziom trójglicerydów (tłuszczów transportowanych przez krew, które są niezbędne, ale w nadmiarze powodują poważne uszkodzenia układu sercowo-naczyniowego) oraz cholesterolu LDL (lipoprotein o niskiej gęstości, tak zwanego złego cholesterolu). Dążyliśmy do spadku cholesterolu LDL, zarówno jeśli chodzi o jego całkowity poziom, jak i stosunek do HDL (lipoprotein o dużej gęstości), tak zwanego dobrego cholesterolu.

Poza tym próbowaliśmy wpłynąć na jeszcze jeden czynnik, któremu większość kardiologów nie poświęca jeszcze niestety należytej uwagi – wielkość cząsteczek LDL. Kiedy są one małe, z łatwością wciskają się pod wyściółkę naczyń krwionośnych i zapoczątkowują tworzenie blaszek miażdżycowych, co prowadzi do zwężenia światła tętnic i w końcu do zawału lub udaru. Przekonaliśmy się, że dzięki odpowiedniej diecie można zwiększyć wymiary cząsteczek LDL. W rezultacie trudniej im się dostać pod wyściółkę, wiec nie zatykają tętnic i nie wywołują stanów zagrażających życiu. Większość lekarzy nie bada tego, jakże istotnego, czynnika. Prawdę mówiąc, większość laboratoriów badających krew nawet nie ma aparatury umożliwiającej określenie wielkości cząsteczek LDL. Jednak już w niedalekiej przyszłości takie badanie stanie się standardową procedurą, tak jak dziś badanie cholesterolu.

Naszym d r u g i m c e l e m był, oczywiście, spadek masy ciała u pacjentów, ponieważ jest on oznaką, że skład chemiczny krwi powraca do pożądanego stanu. Nie zakładałem, że moi pacjenci osiągną idealną, pozbawioną grama zbędnego tłuszczu sylwetkę kojarzoną z Miami Beach. I prawdę mówiąc, oni też tak nie sądzili.

Niemal od razu u osób, które przeszły na naszą dietę, można było zaobserwować korzystne zmiany. Skład chemiczny krwi błyskawicznie się poprawiał. Jeden z nich, mężczyzna z Bahamów, przyszedł do nas w bardzo złym stanie zdrowia. Analiza krwi wykazała wysoki poziom trójglicerydów i złego cholesterolu oraz małe cząsteczki LDL, czyli był on potrójnie zagrożony. Co gorsza, z uporem odmawiał jakichkolwiek ćwiczeń fizycznych, gdyż twierdził, że go nudzą. Nie chciał też zrezygnować z codziennej porcji ukochanych lodów. Przy takim nastawieniu niewątpliwie czekały go kłopoty. Jednak na naszej diecie skład jego krwi szybko się poprawił – poziom trójglicerydów i złego cholesterolu spadł, a dobrego cholesterolu wzrósł. Przy tym nadal nie wykonywał ćwiczeń i n a d a l jadł codzienną porcję lodów. Mimo wszystko udało mu się schudnąć niemal 15 kilogramów i utrzymuje masę ciała od 5 lat, które minęły od tamtego okresu.

Inny mężczyzna został moim pacjentem w wieku około pięćdziesięciu pięciu lat. Miał wysokie ciśnienie tętnicze, wysoki poziom trójglicerydów i cholesterolu, a na dodatek widoczne były już wyraźne zwężenia w tętnicach wieńcowych. Poprzedni lekarz przepisał mu normalny w takich przypadkach zestaw leków, podobny do tych, jakie biorą osoby chore na serce na całym świecie. Zaleciliśmy mu naszą dietę i już w niedługim czasie jego wyniki się poprawiły. Trójglicerydy, których poziom wynosił początkowo 400, czyli był niebezpiecznie wysoki, po miesiącu diety spadły do normalnego poziomu wynoszącego 100. Przy okazji schudł ponad 15 kilogramów i udaje mu się utrzymać tę masę ciała. Obecnie wcale nie bierze leków nasercowych.

Nasz kolejny pacjent powinien sam wiedzieć, co dla niego dobre, gdyż jest lekarzem, ale był cukrzykiem cierpiącym na nadwagę, a ostatnio zaczął odczuwać bóle w klatce piersiowej. Przeszedł już angioplastykę, podczas której poszerzono mu tętnice wieńcowe, ale znów zaczynały się zamykać. Po naszej pierwszej rozmowie zaleciłem mu dietę. Gotowała mu żona i, co zrozumiałe, uznała, że wygodniej jej będzie jeść to co on, niż przyrządzać dwa obiady. Okazało się, że ona też schudła. Taki obrót sytuacji – pary wspólnie chudnące i poprawiające swoje zdrowie dzięki temu, że jedno z nich musi przejść na dietę – był dla nas miłą niespodzianką. Przestrzeganie diety staje się wówczas wspólnym wysiłkiem, a każda z osób pomaga drugiej wytrwać. Tak się złożyło, że żona lekarza schudła więcej niż on, a wspólnie stracili 40 kilogramów. Skład chemiczny krwi mężczyzny wrócił do normy. Również cukrzyca się cofnęła i nie musi już brać leków, żeby regulować poziom cukru i cholesterolu. Tętnice ma czyste.

Nasi chorzy na serce pacjenci schudli o 5, 10, 15, a nawet 25 kilogramów w ciągu kilku miesięcy. Zaczęli tracić na wadze wkrótce po przejściu na dietę – już w ciągu pierwszego tygodnia. Ponadto udało im się utrzymać nową masę ciała. Co najlepsze, twierdzili, że dostosowanie się do naszego programu nie było trudne. Podstawowe zasady były proste i łatwe do zapamiętania, a przy tym elastyczne. Nie odczuwali głodu ani nie mieli wrażenia, że czegoś ich pozbawiono. Po pewnym czasie niemal nie pamiętali, że są na diecie.

Większość z tych pacjentów, zarówno kobiet, jak i mężczyzn, charakteryzowała się otyłością centralną – nadmiar tłuszczu skupiał się u nich w obszarze brzucha. Chcąc określić rodzaj otyłości, mierzymy stosunek obwodu pasa do obwodu bioder. Jeśli obwód w pasie jest większy, stanowi to sygnał ostrzegawczy, że istnieją lub wkrótce się pojawią problemy z sercem. Przy stosowaniu naszej diety pierwsze rezultaty są widoczne w okolicach pasa – tam, gdzie w średnim wieku zazwyczaj odkłada się zbędny tłuszcz – tak że schudnięcie jest wyraźnie zauważalne. Nasi pacjenci czuli się szczuplejsi już po tygodniu diety. Bardzo pozytywnie to na nich oddziaływało i stanowiło tak potrzebną zachętę do przestrzegania programu.

Po latach zalecania nie sprawdzających się diet byłem zachwycony tymi rezultatami.

Wkrótce czekała nas jeszcze jedna miła niespodzianka. Zaczęliśmy odbierać telefony od przyjaciół i znajomych naszych pacjentów, którzy słysząc o tej diecie, postanowili ją wypróbować i także zaczęli chudnąć. Okazało się, że nasi pacjenci doradzają rodzinie, przyjaciołom, a nawet dalekim krewnym przejście na naszą dietę. Nic zatem dziwnego, że w dobie poczty elektronicznej zaczęła się ona rozprzestrzeniać jak pożar. Wieści o niej dotarły nawet do osób, które nie miały żadnych problemów z sercem. Młodzi, szykowni mieszkańcy South Beach także postanowili jej spróbować i szybko zrzucali kilogramy. Zaczęliśmy odpowiadać na nieustannie napływające do nas pytania od zupełnie nie znanych nam ludzi (często dzwoniących z innych miast), którzy chcieli się dowiedzieć, co można jeść na tej diecie, a czego nie, prosili o konkretne przepisy lub relacjonowali, jak szybko i bezboleśnie schudli.

Potem zaczęli dzwonić dziennikarze. Zadziwiające, jak wiele miejsca w czasopismach zajmują kuracje odchudzające. Diety stały się kolejnym sportem widowiskowym. Na początku 1999 roku zgłosił się do nas producent wiadomości z WPLG, miejscowej stacji telewizyjnej stowarzyszonej z ABC. Słyszeli o nas i przedstawili nam pewną propozycję. Zamierzali wybrać reprezentatywną grupę mieszkańców Miami

Beach, którzy chcą schudnąć, i zaproponować im przejście na naszą dietę. Następnie przez miesiąc w codziennych wiadomościach o 18.00 i 23.00 mieli relacjonować postępy kuracji. Bardzo nas podekscytował ten pomysł i byliśmy pewni wyniku eksperymentu.

Program pokazywano codziennie, w porze kiedy mierzy się oglądalność w celu ustalania stawek za reklamy. Setki mieszkańców Miami przeszło na naszą dietę i chudło. WLPG także odniosła sukces w wyścigu na najwyższą oglądalność – przesunęła się na pierwsze miejsce, jeśli chodzi o wieczorne programy informacyjne, co przypisywano częściowo programowi o diecie South Beach. Nowy dyrektor stacji określił to jako „duży sukces u naszych odbiorców" i powiedział, że odbierają dziennie setki telefonów i e-maili z prośbami o podanie programu kuracji. Cykl programów o diecie South Beach gościł na antenie stacji przez trzy kolejne lata. Nasza kuracja stała się wspólnym przedsięwzięciem całego miasta. W supermarketach Winn-Dixie i Publix rozdawano broszurki z zasadami diety i przepisami. Personel tych sklepów twierdził, że wzbudzają one duże zainteresowanie i że wzrosła sprzedaż artykułów, które zalecaliśmy.

Przyjąłem wiele zaproszeń do przedstawienia naszego programu żywienia na zjazdach medycznych, gdzie kardiolodzy i inni specjaliści dyskutowali o metodach leczenia, a także profilaktyce i dietach. Początkowo obawiałem się, że jako kardiolog będę ostro egzaminowany ze swojej wiedzy na temat żywienia. Tymczasem okazało się, że nasza kuracja jest uzasadniona medycznie. Co lepsze, lekarze również zaczęli ją stosować i relacjonować mi swoje postępy. W końcu tak wielu z nich dzięki niej schudło lub poprawiło sobie skład chemiczny krwi, że zaczęto ją nazywać „dietą lekarzy".

Trafiało do nas wielu dwudziesto- i trzydziestolatków, którzy dowiedzieli się o diecie z wiadomości telewizyjnych. Pewna młoda kobieta z piętnastokilogramową nadwagą od siedmiu lat usiłowała zajść w ciążę. Na naszej diecie schudła w ciągu zaledwie kilku miesięcy, po czym okazało się, że jest w ciąży. Chętnie przypisalibyśmy sobie zasługę z tytułu tak pomyślnego obrotu wydarzeń, jednak dopiero po około roku odkryłem, dlaczego dieta umożliwiła jej zajście w ciążę. Istnieje choroba o nazwie zespół policystycznych jajników, która często zakłóca przebieg miesiączkowania i powoduje niepłodność u młodych kobiet. Okazuje się, że jest ona związana z insulinoopornością, czyli stanem przedcukrzycowym. Dzięki naszej diecie kobieta wyleczyła się z insulinooporności, jej miesiączki się uregulowały i udało jej się zajść w ciążę. Teraz ma już śliczną córeczkę. Inna kobieta po trzydziestce, właścicielka przedsiębiorstwa, przekonała całą firmę do przejścia na dietę i wszyscy chudli razem. Wiele pielęgniarek w naszym szpitalu Mt. Sinai również poznało zasady kuracji i niemal mimochodem zaczęły ją stosować. Często zatrzymują mnie na szpitalnych korytarzach, żeby się pochwalić, ile schudły.

Bardzo nas podniosła na duchu obserwacja, jak łatwo ludzie przyswajają sobie podstawowe zasady tej diety. Na przykład jeden z kamerzystów z telewizji przyznał, że schudł, korzystając wyłącznie z informacji, które zapamiętał, filmując moje wywiady. Kilka lat temu podczas seminarium medycznego opowiedziałem pobieżnie pewnemu młodemu koledze, na czym opiera się nasza dieta. Rok później dowiedziałem się z zaskoczeniem, że schudł ponad 25 kilogramów, kierując się tylko tymi skrótowymi wyjaśnieniami. I to stało się właśnie cechą charakterystyczną tej diety – łatwo przyswoić i zastosować jej zasady, gdyż niepotrzebne są skomplikowane reguły, wykresy czy obliczenia.

Sprawdzony system

Po pewnym czasie nadeszła pora, by w sposób naukowy zbadać rezultaty naszego programu. Najpierw przeanalizowaliśmy szczegółowo wyniki badań krwi i zmiany masy ciała 60 pacjentów, którzy stosowali tę dietę. Wyniki były bardzo zachęcające. U niemal wszystkich pacjentów zaobserwowaliśmy spadek masy ciała, poziomu trójglicerydów i cholesterolu LDL (złego) oraz wzrost poziomu cholesterolu HDL (dobrego). Poprawił się też stosunek obwodu pasa do obwodu bioder. Przedstawiłem rezultaty tego eksperymentu na sympozjum NHLBI (National Heart, Lung and Blood Institute, Narodowy Instytut Serca, Płuc i Krwi) podczas dorocznego zjazdu Amerykańskiego Towarzystwa Kardiologicznego. Dyrektor NHLBI prowadził dyskusję. Miałem już doświadczenie w prezentowaniu wyników swoich badań podczas takich spotkań, jednak dotychczas mówiłem zawsze o obrazowaniu układu sercowo-naczyniowego, czyli o swojej specjalności. Tym razem musiałem przekroczyć granice swojej strefy komfortu psychicznego, toteż dość nerwowo opowiadałem o diecie i kwestiach odżywiania. Obawiałem się, że zostanę zarzucony nieprzyjaznymi pytaniami dotyczącymi kwestii, których nie wzięliśmy pod uwagę. Tymczasem pierwszą reakcją zebranych były gratulacje, że miałem odwagę przeciwstawić się niskotłuszczowemu modelowi odżywiania Amerykańskiego Towarzystwa Kardiologicznego. Najwyraźniej wielu z zebranych tam klinicystów podobnie jak ja nie osiągało zadowalających wyników, zalecając niskotłuszczową i wysokowęglowodanową dietę. Poczułem ogromną ulgę i zadowolenie, że jesteśmy na właściwym tropie. Następnym krokiem było przeprowadzenie badań, w których przeciwstawiliśmy naszą dietę ścisłemu „etapowi 2" diety Amerykańskiego Towarzystwa Kardiologicznego. Czterdziestu ochotnikom z nadwagą przydzieliliśmy losowo jedną z tych dwóch kuracji, tak że połowa przeszła na dietę Towarzystwa, a połowa na dietę South Beach. Badani nie wiedzieli, który program stosują. Po 12 tygodniach zrezygnowało 5 pacjentów na diecie Towarzystwa i tylko 1 na naszej. Średni spadek masy ciała osób na diecie South Beach wyniósł w tym czasie 6,17 kilograma, czyli prawie dwukrotnie więcej niż uzyskany przez drugą grupę wynik 3,4 kilograma. U naszych pacjentów bardziej zmalał stosunek obwodu pasa do bioder, co świadczyło o prawdziwym zmniejszeniu ryzyka choroby serca. Jednocześnie znacząco obniżył się u nich poziom trójglicerydów i bardziej niż u drugiej grupy poprawił stosunek dobrego do złego cholesterolu. Przedstawiliśmy wyniki tych badań na dorocznym krajowym zjeździe American College of Cardiology, gdzie zostały dobrze przyjęte. Zaszliśmy już bardzo daleko od punktu, gdy sam odgrywałem rolę królika doświadczalnego diety South Beach.

Teraz następny krok w zasadzie nasuwał się sam: nadeszła pora, żeby wszystko, co odkryliśmy, zebrać w postaci książki i rozpowszechnić naszą metodę na cały kraj.

MOJA DIETA SOUTH BEACH

MICHAEL A.: SCHUDŁEM 16 KILOGRAMÓW W 4 MIESIĄCE

Rozpocząłem tę dietę, bo moja mama usłyszała o niej w lokalnej telewizji, tu, w Miami. Mama choruje na serce i martwiła się też o moje zdrowie – miałem wówczas 36 lat, a ważyłem około 125 kilogramów. Dlatego jako prezent załatwiła mi wizytę u dietetyka ze szpitala Mt. Sinai.

Moim problemem, jeśli chodzi o jedzenie, była ilość. Nie jestem miłośnikiem słodyczy, natomiast lubiłem wypić kilka piw, szczególnie w weekendy. Trudno mi było z tym skończyć. Nigdy nie jadałem śniadań, tylko piłem kawę. Na lunch zjadałem sałatkę lub makaron. Tyle że przez cały dzień coś przekąszałem – musiałem spróbować wszystkiego, co przynosili do biura. Wieprzowina. Pieczywo. No, a potem normalny obiad – jakieś mięso lub ryba z ziemniakami, ryżem lub makaronem. Mnóstwo węglowodanów. I bardzo duże porcje wszystkiego. W weekendy było jeszcze gorzej. Nieraz jadłem poza domem w piątek, sobotę i niedzielę, a do obiadu wypijałem ze dwa drinki. A przecież restauracyjne jedzenie zazwyczaj nie jest zbyt zdrowe. Na dodatek wcale nie wykonywałem ćwiczeń fizycznych.

Kiedy spotkałem się z dietetyczką, powiedziała, że moje nawyki żywieniowe może nie są najlepsze, ale też nie najgorsze. Problemy wynikały z tego, co jem, w połączeniu z ilością i brakiem ruchu. Wcześniej też już próbowałem się odchudzać i udawało mi się stracić trochę kilogramów. Raz byłem na diecie aż cztery miesiące. Jednak kiedy przerywałem, wracałem do poprzedniej masy ciała.

W końcu zdecydowałem się przejść na tę dietę jakiś rok temu, gdy już ważyłem więcej niż kiedykolwiek. Przestałem się mieścić w swoje ubrania, ale za nic nie chciałem kupić nowych. Właśnie wtedy moja matka podarowała mi wizytę u dietetyczki.

Pierwsze dni nie były takie złe. Dietetyczka wyjaśniła mi, na czym polega pierwsza, ścisła faza diety, i poradziła, żebym jej przestrzegał przez 2 do 4 tygodni. Jestem prawdziwym mięsożercą, toteż w początkowej fazie, kiedy można jeść do woli chudego białka, czułem się całkiem dobrze. Tyle, ile odjąłem sobie z węglowodanów, dodawałem w mięsie, więc nie byłem głodny. Na śniadanie jadłem jajka z szynką. Kazali mi zrezygnować z dolewania do kawy mleka i śmietanki, ze względu na tłuszcz, więc próbowałem sztucznych zabielaczy do kawy, bez węglowodanów, ale nie mogłem tego pić. To było coś, z czego nie potrafiłem zrezygnować, toteż staram się po prostu używać tego w małych ilościach.

Takie śniadanie pozwalało mi wytrwać do lunchu, na który jadłem małą sałatkę ze sporą porcją mięsa z szynki, indyka lub kurczaka. Po południu byłem głodny, więc przegryzałem sobie niskotłuszczowy ser. Piłem mnóstwo wody. Na kolację zjadałem pierś kurczaka lub stek z rusztu. I to w zasadzie wszystko. Jeszcze niewielka porcja warzyw. Przez pierwsze 4 tygodnie nie ruszałem owoców. Piłem tylko wodę. W tym czasie zacząłem też ćwiczyć. 3 lub 4 razy na tydzień ćwiczyłem na bieżni, tu w domu, przez 30 lub 40 minut. W weekendy jadłem tak samo jak w ciągu tygodnia. Jeśli wychodziłem do restauracji, brałem małą sałatkę z niskotłuszczowym sosem i stek. Żadnego piwa, alkoholu, deseru, pieczonych ziemniaków czy ryżu. Pozostałem przy pierwszej fazie przez 4 tygodnie zamiast 2, które zalecają, bo było to dla mnie bardzo łatwe i widziałem rezultaty. W pierwszym tygodniu mojej diety wypadło święto 4 Lipca. Mieliśmy gości, którzy pili i jedli rozmaite dobre rzeczy, ale ja trzymałem się swojej diety.

Po pierwszym miesiącu zacząłem wprowadzać węglowodany, najpierw te o niskim indeksie glikemicznym. Zacząłem jeść większe porcje sałatek i dodałem do jadłospisu pewne owoce, których naprawdę mi brakowało. Zjadałem po lunchu jabłko albo gruszkę. Znalazłem pieczywo z pełnego ziarna w dziale zdrowej żywności pobliskiego supermarketu. Miało niską zawartość węglowodanów, więc w niektóre dni robiłem sobie z nim kanapkę zamiast sałatki. Wyjechałem tamtego lata na wakacje i całkiem dobrze sobie radziłem. Przeważnie trzymałem się diety i nic nie utyłem, ale też nic nie schudłem. Kiedy wróciłem do domu, znowu przeszedłem na ścisłą fazę i zacząłem ćwiczenia. Podczas następnej wizyty u dietetyczki dodaliśmy do mojego jadłospisu więcej warzyw, na przykład słodkie ziemniaki, dziki i brązowy ryż, kabaczek, fasolkę i rośliny strączkowe.

Po około 4 miesiącach schudłem 16 kilogramów. Początkowo zakładałem, że zrzucę 10% wagi w pół roku, tymczasem osiągnąłem to już po 4 miesiącach. Moim następnym celem było kolejne 10%, tak żeby w sumie schudnąć 25 kilogramów. W okresie od Święta Dziękczynienia do Nowego Roku w zasadzie nie trzymałem się zbyt ściśle diety. Mimo wszystko, nie było tak źle. W sumie przybyło mi 3,5 kilograma. W styczniu znowu dieta – ścisła faza – i ćwiczenia.

Jestem na tej diecie od niemal 8 miesięcy. Nigdy tak długo mi się nie udawało. Okazało się, że nie jest to takie trudne. Możesz jej przestrzegać, kiedy jesteś na wakacjach lub jesz poza domem. Wymaga to tylko trochę samodyscypliny i siły woli. Kiedy ludzie wokół mnie zabierają się do swoich deserów, biorę sobie czasem od nich trochę na łyżeczkę. Ale nigdy nie zamawiam całego deseru dla siebie.

Muszę jeszcze zrzucić jakieś 7 do 10 kilogramów. Jestem przekonany, że jeszcze w tym roku – dzięki diecie i ćwiczeniom – uda mi się to osiągnąć.

Witaj, chlebie

K iedy już przetrwasz dwa tygodnie Fazy 1 i wyzbędziesz się uzależnienia od cukru, będziesz gotów, żeby zacząć dodawać więcej węglowodanów do swojej diety. Do tej pory zespół insulinooporności ustąpi. Łaknienie słodyczy i skrobi praktycznie zniknie. Będziesz mógł zacząć wszystko od nowa.

Może się wydawać, że trudno jest się powstrzymać od dodawania z powrotem do diety zbyt wielu węglowodanów o dużym indeksie glikemicznym zbyt wcześnie. Tymczasem zazwyczaj jest odwrotnie. Ludzie boją się przekroczyć bezpieczną Fazę 1 i zacząć jeść produkty, które kiedyś spowodowały ich nadwagę. Skoro utyłem od chleba lub ryżu, to dlaczego miałbym go znowu jeść? Nie chcę przecież zniweczyć wszystkiego, co dotąd dokonałem. Z pewnością nie chcę przestać chudnąć.

Niemniej jednak są powody, żeby włączyć więcej węglowodanów. Po pierwsze, wiele z nich jest dla ciebie korzystnych, szczególnie te zawarte w owocach. Nawet chleb, jeśli wybierzemy pieczywo pełnoziarniste, ma wartości odżywcze. Poza tym ważne jest, żeby osobom na diecie jedzenie sprawiało taką samą przyjemność jak dawniej i żeby miały do wyboru zróżnicowane dania i produkty. Ludzie naprawdę lubią jeść i możesz się oddawać tej pasji, nawet jeśli nie wolno ci beztrosko zjadać dosłownie wszystkiego, na co masz ochotę.

Oczywiście, węglowodany o wyższym indeksie glikemicznym należy dodawać powoli. Zazwyczaj doradzamy, żeby zacząć od jednego owocu dziennie, takiego, który nie spowoduje gwałtownego wzrostu poziomu cukru we krwi. Dobre są jabłka, gdyż nie mają wysokiego indeksu, a ich skórka zawiera dużo pożytecznego błonnika. Bezpieczne są też grejpfruty i owoce jagodowe.

Na tym etapie radzimy pacjentom, żeby nie jedli owoców na śniadanie. Owoc zjedzony rano jako pierwszy posiłek może spowodować większe wydzielanie insuliny i pobudzić chęć na następne. Należy pamiętać, że choć owoce mają dużo błonnika, to zawierają również dużą ilość fruktozy – cukru owocowego. Zatem lepiej zjeść je na lunch lub kolację.

Kolejnym węglowodanem, który można dodać w pierwszych dniach

Fazy 2 są płatki śniadaniowe jedzone na zimno np. All-Bran with Extra Fiber firmy Kellogg lub płatki owsiane gotowane (nie błyskawiczne). (Dieta South Beach nie wymaga ważenia produktów. Jednak osobom, które koniecznie chcą przywrócić ryż do swojego jadłospisu, radzimy żeby jadły porcje nie większe od piłki tenisowej. Nie wybierajcie też największych ziemniaków, jakie znajdziecie w sklepie). W każdym razie, jeśli chcesz zjeść owsiankę, to przygotuj ją z substytutem cukru i odtłuszczonym mlekiem. Możesz dodać jajko, które zawiera białka i dobry tłuszcz i spowolni przyswajanie węglowodanów.

Jeśli chcesz zjeść produkt węglowodanowy do obiadu, a nie na śniadanie, możesz pozwolić sobie na kromkę chleba z pełnego ziarna, bez obawy, że poczynisz duże szkody. Jednak nie możesz jeść jej i rano, i wieczorem, przynajmniej nie na początku. Dodawanie węglowodanów do diety musi się odbywać stopniowo i ostrożnie, jeśli ma być bezpieczne. Twoim celem jest ponowne jedzenie większych ilości węglowodanów i jednocześnie dalsze tracenie na wadze. Jeśli zjesz jabłko i kromkę chleba dziennie i nadal będziesz chudnąć, to świetnie. Natomiast jeśli będziesz codziennie zjadał jabłko, dwie kromki chleba i banana oraz zauważysz, że waga się zatrzymała, to znaczy, że posunąłeś się zbyt daleko. Trzeba ograniczyć węglowodany lub spróbować innych i obserwować rezultaty.

Tak ostrożnie musisz postępować przez cały czas trwania Fazy 2 – jeść najzdrowsze węglowodany i obserwować, jak na ciebie wpływają. Nie radzę, żeby codziennie się ważyć, a nawet jestem temu przeciwny. Zazwyczaj sam potrafisz określić, kiedy przybierasz na wadze, a jeśli nie, to ubrania ci podpowiedzą. Powinieneś również zwracać uwagę na pokarmy, które zwiększają łaknienie. Każdy człowiek inaczej przeżywa tę fazę. Jedni jedzą makaron co tydzień i nie doświadczają żadnych szkodliwych efektów. Inni muszą wyrzec się makaronu, ale za to mogą jeść słodkie ziemniaki. Ponieważ zależy nam, żeby ta dieta była elastyczna i dostosowana do twojego smaku i nawyków, musisz sam wypróbować, jak działają na ciebie różne potrawy. Naszym celem jest pomóc ci ułożyć jadłospis składający się z produktów, które lubisz jeść. Podane zasady wystarczą, żebyś stworzył sobie własną wersję kuracji.

Przekonaliśmy się, że najlepsze efekty w tej diecie osiągają osoby, które wypróbowują najrozmaitsze przepisy i wykorzystują wszystkie dozwolone produkty. Potrafią w interesujący sposób zastosować zioła i przyprawy, szczególnie te o bardziej intensywnym smaku, jak chrzan, ostra papryka, czosnek, imbir i gałka muszkatołowa. Jeden z pacjentów wynalazł nową zupę składającą się ze wszystkich zielonych warzyw, które udało mu się znaleźć.

Twoim wrogiem jest nuda. To ona ciągnie do starych złych nawyków. Dlatego w każdej fazie najlepiej jak najbardziej ożywiać i urozmaicać tę dietę.

Najskuteczniejszą strategią jest twórcze wykorzystywanie substytutów. To jeden z filarów tej diety – zastępowanie złych węglowodanów dobrymi, tak żebyś mógł jeść potrawy, które uwielbiasz, lecz z drobnymi zmianami.

Omawialiśmy już podstawowe pokarmy: chleb pełnoziarnisty zamiast białego, słodkie ziemniaki zamiast białych, brązowy lub dziki ryż zamiast białego i makaron z pełnego ziarna. Te produkty zastępcze będą miały ogromne znaczenie dla skuteczności twojej diety. Jest jednak jeszcze wiele innych sztuczek.

Weźmy choćby świetny sposób, żeby zastąpić purée ziemniaczane, które wszyscy lubią, a które jest katastrofalne dla diety. Zamiast ziemniaków ugotuj na parze kalafior, świeży lub mrożony, to bez różnicy. (Możesz to zrobić nawet w kuchence mikrofalowej.) Kiedy będzie miękki, rozgnieć go z niewielką ilością płynnego substytutu masła – na przykład I Can't Believe It's Not Butter*, który doskonale smakuje i nie zawiera formy trans, a następnie zmieszaj z odtłuszczonym substytutem masła ze śmietanką firmy Land O'Lakes. Dodaj sól i pieprz do smaku, a otrzymasz coś, co może śmiało konkurować z prawdziwym purée.

Kiedy dopiero rozpoczynaliśmy opracowywanie diety, a w restauracjach jeszcze nie rozpowszechniła się moda na „zawijane" kanapki, udawało nam się przekonać niektórych pacjentów do zastępowania chleba liśćmi sałaty. Brali składniki, które normalnie znajdowały się w kanapce – mięso, rybę, ser, warzywa, a nawet przyprawy – i zawijali je w chrupiące liście sałaty. Stwierdzali ku własnemu zaskoczeniu, że chleb nie jest najważniejszą częścią kanapki, jak im się dotąd wydawało. To jej wypełnienie tak dobrze smakowało i zaspokajało ich głód – znacznie lepiej niż chleb. Podsuwaliśmy też różne pomysły rodem jeszcze z lat pięćdziesiątych, jak choćby faszerowanie jednych produktów innymi, na przykład pomidory nadziewane sałatką z tuńczyka. Nasi pacjenci wypróbowywali wszystkie warzywa dostatecznie duże i wytrzymałe, a do ulubionych należały nadziewane bakłażany, cukinie i karczochy.

Sprawdziliśmy też kilka sztuczek z deserami. Większość miłośników czekolady lubi jeść ją w dużych ilościach i mało kto z nich wie, że mniejsze porcje też mogą w pełni zaspokoić apetyt. Dlatego zamiast dużego deseru czekoladowego spróbuj zjeść truskawki maczane w czekoladzie deserowej (która ma mniej cukru niż mleczna). Wystarczy

---

* W Polsce odpowiednikiem tego tłuszczu jest margaryna Flora (przyp. red.).

kilka, żebyś zaspokoił swoje pragnienie słodyczy, a w istocie zjesz niewiele czekolady i o wiele więcej owoców. Możesz też pokroić banana na plasterki, zamrozić go, a następnie maczać przed zjedzeniem w sosie czekoladowym bez cukru. W ten sposób też będziesz miał coś słodkiego, a czekolady będzie w tym niewiele.

Korzystając ze strategii zastępowania jednych produktów innymi, będziesz mógł jeść produkty, których inne kuracje odchudzające zdecydowanie zabraniają – także przysmaki, które za chwilę omówimy. Najpierw jednak musisz dokładnie się dowiedzieć, które produkty wymagają zastąpienia. Przedstawione poniżej potrawy i ich kombinacje mogą po pewnych modyfikacjach pomóc ci w chudnięciu, zamiast je spowalniać.

Jajka na bekonie

Jeszcze niedawno większość specjalistów od żywienia, patrząc na tradycyjne amerykańskie śniadanie składające się z jajek, bekonu, domowych frytek, tostów, soku pomarańczowego i kawy, z łatwością oddzieliłaby produkty niezdrowe – jajka (cholesterol), bekon (tłuszcz) i kawa (kofeina) – od zdrowych – ziemniaki (warzywo), chleb (nie ma nic zdrowszego niż tost, prawda?) i cała ta witamina C.

Oczywiście jest to błędny pogląd, biorąc pod uwagę to, co wiemy obecnie. To właśnie bywa najbardziej denerwujące w nauce – coś, co dziś jest chwalone jako dobre, jutro może być potępione jako złe, i na odwrót. Niekoniecznie oznacza to, że wówczas się myliliśmy, a dziś mamy rację. Po prostu ludzka wiedza stale się rozwija i czasem trzeba zapomnieć o tym, co wcześniej uważaliśmy za słuszne.

Śniadanie jest dobrym tego przykładem. Przed drugą wojną światową jajka były uważane za zdrowe pożywienie, gdyż zawierają dużo białek i inne składniki odżywcze. Następnie, na początku lat siedemdziesiątych, kiedy lekarze po raz pierwszy dostrzegli szkodliwe działanie cholesterolu, jajka nagle stały się głównym winowajcą. Radzono, żeby jeść najwyżej dwa do trzech tygodniowo, a całkowicie ich unikać, jeśli masz podwyższony poziom cholesterolu. Bekon, ze względu na zawartość tłuszczów nasyconych oraz chemikaliów stosowanych przy jego wytwarzaniu, przedstawiano nie tylko jako zły, ale wręcz trujący produkt. Natomiast żadnych zastrzeżeń nie wzbudzały węglowodany, a tym bardziej sok pomarańczowy, który stał się ulubionym zdrowym napojem Amerykanów.

Tymczasem dziś już wiemy, że jajka są całkiem dobrym pokarmem. Okazuje się, że podnoszą poziom obu rodzajów cholesterolu – dobrego i złego – i nie wpływają niekorzystnie na ich wzajemną proporcję, a to właśnie jest wartość, która tak naprawdę się liczy. Żółtko zawiera naturalną witaminę E, ważny antyutleniacz pomagający zapobiegać rakowi i chorobom serca.

Nawet bekon nie jest taki straszny, jeśli nie jesz go zbyt dużo. Kawa też może być, z tym samym zastrzeżeniem.

Natomiast z reszty śniadania powinniśmy zrezygnować. Smażone ziemniaki? Wspominaliśmy już o tym, jak wysoki indeks glikemiczny mają ziemniaki, szczególnie białe. Poza tym, kiedy jedzenie jest pokrojone na małe kawałki, znacznie łatwiej wydostają się z niego cukry i skrobie. Jeśli weźmiesz biały ziemniak, pokroisz go na plasterki, usmażysz w głębokim (niezdrowym) tłuszczu, to smakuje wspaniale, ale wyrządza ogromne szkody w składzie chemicznym twojej krwi.

Tost? Wiesz już, jak szkodliwy jest biały chleb dla osób próbujących uporać się z nadwagą. Jedna kromka jest gorsza niż łyżka cukru. Jeszcze gorzej, jeśli na opakowaniu chleba znajdziesz napis „wzbogacony". Oznacza to, że producent dodał składniki odżywcze, ale tylko dlatego, że wcześniej usunięto wraz z błonnikiem wszystkie pożyteczne elementy ziarna pszenicy. W dzisiejszych czasach ludzie uważają, że postępują mądrze, jeśli zjedzą pszenną lub ryżową grzankę z pełnego ziarna, lecz jest to kolejny triumf marketingu i reklamy, gdyż takie określenie nie ma większego znaczenia. Tak oznaczone pieczywo może mieć więcej składników odżywczych, ale mąka, z której je wyprodukowano, była i tak wysoko oczyszczona. Innymi słowy, ta nazwa nie oznacza, że otrzymujesz całe ziarna pszenicy z błonnikiem i wszystkimi mikroskładnikami, tak jak powinieneś – to masz tylko w pieczywie z pełnego ziarna. Niestety, tego rodzaju chleb trudno dostać w supermarkecie lub restauracji.

Czy chcąc jeść zdrowiej, postanowiłeś może smarować tosty galaretką z owoców zamiast masła? Problem polega na tym, że większość galaretek zawiera mnóstwo cukru. Masło będzie w rzeczywistości lepsze dla twojego zdrowia (oczywiście w umiarkowanej ilości), gdyż tłuszcz spowolni przyswajanie cukrów z pieczywa. Można wybrać do smarowania produkty lepsze niż masło, ale galaretka z pewnością do nich nie należy. To samo dotyczy dżemu, który też jest pełen sacharozy, czyli cukru stołowego.

A co z sokiem pomarańczowym? Jeśli jest przetworzony i sprzedawany w kartonie, możesz spokojnie pić colę, rezultat będzie ten sam. Sok pomarańczowy rzeczywiście zawiera korzystne dla zdrowia składniki odżywcze, ale możesz je spożyć w inny sposób, bez dużych ilości cukru obecnych w przetworzonym soku. Trochę lepszy jest świeżo wyciśnięty sok, gdyż zawiera miąższ (wraz z błonnikiem), co spowalnia przyswajanie fruktozy. Wydaje nam się, że słodycz owocu i słodycz cukierka to dwie zupełnie różne rzeczy, ale tak nie jest. Wszystkie smaki, które opisujemy jako słodkie, pochodzą od cukru. Fruktoza, czyli cukier owocowy, rzeczywiście ma indeks glikemiczny niższy niż cukier stołowy. Kiedy jeszcze zmieszamy ją z błonnikiem, wówczas jest do przyjęcia, natomiast bez błonnika może zakłócić twoją dietę. Zatem jedz całe owoce, zamiast pić soki.

Czy możesz zjeść swoje ulubione śniadanie, a mimo to trzymać się diety South Beach? Tak, lecz z kilkoma zmianami.

Przyrządź jajka w zdrowy sposób, czyli gotując, w skorupkach lub bez. Jeśli już musisz je smażyć, użyj oliwy w rozpylaczu – sojowej, z oliwek lub z rzepaku canola – zamiast masła lub margaryny.

Zamiast zwykłego bekonu weź chudy – ma mniej tłuszczów nasyconych.

Z ziemniaków musisz zrezygnować – nie ma sposobu, żeby je uratować. Możesz jednak zastąpić je płatkami śniadaniowymi, szczególnie otrębami owsianymi, które mają bardzo dużo błonnika i pomagają obniżyć poziom cholesterolu. Nie używaj jednak płatków błyskawicznych, gdyż mają mniej błonnika, za to więcej złych węglowodanów. Poszukaj płatków owsianych, które trzeba kilka minut gotować, im mniej oczyszczone, tym lepiej, i użyj do nich substytutu cukru oraz odtłuszczonego mleka (jeśli musisz je mieć). Owsianka być może nie zrekompensuje ci pysznych smażonych ziemniaków, ale jest dopuszczalnym substytutem. Musisz być przygotowany na pewne poświęcenia.

Jeśli tak uwielbiasz smak pomarańczy, że nie potrafisz z nich zrezygnować, to jedz całe owoce. W ten sposób spożywasz sok, miąższ, błonnik, mikroelementy, witaminę C – cały pakiet, jaki zaplanowała natura. No, i mogę się założyć, że nie zjesz naraz trzech lub czterech pomarańczy, a wypijając dużą szklankę soku, spożywasz równowartość zawartego w nich cukru.

Kawę możesz wypić – z mlekiem o niskiej zawartości tłuszczu i słodzikiem (jeśli musisz słodzić).

W obecnych czasach klasyczne jajka na bekonie są często zastępowane ich mcdonaldowską wersją o nazwie Egg McMuffin. W tej potrawie mamy do czynienia ze złym, nasyconym tłuszczem w bekonie. Jednak porcja tej wędliny jest tak mała, że nie stanowi wielkiego zmartwienia, chyba że codziennie będziesz jadł po dwa. Jeśli chodzi o jajko, to zapewne nie przyrządzono go w zbyt zdrowy sposób, ale mimo wszystko zawiera korzystne dla ciebie białko i składniki odżywcze i nie zakłóca równowagi dobrego i złego cholesterolu, więc można je zjeść. Największym problemem są wysoko przetworzone węglowodany w bułce. Jeśli do tego zjesz jeszcze ziemniaki i wypijesz sok owocowy, to rozpoczniesz dzień dużym ładunkiem glikemicznym i z pewnością będziesz później odczuwał wielką ochotę na kolejne węglowodany. Oczywiście McDonald nie jest ośrodkiem zdrowego żywienia, ale też nikt, kto tam idzie, nie ma takich złudzeń. Jeśli już nie możesz się powstrzymać, to wyrzuć całą bułkę albo zamów sobie jajecznicę z bekonem, bez frytek i soku.

Deser bananowo-lodowy

Wydaje się zdrowy jak na deser, ale w rzeczywistości to katastrofa. Banan jest owocem, to prawda, ale jak większość owoców tropikalnych ma wysoki indeks glikemiczny, zbliżony do ananasa i mango. Zatem najpierw musimy zastąpić banana truskawkami, czarnymi jagodami lub jeżynami, które równie dobrze smakują z lodami. Oprócz owoców dodaj trochę orzechów, ale nie prażonych w cukrze, tylko surowych migdałów, orzechów włoskich, brazylijskich lub arachidowych. Są zdrowe, zawierają dobry tłuszcz, a ponadto deser będzie bardziej sycący. Jeśli chodzi o same lody, niewiele można zrobić. To prawda, że zawierają dużo cukru, szkodzącego diecie, ale mają też w sobie tłuszcz, czyli łatwo zaspokoją twój głód. Jedząc je, nie będziesz miał wrażenia, że postępujesz słusznie, toteż zapewne nie wmówisz sobie, że zasługujesz na następne jutro wieczorem. Tymczasem jedzenie lodów odtłuszczonych lub mrożonego jogurtu nie ma żadnej z tych zalet. Tłuszcz zastąpiono w nich cukrem, więc jeszcze bardziej szkodzą twojej diecie, nie sycą tak jak normalne i na dodatek możesz sobie wytłumaczyć, że postępujesz bardzo dzielnie. Jeśli już łamiesz zasady, to przynajmniej powinieneś sobie uświadamiać, że to zrobiłeś.

Cheeseburger

Modelowym przykładem amerykańskiej kuchni jest chyba cheeseburger, frytki i coca-cola. Trudno zaprzeczyć, że to pyszny zestaw, a na dodatek niezwykle łatwo go znaleźć, dzięki zbudowanym przez nas imperiom fast food. Tyle że jednocześnie jest bardzo szkodliwy, choć nie z przyczyn, jakie dotychczas ci wpajano.

Hamburger kupiony w jakiejkolwiek sieci fast food jest zazwyczaj sam w sobie niebezpieczny dla zdrowia, ze względu na dużą zawartość tłuszczów nasyconych oraz tłuszcz, na którym jest smażony. Nie powinieneś jadać go codziennie, ale jako przysmak, na który sobie pozwolisz od czasu do czasu, może zostać włączony do diety South Beach. Oczywiście, zupełnie inaczej wygląda sytuacja w przypadku hamburgera przyrządzonego w dobrej restauracji lub, jeszcze lepiej, w domu. Można go wówczas usmażyć z dobrego mięsa, na przykład polędwicy wołowej, która jest znacznie chudsza niż tańsza wołowina.

Teraz należy się zastanowić, z czym go zjeść. Bułka, na której zazwyczaj się go podaje, to praktycznie sam cukier. Można nieco ulepszyć to danie, odrzucając górną połówkę bułki. Jeszcze lepiej zjeść go z pitą z pełnego ziarna lub z chlebem na zakwasie. Wprawdzie ten ostatni nie jest z pełnego przemiału, ale posiada inną właściwość obniżającą indeks glikemiczny – ma odczyn kwasowy. Kwas spowalnia przesuwanie się pokarmu z żołądka do jelita cienkiego, a tym samym ogólny proces trawienia. Oznacza to również wolniejszy wzrost, a następnie spadek poziomu cukru we krwi.

Najlepiej jednak, gdybyś potrafił się obyć bez pieczywa do hamburgera.

Także z ketchupu należy zrezygnować, nawet jeśli nie używasz go zbyt wiele, gdyż jest pełen cukru. Można go zastąpić plasterkami pomidora. Doskonała jest też sałata, marynaty i cebula. Dla lepszego smaku możesz użyć musztardy, a nawet majonezu, pod warunkiem że nie będziesz z nim przesadzał. Pamiętaj, żeby stosować normalny majonez, a nie niskotłuszczowy, gdyż wprawdzie zawiera on dużo tłuszczu, ale są to na ogół dobre tłuszcze. Możesz dodać też salsę, sos pikantny lub sos do steków.

Frytki niewątpliwie zakłócają dietę, nie tylko ze względu na wysoką zawartość skrobi, ale również z powodu złego tłuszczu, na którym są smażone. Niektóre restauracje dodają do smażenia łój wołowy, żeby poprawić smak, a przez to frytki stają się jeszcze bardziej szkodliwe. Nawet chipsy ziemniaczane będą od nich lepsze. Jeszcze lepiej zrobić frytki ze słodkich ziemniaków, smażone w jednonienasyconym oleju. Jednak najlepiej znajdź sobie jakieś inne warzywo, na przykład sałatę. Jeśli musisz od czasu do czasu zjeść ziemniaki, ogranicz chociaż ich ilość.

Trzeci element tej śmiertelnej triady, czyli colę, należy oczywiście zastąpić napojem dietetycznym – w najgorszym razie, jeśli nie potrafisz całkowicie przestawić się na wodę.

Zastąp typowy zestaw składający się z cheeseburgera, frytek i coca-coli hàmburgerem topless (bez górnej części bułki), sałatką (np. McSalad Shaker z McDonalda bez sera i sosu cesarskiego) oraz napojem dietetycznym, a ilość węglowodanów w twoim posiłku gwałtownie spadnie.

Kanapka z masłem orzechowym i dżemem

Najmniej szkodliwą częścią tej tradycyjnej kanapki jest oczywiście masło orzechowe. Jest ono poza tym dobrym źródłem tłuszczu jedno-nienasyconego i zawiera resweratrol, ten sam związek fitochemiczny, który znajduje się w czerwonym winie i zapobiega chorobom serca oraz rakowi. W maśle orzechowym znajduje się też folan (sól kwasu foliowego), który pomaga metabolizować homocysteinę, produkt uboczny przemiany białek, szkodliwy dla układu sercowo-naczynio-wego. W przemysłowo produkowanym maśle orzechowym znajdują się czasem szkodliwe tłuszcze nasycone oraz cukier, dodawane przez wytwórców. Dlatego najlepiej szukać naturalnego masła orzechowego. Natomiast jedzenie dżemu to tak, jakbyś jadł łyżeczką zwykły cukier. Nawet masło orzechowe nie uchroni cię przed wydzieleniem przez trzustkę większej ilości insuliny, niż to dla ciebie zdrowe. No i jeszcze chleb – zapewne robisz kanapkę z białego chleba sprzedawanego w supermarketach, więc jest to najbardziej szkodliwy element tej po-trawy. W sumie taką kanapkę należy traktować raczej jako deser. Naj-lepsze, co możesz zrobić, to przygotować ją z pity lub chleba na za-kwasie z naturalnym masłem orzechowym i jak najmniejszą ilością dżemu. Jednak nawet po tych zmianach należy ją traktować jako rzad-ki smakołyk.

Pizza i piwo

Zapewne już wiesz, że olej i ser nie są najgorszymi składnikami piz-zy, szczególnie jeśli stosujesz dobrą oliwę z oliwek i częściowo od-tłuszczoną mozzarellę. Problemem jest natomiast biała mąka. Co do piwa, to raczej nikomu nie przyjdzie na myśl uważać je za napój diete-tyczny. Zawarty w piwie cukier, maltoza, ma indeks glikemiczny wyż-szy nawet od białego chleba. Po jego spożyciu wydziela się tak dużo insuliny, że prowadzi to do odkładania się tłuszczu w okolicy brzucha, który całkiem słusznie nazywa się brzuchem piwosza. Jednak pizza ma też swoje zalety. Na przykład gotowane pomidory (w sosie) są doskonałym źródłem likopenu, związku pomagającego zwalczać raka. Rezygnując całkowicie z pizzy i makaronu, tracimy dwa najsmaczniejsze sposoby spożywania tego warzywa. Może zatem lepiej przestawić się z grubego ciasta na cienkie i oprócz oliwy, sosu pomidorowego i częściowo odtłuszczonej mozzarelli dodać jeszcze zieloną paprykę, cebulę, pieczarki i oliwki. W ten sposób wzbogacisz pizzę w pokaźną porcję dobrych, wartościowych węglowodanów i stanie się ona bardziej sycąca. Zamiast piwa weź kieliszek czerwonego wina. Otrzymujesz w ten sposób całkiem nowy posiłek, może niezupełnie zdrową żywność, ale lepszy niż pizza na grubym spodzie.

MOJA DIETA SOUTH BEACH

KANDY K.: NIGDY NIE CZUŁAM SIĘ NAPRAWDĘ GŁODNA

Przeczytałam o diecie South Beach w gazecie, akurat kiedy doszłam do wniosku, że muszę schudnąć jakieś siedem, osiem kilogramów. Poza tym miałam wrażenie, że to rozsądny program, nie taki jak te zwariowane modne diety, o których stale się słyszy. Przekonało mnie też to, że opracował ją kardiolog. No, i zaczęłam.

Węglowodany zawsze były moją słabostką. Uwielbiam pączki. Kiedy przechodzisz z synkiem koło ciastkarni i on prosi cię, żebyś mu jednego kupiła, jakoś nigdy nie kończy się na jednym. Raczej mówisz: „No, dobrze, niech będą dwa pączki". Nie żebym miała z tym prawdziwy problem, ale naprawdę lubię tego rodzaju byle co.

Pierwsze dwa tygodnie, faza ścisła, były trochę trudne, bo jesteś tak ograniczony. Mówiłam sobie: „Wiesz co, to nie będzie takie łatwe, jak się wydawało". Ciężko mi było iść do restauracji i nie jeść chleba. Ale z drugiej strony była to łatwa dieta, bo nie musisz jeść określonych pokarmów w każdym posiłku. Możesz sobie zamieniać. Nie lubisz tego, możesz zjeść tamto. Jeśli nie chcesz sera na przekąskę, jesz orzechy. Dzięki temu łatwo z tą dietą żyć. Nie jest tak jak w niektórych innych dietach, że z góry masz określone, co dziś zjeść na kolację, a co jutro na śniadanie. Możesz jeść to, co lubisz. To była zdecydowanie dobra strona tej diety.

A kiedy już się nauczysz, co można, a czego nie, i znasz główne zalecenia, to nawet ścisła faza staje się znacznie łatwiejsza. Nigdy nie czułam się naprawdę głodna. Możesz się najeść produktami, które ci wolno jeść. Dlatego czujesz się dobrze, dostosowujesz się.

Schudłam na tej diecie około pięciu kilogramów, ale od kiedy zaczęłam pracować z osobistym trenerem, dwa i pół kilograma powróciło w mięśniach. Mam teraz znacznie twardsze ciało – a mięśnie ważą więcej niż tłuszcz. Bywają dni, kiedy nadal pragnę wstąpić do tamtej cukierni. Jednak teraz mówię sobie: „O nie, mowy nie ma, nie zamierzam znów tego robić".

Nie chodzi tylko o to, co jesz. Ważne, jak to jesz

Jak się przekonaliśmy, schemat kryjący się za większością przypadków otyłości jest prosty: Im szybciej cukry i skrobie są przetwarzane i dostają się do twojego krwiobiegu, tym bardziej tyjesz. Dlatego właśnie czynniki przyspieszające proces trawienia węglowodanów są niedobre dla twojej diety, a spowalniające są korzystne. Trawienie to po prostu rozkładanie przez układ pokarmowy jedzenia na składniki. Wszystko, co utrzymuje pokarm w postaci nie rozłożonej, jest korzystne dla osób starających się schudnąć.

Pamiętając o tym, należy sobie uświadomić, że proces rozkładania pokarmu zaczyna się jeszcze, zanim go przełkniesz. Prawdę mówiąc, nawet wówczas, gdy zaczynasz go przygotowywać. Na przykład, surowy brokuł jest chrupiący, twardy, zimny i pokryty warstwą bogatego w składniki odżywcze błonnika. Gdybyś zjadł go w tej postaci, twój układ pokarmowy musiałby naprawdę się napracować, żeby dostać się do węglowodanów, a to dla odchudzającej się osoby jest korzystne. Oczywiście, prawie nigdy nie jemy brokułów na surowo, poza przyjęciami koktajlowymi, na których podają surowe warzywa przed posiłkiem. Najpierw je myjemy, potem odrzucamy najtwardsze części łodygi, a następnie kroimy i gotujemy w wodzie lub na parze, dopóki nie będą miękkie i ciepłe.

Taki proces jest z grubsza odzwierciedleniem tego, co z jedzeniem robi nasz żołądek. Za pomocą mięśni, silnych soków trawiennych i kwasów, które wytwarza, dosłownie rozdziera pokarm na strzępy i częściowo zamienia go w ciecz. Czy to w garnku na kuchence, czy w żołądku, brokuły i wszystkie inne pokarmy poddawane są tym samym podstawowym procesom.

W przypadku wysoko przetworzonej żywności rozkład zaczyna się wcześniej, jeszcze zanim trafi ona na sklepowe półki. Weźmy choćby bochenek krojonego białego chleba. Najpierw pszenica jest oczyszczana z otrębów i błonnika, a następnie mielona na drobniutką białą mąkę. W procesie pieczenia wyrasta na lekki, puszysty chleb. Nic dziwnego, że twój układ pokarmowy potrafi tak szybko się z nim uporać. Kromka chleba trafia do twojego krwiobiegu równie błyskawicznie jak łyżka zwykłego cukru. Maria Antonina miałaby problem, żeby odróżnić taki chleb od ciastek, i prawdę mówiąc, nie ma między nimi wielkiej różnicy. Tymczasem prawdziwy, tradycyjny chleb – ciężki, z grubą skórką i widocznymi ziarnami, który możesz kupić tylko w piekarni lub w sklepie ze zdrową żywnością – naprawdę zmusza twój układ pokarmowy do pracy. Wprawdzie on też jest upieczony z pszenicy, ale ziarno nie zostało przetworzone tak, że nic z niego nie zostało. Widać nawet otręby. Taki chleb zawiera skrobie, które są po prostu łańcuchami cukrów, ale otacza je błonnik, toteż trawienie trwa dłużej. W rezultacie cukry docierają do krwiobiegu powoli. Jeśli w organizmie nie następuje gwałtowny wzrost poziomu cukru, trzustka nie musi produkować zbyt dużo insuliny i nie odczuwasz wzmożonej ochoty na węglowodany.

Najważniejsze to zrozumieć podstawową zasadę, na jakiej opiera się funkcjonowanie twojego organizmu: im bardziej przetworzona żywność, tym bardziej tucząca.

Pocieszające jest to, że do pewnego stopnia możesz kontrolować indeks glikemiczny pokarmów poprzez sposób ich przygotowania.

Weźmy choćby ziemniaki. Jest to warzywo o niezwykle wszechstronnych zastosowaniach. Możesz z niego zrobić setki rzeczy, od zupy do wódki. I właśnie to, co z nim robisz, ma wpływ na to, jak bardzo jest tuczące.

Najgorszy, z punktu widzenia indeksu glikemicznego, jest ziemniak pieczony. W procesie pieczenia skrobia zawarta w ziemniakach staje się łatwiej przyswajalna.

Trochę lepszy? Może nie uwierzysz, ale ziemniak pieczony będzie mniej tuczący, jeśli zjesz go z odrobiną niskotłuszczowego sera lub kwaśnej śmietany. Liczba kalorii będzie wówczas nieco większa, ale tłuszcz zawarty w serze lub śmietanie spowolni proces trawienia, tym samym zmniejszając ilość insuliny, którą twój organizm będzie musiał wydzielić. (Mimo wszystko niech ci się nie wydaje, że kiedy podczas zakupów zatrzymujesz się, żeby szybciutko zjeść pieczonego ziemniaka, to spożywasz zdrowy posiłek. Pieczony ziemniak jedzony wczesnym popołudniem spowoduje, że wieczorem będziesz miał duży apetyt na węglowodany. Lepiej byłoby zjeść małego loda lub nawet czekoladę deserową.)

Co jest lepsze od pieczonych ziemniaków? Purée lub gotowane – po pierwsze ze względu na sposób przyrządzania, a po drugie dlatego, że zjesz je zapewne z odrobiną masła lub kwaśnej śmietany, a zawarty w nich tłuszcz spowolni trawienie. Nawet frytki są lepsze niż pieczone ziemniaki, ze względu na tłuszcz, w którym są smażone. To samo dotyczy chipsów ziemniaczanych, jednak powiedzmy wyraźnie, że żaden z tych produktów nie jest dobry dla osoby na diecie South Beach. Ważnym czynnikiem jest też gatunek ziemniaka. Najwyższy poziom węglowodanów mają te z czerwoną skórką. Lepsze są z białą, a jeszcze lepsze młode. To zresztą dotyczy wszystkich owoców i warzyw – im młodsze, tym mniejszy poziom węglowodanów. Jeśli naprawdę nie możesz się obejść bez ziemniaków, jedz je bardzo rzadko. I spróbuj, czy nie możesz ich zastąpić słodkimi ziemniakami (batatami).

Błonnik

Jak bardzo zły jest biały chleb? Gorszy niż lody. Jeśli siadając do obiadu, zastanawiasz się, czy lepiej zjeść do niego chleb czy lody na deser, wybierz lody – są mniej tuczące. Oczywiście są też inne chleby poza białym. Praktyczna zasada brzmi: im mniej delikatny i im bardziej ciężki chleb, tym lepszy dla ciebie.

Ta zasada dotyczy wszystkich produktów spożywczych. Cały i nietknięty jest lepszy niż pokrojony, ten z kolei lepszy niż utarty, który jest lepszy niż rozgnieciony – a wszystko to jest lepsze niż sok. Na przykład jabłko ma w skórce pektyny, czyli rozpuszczalny błonnik. Zatem jeśli zjesz jabłko ze skórką, twój układ pokarmowy musi najpierw zająć się błonnikiem, zanim dotrze do fruktozy. Podobnie cała pomarańcza ma błonnik w miąższu i przylegającej do niego białej gąbczastej substancji.

Jednak kiedy obierzesz jabłko i wyciśniesz z niego sok, otrzymujesz coś zupełnie innego. Mikroelementy i błonnik znajdują się w skórce. Zjedzenie jabłka ze skórką może zająć około pięciu minut. Natomiast na wypicie jego równowartości w postaci soku wystarczą sekundy. A należy pamiętać, że indeks glikemiczny zależy częściowo od tego, z jaką szybkością zjadasz i trawisz dany pokarm. Dlatego cukrzycy, u których wystąpi hipoglikemia, piją szybko sok pomarańczowy, zamiast zjadać owoc. I wprawdzie fruktoza jest lepsza niż sacharoza, ale wypicie dużej szklanki soku owocowego niewiele się różni od wypicia oranżady czy coli – jest to nagły przypływ czystego cukru. Szczególnie dotyczy to soków produkowanych przemysłowo bez błonnika i miąższu, a wiele osób kupuje wyłącznie takie.

Błonnik utrudnia żołądkowi dotarcie do cukrów i skrobi znajdujących się w węglowodanach. Błonnikiem w warzywach takich jak brokuły jest celuloza, czyli składnik d r e w n a. Elementy odżywcze także są pod nią schowane, więc żołądek musi bardziej się napracować, żeby do nich dotrzeć.

Przeszkody dla cukru

Błonnik nie jest jedyną substancją przeszkadzającą w dotarciu do cukrów. Także tłuszcze i białka spowalniają proces trawienia węglowodanów. Warto zatem zjeść wraz z nimi trochę białka lub dobrego tłuszczu. Chleb z odrobiną oliwy z oliwek lub niskotłuszczowym serem jest lepszy dla ciebie niż sam chleb. Makaron z sosem pomidorowym i kawałkiem włoskiego chleba to posiłek wyjątkowo bogaty w węglowodany. Jego niekorzystne skutki będą mniejsze, jeśli zjemy go z mięsem lub serem. Pieczony ziemniak na lunch to nie najlepszy pomysł, ale będzie dla ciebie zdrowszy, jeśli zjesz go ze stekiem i brokułami. Twój organizm wytworzy wówczas mniej insuliny i zmniejszy się ochota na jedzenie w późniejszych godzinach.

A oto wskazówka, jak można obniżyć indeks glikemiczny dowolnej potrawy. Piętnaście minut przed posiłkiem wypij łyżkę Metamucilu w szklance wody. Metamucil jest normalnie stosowany jako łagodny środek przeczyszczający, ale w istocie składa się z psyllium – nierozpuszczalnego błonnika. Kiedy połykasz łyżkę tego środka, tworzy się śliska grudka, która podróżując przez przewód pokarmowy, czyści to, co napotka. Jeśli zjesz go przed posiłkiem, błonnik zmiesza się z pokarmem i opóźni proces jego trawienia.

Mówiąc o diecie, omawiamy przeważnie pokarmy stałe, tak że łatwo zapomnieć, jak ważne w tym wszystkim jest picie. Jednak twój organizm nie dokonuje takich rozróżnień, gdyż zanim pokarm dotrze do jelita cienkiego, wszystko jest w postaci ciekłej.

W istocie wszystko, co pijesz, ma ogromne znaczenie, gdyż jest szybko trawione i dociera bezpośrednio do krwiobiegu. Jeśli w napoju jest cukier, to błyskawicznie dostaje się do naczyń krwionośnych i pobudza wydzielanie insuliny, która spowoduje późniejsze łaknienie.

Zapewne dla nikogo nie będzie zaskoczeniem, że gdy mowa o napojach, na jednym końcu skali znajduje się woda. Obecnie często słyszymy, że jeśli chcemy być zdrowi, powinniśmy jej wypijać około dwóch do trzech litrów dziennie. Można wprawdzie kwestionować, czy rzeczywiście potrzebujemy jej aż tak dużo, ale dobra zasada praktyczna mówi, żeby sięgać po wodę, ilekroć jesteśmy spragnieni. Dla osób odchudzających się ma to dodatkową zaletę, gdyż stwarza wrażenie pełnego żołądka.

Na drugim końcu tej skali znajduje się piwo. Jak już wspomniano, ma ono bardzo wysoki indeks glikemiczny z powodu maltozy, która ma gorsze działanie niż cukier stołowy.

Wino, a nawet whisky, są bezpieczniejsze, gdyż robi się je z innych surowców. Oczywiście, nie oznacza to, że whisky może stanowić element jakiejkolwiek poważnej kuracji odchudzającej. Lepsze jest białe wino, ale najlepsze czerwone, gdyż ma ono sprawdzone korzystne oddziaływanie na układ sercowo-naczyniowy, dzięki resweratrolowi zawartemu w skórkach winogron.

Wszyscy zapewne zdają sobie sprawę, że słodkie napoje gazowane mają bardzo dużą zawartość cukru, więc nie będę się nad tym rozwodził. Słodzona mrożona herbata nie jest dużo lepsza.

Kawa jako taka nie zawiera cukru. Przyzwyczailiśmy się, że lekarze odradzają picie jej w dużych ilościach, nie sądzę jednak, żeby umiarkowane spożycie kawy było takie złe. W części diet zaleca się kawy bezkofeinowe, gdyż kofeina pobudza trzustkę do wydzielania insuliny, co jest ostatnią rzeczą potrzebną osobie otyłej. Jednak efekty nie są oszałamiające, toteż uważam, że jeśli potrzebujesz do szczęścia filiżanki lub dwóch normalnej kawy, to ją wypij. Herbata z kolei może odgrywać pozytywną rolę w zapobieganiu zawałom serca i rakowi prostaty.

Soki, jak już wspomniano, są źródłem dużych problemów, częściowo dlatego, że kojarzymy je z dobrymi nawykami żywieniowymi. Rzeczywiście zawierają korzystne składniki odżywcze, szczególnie świeżo wyciśnięty sok, ale jednocześnie mają dużą zawartość fruktozy i w związku z tym mogą zniweczyć próby schudnięcia.

Mieszkam na Florydzie, więc najlepszym przykładem owoców są dla mnie pomarańcze. U jednego z moich pacjentów wystąpiły objawy cukrzycy. Poziom cukru we krwi wzrósł mu nagle do 400. Jednak nie pojawiła się infekcja czy inne problemy zdrowotne towarzyszące zazwyczaj cukrzycy dorosłych. Zacząłem zatem wypytywać go o ewentualne zmiany w nawykach żywieniowych. Wspomniał wówczas, że ostatnio zainstalowano u niego w biurze automat z sokami. Wydawało mu się, że postępuje bardzo rozsądnie, pijąc kilka szklanek soku dziennie zamiast kawy, którą bardzo lubił. Doradziłem mu, żeby skończył z sokami, bo wprowadza do organizmu zbyt dużo cukru. Posłuchał mnie i przestawił się na wodę, a poziom cukru we krwi wkrótce wrócił mu do normy.

Co powinieneś wiedzieć o sokach owocowych? Otóż, jeśli zjadasz pomarańczę, spożywasz tyle samo fruktozy co w odpowiadającej jej ilości soku. Jednak wraz z nią dostarczasz do przewodu pokarmowego dużo błonnika z miąższu i błon. Twój żołądek musi się wówczas napracować, żeby oddzielić w procesie trawienia cukier od reszty. Poza tym, zjesz naraz jedną, może dwie pomarańcze, jeśli są nieduże. Obranie ich wymaga pracy, a zjedzenie trwa dłużej niż wypicie soku.

Jak łatwo się domyślić, najgorszy jest gotowy sok kupowany w sklepie. Lepszy jest sok świeżo wyciśnięty, gdyż zawiera miąższ z błonnikiem i więcej pożytecznych składników. Powyższe zasady dotyczą niemal wszystkich soków. Sok ananasowy? Pełen cukru. Winogronowy? To samo. Wygląda na to, że amerykańscy rodzice zapałali nagle miłością do soku jabłkowego i zaczęli podawać go dzieciom do wszystkich posiłków. Nie był to najlepszy pomysł, jeśli chodzi o cukier. Skórka jabłka jest rzeczywiście zdrowa – dostarcza błonnika w postaci pektyn, które towarzyszą cukrom w przewodzie pokarmowym. Zatem zjedzenie jednego jabłka dziennie jest nadal dobrym przepisem na zachowanie zdrowia. Ale wypicie soku z jabłka nie.

Jeśli już musisz pić sok, spróbuj dolewać jego niewielką ilość do wody gazowanej – otrzymasz szprycer.

Natomiast w przypadku soków warzywnych masz większą swobodę działania. Niestety, powszechnie znany filar zdrowego żywienia, czyli świeży sok z marchwi, nie znajduje się na liście produktów dozwolonych. Jak już wspominaliśmy, marchew ma wysoki indeks glikemiczny. Sok z buraków jest z różnych powodów pożyteczny, ale też zawiera bardzo dużo cukru. Podobno koktajl z bananów, mleka i owoców jagodowych z dodatkiem lodu jest wspaniałym napojem na lato. Jednak banany są jednymi z najgorszych owoców, jeśli chodzi o zawartość fruktozy. Zapewne gdybyś nie miał pojęcia o żywieniu i kazano by ci zgadywać, które owoce i warzywa mają najwięcej cukru, odgadłbyś to prawidłowo. Im słodszy smak, tym więcej cukru. Arbuz jest niedobry, pomidory są lepsze. Najlepszy byłby sok z brokułów, gdyby ktokolwiek miał ochotę delektować się nim codziennie przy śniadaniu. Zatem ciesz się, że dieta South Beach nie wymaga wypicia codziennie dużej szklanki soku z brokułów.

MOJA DIETA SOUTH BEACH

KATIE A.: NIGDY NIE MIAŁAM WRAŻENIA, ŻE CZEGOŚ MI BRAKUJE

Pilnuję swojej wagi, od kiedy miałam siedem lat. Właśnie wtedy spędzałam wraz z siostrą lato u babci w Pensylwanii i jadłyśmy tam wyłącznie gotowe, pakowane dania – babcia nie gotowała. Musiała zajmować się swoją firmą. Chcąc wypełnić nam jakoś czas, dawała nam pieniądze, a my pędziłyśmy wtedy do sklepu ze słodyczami. Wróciłyśmy z tych wakacji okrągłe jak pulpety.

Od tamtej pory stale walczę z nadwagą. Wypróbowałam już chyba wszystkie diety. Znalazłam nawet lekarza, który dawał mi zastrzyki, żeby zwiększyć wydzielanie tarczycy i w ten sposób spowodować chudnięcie. Skończyło się na chorobie Gravesa--Basedowa. Zapisałam się też do Strażników Wagi. Owszem, schudłam i dostałam odznakę itd. Ale wiecie, co się dzieje? Człowiek wpada w taką obsesję na temat jedzenia, że cały czas klasyfikuje to, co je, to znaczy: Ile chleba? Ile owoców? Ile tego czy tamtego? W końcu stwierdzasz, że bez przerwy myślisz o jedzeniu!

Moim problemem były węglowodany i słodycze. Pracowałam dawniej w szpitalu na nocną zmianę, więc nie kładłam się do łóżka przed czwartą rano. Zaczynałam jeść jeszcze w szpitalu, bo pacjenci zawsze dostawali ciasteczka i cukierki. Kiedy się zmęczysz i widzisz, że wszyscy dookoła coś przegryzają, to nawet jak nie jesteś głodna, też zaczynasz jeść. Potem wracałam do domu i miałam poczucie winy, że jadłam takie byle co, więc tłumaczyłam sobie, że teraz powinnam zjeść coś zdrowego. Więc robiłam sobie obiad, a dopiero potem szłam spać. Jadłam wszystko w zasadzie pomiędzy trzecią po południu a trzecią nad ranem. Wstawałam do pracy i tylko piłam kawę zamiast śniadania, po czym szłam do pracy na zmianę od 15.00 do 23.00. Wiem, że nie powinno się jeść po 20.00, ale praca na tę zmianę zupełnie rozstraja ci zegar. Jadłam chipsy, precle i inne takie rzeczy. Chipsy bananowe, ciastka i cukierki. Chleb. Ryż. No właśnie. A w duchu mówiłam sobie, że przecież wcale dużo nie jem. To dlatego, że jadłam po trochu. Poza tym piłam wtedy mnóstwo kofeiny. Codziennie wypijałam sześciopak napojów gazowanych – dietetycznej coli lub pepsi. Zdecydowanie nie były to napoje bezkofeinowe, a później się dowiedziałam, że kofeina pobudza u mnie apetyt.

Nie przybrałam na wadze od razu – po prostu niepostrzeżenie przybywało mi kilogramów. Aż pewnego dnia, kiedy mama szła za mną podczas zakupów, dogoniła mnie i powiedziała: „Wiesz co? Zaczynasz się kołysać".

To przeważyło. Dwa lata temu przeszłam na tę dietę. Schudłam od tamtej pory 15 kilogramów i utrzymuję nową masę ciała. Najlepsze w tej diecie jest to, że tak łatwo jej się trzymać. Jest nawet elastyczna. Na przykład, oszukuję niemal od początku. No, może nie przez pierwsze dwa tygodnie, fazę ścisłą. Ale potem. Choćby orzechy. Można je jeść, ale trzeba odliczyć tylko trzydzieści jako porcję. No cóż, w niektóre noce nie liczyłam. Ale poza tym jej przestrzegałam, w przeciwieństwie do innych diet, których próbowałam. Nie zjadłam ani kromki chleba od dwóch lat. Podobnie jak ani ziarnka ryżu. To kwestia samokontroli. A jednocześnie nie czuję się, jakbym sobie czegoś odmawiała. Jest mnóstwo rzeczy, które można jeść w tej diecie. Mam pozytywne rezultaty, które pomagają mi wytrwać. Wiem, że jak pójdę do sklepu, nie będę szukać rozmiaru szesnaście. Teraz noszę rozmiary od dziesiątki do dwunastki, i jestem z tego zadowolona.

Tak dobrze potrafiłam przestrzegać tej diety, że około rok temu wyznałam dietetyczce w Mount Sinai, że już od ponad roku nie zjadłam jabłka ani innego owocu. A ona naskoczyła na mnie: „Katie, powinnaś mieć więcej rozumu". W każdym razie, jem teraz wszystkie owoce. Mnóstwo warzyw, mnóstwo owoców, mnóstwo sałatek. Ale wiem znacznie więcej o tym, co jem, niż dawniej. Na przykład, ludzie nie zdają sobie sprawy, że glutaminian sodu dodawany do potraw chińskich jest robiony z buraków, które zawierają mnóstwo cukru. Albo że marchew ma tak wysoki indeks glikemiczny. Jadałam dużo marchwi, szczególnie kiedy próbowałam się odchudzić. Nawet kiedy gdzieś jechałam, zabierałam marchewkę w woreczku. Dlatego to był dla mnie szok, kiedy się dowiedziałam, że marchew zawiera tyle cukru. Człowiek nie zdaje sobie sprawy, że te marchewki albo cebulki zostają zamienione na cukier, który gromadzi się w twoim organizmie jako tłuszcz.

Ostatnio znowu przybyło mi parę kilogramów – będę z wami uczciwa – bo oszukiwałam z tymi orzechami. Teraz jem orzechy nerkowca, ale wypróbowałam wszystkie. Jadłam migdały i orzeszki arachidowe. Z orzeszkami też nie uświadamiasz sobie, że zawierają cukier. Orzeszki pistacjowe są świetne, bo migdałów możesz zjeść tylko 15, a pistacji 30, gdyż są takie małe. Chyba przesadziłam z tymi pistacjami i dlatego przybyło mi z powrotem parę kilogramów. Ale teraz nawet już nie wchodzę na wagę. Kieruję się tym, jak się czuję w swoich rzeczach. Nie chcę zawracać sobie głowy codziennym ważeniem. Jeśli czuję, że za bardzo sobie pozwalam z orzechami, to przystopowuję. I zrzucam kilka kilogramów. Niedawno znalazłam piekarnię, gdzie robią sernik bez cukru. Kupuję go i kroję na małe porcje. Potem kiedy najdzie mnie na niego ochota – to nie jest co wieczór, tylko może dwa, trzy razy na tydzień – po prostu biorę kawałek i odmrażam. To wolno mi zjeść. I zupełnie wystarcza. Dlatego nigdy nie mam wrażenia, że czegoś mi brakuje.

Jak jedzenie
pobudza głód

J ak jedzenie co robi? Czyż nie wydawało ci się zawsze, że jedzenie zaspokaja głód? No, cóż, i tak, i nie. Jedząc, bezpośrednio zaspokajasz głód, jednak pewne pokarmy wywołują nowe łaknienie, tak że jesteś po nich głodniejszy, niż gdybyś wcale ich nie jadł.

Nie jest to bynajmniej teoria ani kwestia odczuć. Doktor David S. Ludwig jest kierownikiem programu zwalczania otyłości w Szpitalu Dziecięcym w Bostonie, a jednocześnie wykładowcą w Szkole Medycznej Uniwersytetu Harvarda. Ostatnio przeprowadził badania, jak śniadanie zjedzone przez badanych nastolatków wpływało na poziom ich głodu kilka godzin później.

Badanych nastolatków podzielono na trzy grupy, z których każda zjadła śniadanie o identycznej liczbie kalorii. Posiłek pierwszej grupy składał się w 20% z tłuszczu, w 16% z białek, a około dwie trzecie stanowiły dobre węglowodany – kasza owsiana z nie przetworzonego ziarna owsa, zawierającego naturalny błonnik. Druga grupa również jadła dwie trzecie węglowodanów, ale były to płatki owsiane błyskawiczne, czyli produkt, w którym usunięto błonnik, żeby szybciej się gotowały. Trzecia grupa otrzymała posiłek identyczny z typowym śniadaniem w diecie South Beach – omlet z warzywami.

Po śniadaniu członkom wszystkich trzech grup polecono jeść przez następne pięć godzin wszystko, na co mają ochotę.

Badani, którzy byli po śniadaniu ze złymi węglowodanami (owsianka błyskawiczna), zjedli w ciągu tych pięciu godzin najwięcej. Oni też najsilniej odczuwali głód.

Grupa, która otrzymała owsiankę z kaszy owsianej, czuła mniejszy głód i zjadła mniej po śniadaniu niż grupa na płatkach błyskawicznych.

Natomiast młodzież, która zjadła omlet z warzywami, czyli posiłek o niskiej zawartości węglowodanów, relacjonowała najsłabsze uczucie głodu i zjadła najmniej w ciągu pięciu godzin.

Są to zaledwie jedne z kilku przeprowadzonych ostatnio badań sprawdzających teorię, że jedzenie złych węglowodanów pobudza głód, natomiast na diecie z dobrych węglowodanów i dobrych tłuszczów (omlet z warzywami stanowi ich połączenie) potrzebujesz mniej jedzenia później. Wyjaśnię dokładniej, dlaczego tak się dzieje, ale najpierw chciałbym zwrócić uwagę na to, co pokazują wszystkie badania: Jedzenie złych węglowodanów – szczególnie wysoko przetworzonych – pobudza apetyt na dalsze złe węglowodany, co w ostatecznym rozrachunku jest przyczyną panującej obecnie epidemii otyłości. Związek pomiędzy złymi węglowodanami, otyłością i złym stanem układu sercowo-naczyniowego jest niewątpliwy.

W innych badaniach związku pomiędzy dietą a głodem, badani, którzy spożywali całe owoce, odczuwali mniejszy głód niż jedzący purée z tych samych owoców, a ci z kolei byli mniej głodni niż osoby pijące sam sok. W innych badaniach naukowcy stwierdzili, że jedzenie fasoli w mniejszym stopniu pobudza głód niż jedzenie ziemniaków, surowa marchew powoduje mniejszy głód niż gotowana, pokarmy pełnoziarniste wzbudzają mniejsze łaknienie niż te z rozdrobnionego ziarna, a zwykły ryż mniejsze niż ryż błyskawiczny.

Wszystkie te zależności wynikają z podstawowej reakcji fizjologicznej na jedzenie określanej terminem „hipoglikemia reaktywna".

Opiszę dokładniej, na czym ona polega, najpierw jednak chciałbym to zademonstrować na przykładzie.

Przez wiele lat około godziny trzeciej lub czwartej po południu czułem, że opadam z sił – robiłem się słaby, śpiący, czasem nawet miałem zawroty głowy. Bez zastanowienia pędziłem wówczas do pokoju lekarzy i zjadałem bułeczkę z otrębami oraz wypijałem kawę. Wydawało mi się, że skoro bułeczka ma napis „niskotłuszczowa", to jest zdrowa. Słowo o t r ę b y zostało umieszczone celowo, żeby powstrzymać nabywcę przed dokładniejszym przeanalizowaniem składników i odkryciem, że bułeczka jest w istocie zamaskowanym ciastkiem. Uśpiono moją czujność i nie zwróciłem uwagi, że zawartość tłuszczu jest wprawdzie niska, ale węglowodany zawarte w bułeczce znacznie zwiększają obwód mojego pasa.

Po takiej przekąsce od razu czułem się lepiej. Podziwiałem swój organizm, że wie dokładnie, czego potrzebuje. Węglowodany. Cukier. Moje ciało wykrywało, że poziom glukozy – cukru obecnego w naszym krwiobiegu – za bardzo się obniżył. Glukoza jest formą energii chemicznej, niezbędną naszemu mózgowi do właściwego funkcjonowania. Kiedy jest jej zbyt mało, czujemy zawroty głowy, mdlejemy, a w końcu zapadamy w śpiączkę i umieramy. Cukrzyca polega na niezdolności organizmu do przekształcenia pokarmu w użyteczną dla niego formę energii. Dlatego osoby z cukrzycą typu 1 nie mogłyby długo żyć bez insuliny.

Zatem mój mózg wykrywa hipoglikemię – zbyt niski poziom cukru we krwi – a organizm wówczas reaguje (stąd nazwa hipoglikemia reaktywna) łaknieniem, które prowadzi mnie, a zapewne również ciebie, do jak najszybszego uzupełnienia węglowodanów.

Jak działają węglowodany

Jak już wspomniano, węglowodany znajdują się w bardzo wielu różnych rodzajach pokarmów, od najniewinniejszych warzyw do najbardziej dekadenckich smakołyków. Wszystkie węglowodany to cukry. Jednak te cukry występują w rozmaitych formach i noszą różne nazwy, takie jak maltoza (w piwie), sacharoza (cukier stołowy), laktoza (w mleku) czy fruktoza (w owocach).

Mimo tego podobieństwa nikt, kto ma apetyt na pączka, nie zaspokoi go brokułami. Sytuacja odwrotna również może być prawdziwa, chociaż trudno znaleźć osoby odczuwające nieprzeparte pragnienie zjedzenia zielonych warzyw.

Bardzo łatwo ocenić po samym smaku, które węglowodany mają największą zawartość cukrów i najłatwiej je uwalniają. Zapewne nie będzie dla ciebie zaskoczeniem informacja, że cukier z czekolady mlecznej łatwiej się uwalnia niż z czekolady deserowej, z ananasa szybciej niż z grejpfruta, a kromka białego chleba z supermarketu podnosi poziom cukru we krwi szybciej niż pieczywo z pełnego ziarna. Im więcej cukru w produkcie spożywczym i im łatwiej się on uwalnia, tym intensywniej odczuwamy „przypływ" cukru – ulgę, kiedy łaknienie węglowodanów zostaje zaspokojone. Jednak jeśli chodzi o przemiany wewnętrzne, nasz organizm traktuje wszystkie węglowodany zasadniczo w ten sam sposób. W procesie trawienia wydobywa cukry z węglowodanów i zamienia je w paliwo, które spala lub magazynuje. Jeśli jest spalane, to dobrze, gdyż oznacza to, że przejawiamy dostateczną aktywność, by wykorzystać w pełni to, co zjadamy. Magazynowanie odrobiny paliwa nie zaszkodzi, natomiast gromadzenie większych ilości nie jest korzystne. Nadmiar magazynowanego paliwa to dobrze ci znany tłuszcz.

Trawienie węglowodanów rozpoczyna się już w jamie ustnej, kiedy gryziemy pokarm na małe kawałki, a ślina rozpoczyna chemiczny proces jego rozkładu na składniki. W żołądku pokarm jest jeszcze bardziej rozdrabniany za pomocą skurczów mięśni żołądka oraz kwasów żołądkowych. Nasz organizm chce dotrzeć do cukrów zawartych w węglowodanach, ale ten proces odbywa się z różną szybkością, zależnie od pewnych czynników. Ogólnie mówiąc, w im mniejszym stopniu cukry są powiązane z innymi substancjami, tym szybciej wchodzą do naszego krwiobiegu.

Rywale węglowodanów

Jakie substancje wywierają wpływ na trawienie? Głównym czynnikiem spowalniającym absorpcję cukru jest błonnik. Dlatego właśnie, z punktu widzenia diety, płatki z wysoko przetworzonego owsa były gorsze niż kasza owsiana. Ta ostatnia nadal zawierała błonnik obecny normalnie w ziarnie, toteż zanim żołądek dotarł do cukrów, musiał najpierw oddzielić je od błonnika. Błonnik po oddzieleniu przechodzi nie strawiony przez nasz przewód pokarmowy. Jest ważnym składnikiem jadłospisu ze względu na to, że spowalnia trawienie. Innymi słowy, stanowi korzystną przeszkodę w procesie trawienia.

Udowodniono to stosunkowo niedawno za pomocą badań naukowych, podczas których połowie badanych podawano na piętnaście minut przed posiłkiem błonnik o nazwie psyllium (znany jako lek o nazwie Metamucil). Druga połowa badanych jadła lunch bez uprzedniej dawki błonnika. W trakcie godzin upływających po spożyciu posiłku badani z grupy, która zażyła psyllium, odczuwali mniejszy głód niż druga grupa. Wraz z upływem dnia zjedli mniejszą ilość pożywienia. Powód jest prosty: w ich żołądkach błonnik zmieszał się ze spożytym pokarmem i spowolnił trawienie. Ze względu na wolniejsze trawienie węglowodanów organizm wydzielał mniej insuliny, a tym samym wolniej spadał poziom cukru we krwi. Jeśli wzrost i spadek poziomu cukru jest mniej gwałtowny, odczuwamy później mniejszy głód.

Błonnik nie jest jedyną substancją spowalniającą trawienie węglowodanów. Również tłuszcze powodują, że cukry wolniej docierają do jelita cienkiego. Dlatego w omówionym powyżej badaniu nastolatki z nadwagą, które zjadły omlet z warzywami, odczuwały później mniejsze łaknienie. Odkryliśmy poza tym jeszcze inne czynniki spowalniające trawienie węglowodanów i w związku z tym korzystne dla osób odchudzających się. Jednym z nich są pokarmy kwaśne, takie jak cytryna i ocet, które zmniejszają szybkość opróżniania się żołądka, a tym samym wzrost poziomu cukru we krwi. Możesz wykorzystać tę właściwość, przyprawiając nimi sałatki lub warzywa. Dobrze jest również jeść chleb na zakwasie, bo choć nie zawiera zbyt dużo błonnika, to ma odczyn kwaśny i spowalnia trawienie.

Powyższe informacje są bardzo ważne, jeśli chcesz odżywiać się właściwie i chudnąć na diecie South Beach. Dlatego węglowodany zawierające błonnik nazywamy dobrymi, i takiego samego określenia używamy w odniesieniu do niektórych tłuszczów. Wszystko, co spowalnia proces przyswajania cukrów z węglowodanów, jest z zasady dobre.

Reakcja organizmu

Kiedy pokarm zostanie przetworzony w żołądku w postać ciekłą, wędruje dalej do jelita cienkiego, zostaje strawiony i miliony naczyń włosowatych chłoną to, co zjedliśmy, i transportują do krwiobiegu. Następnie przetworzony pokarm wędruje przez wątrobę do pozostałych części naszego ciała, gdzie jest wykorzystywany, magazynowany lub wydalany.

Powróćmy jednak do węglowodanów. Jak już wspomniano, wszystkie one zawierają cukier w różnych formach. Także skrobie są po prostu łańcuchami cukrów, a trawienie rozrywa je na ogniwa, tak żeby organizm mógł je wykorzystać. W związku z dietą interesuje nas szybkość, z jaką organizm dociera do cukrów. Nie zawsze odbywa się to w takim samym tempie.

Kiedy cukier znajdzie się już w krwiobiegu, zadaniem trzustki jest to wykryć i przystąpić do produkcji hormonu o nazwie insulina. Trzustka musi wytworzyć taką ilość insuliny, żeby cukier z krwi dostarczyć do organów, które go potrzebują, lub zmagazynować na przyszłe potrzeby. Właśnie w tym momencie diabetycy mają problemy, gdyż spożywają te same cukry co inni, ale ich organizm nie produkuje dostatecznej ilości insuliny, tak że cukier krąży bezużytecznie w naczyniach krwionośnych. Insulina powoduje jakby otwarcie naszych tkanek, umożliwiając cukrowi dostanie się do środka.

Na szczęście trzustka potrafi ocenić, ile insuliny potrzeba do wykonania tego zadania. Jeżeli w naszym organizmie poziom cukru wzrasta bardzo szybko, niezbędna jest duża ilość insuliny. Jeśli cukry przetwarzane są wolniej, insulina również wydziela się stopniowo.

Jest to decydująca różnica, jeśli chodzi o otyłość. Szybki wzrost poziomu cukru jest dla ciebie niekorzystny; wolniejszy jest lepszy. Dlaczego? Kiedy cukry są absorbowane powoli, wzrost poziomu cukru we krwi jest stopniowy, podobnie jak jego spadek, kiedy zacznie działać insulina. Powolne obniżanie się poziomu cukru sprawia, że odczuwasz mniejszy apetyt na węglowodany w następnych godzinach. Przypomnij sobie, czym jest hipoglikemia reaktywna – wrażeniem głodu spowodowanym niskim poziomem cukru. Kiedy poziom cukru we krwi zmniejsza się łagodnie, łaknienie jest mniejsze.

Natomiast kiedy twoja trzustka wykryje gwałtowny wzrost cukru, wytwarza odpowiednio dużą porcję insuliny, żeby się z nim uporać. To z kolei gwałtownie obniża poziom cukru. W ten sposób insulina wykonuje swoje zadanie za dobrze – cukier spada do tak niskiego poziomu, że ponownie zostaje pobudzony głód wymagający szybkiego zaspokojenia węglowodanami. Przy tak częstych atakach głodu zjadamy znacznie więcej, niż potrzebuje nasz organizm. Przejadamy się, a to prowadzi do odkładania się następnych zapasów tłuszczu, większej insulinooporności, większego głodu i dalszego przybierania na wadze – wpadamy w błędne koło.

Najłatwiej uchronić się przed przejadaniem, stosując dwie podstawowe strategie:

1. Możemy jeść pokarmy (i ich kombinacje), które powodują stopniowy wzrost i spadek poziomu cukru we krwi.

2. Możemy się nauczyć przewidywać hipoglikemię i zapobiegać jej dzięki spożywaniu w odpowiednim czasie przekąsek. To bardzo ważne: potrzeba znacznie mniej jedzenia, żeby zapobiec hipoglikemii, niż żeby ją przezwyciężyć.

Trzecią rzeczą, którą powinniśmy wszyscy zrobić, to dowiedzieć się, które pokarmy powodują najszybszy wzrost cukru we krwi. Na początku lat osiemdziesiątych doktor David Jenkins kierował zespołem kanadyjskich naukowców, którzy wynaleźli skalę do mierzenia szybkości i stopnia, do jakiego ustalona z góry ilość pokarmu podnosi poziom cukru we krwi. Nazwano ją indeksem glikemicznym. Indeks ten obejmuje większość węglowodanów, od cukru stołowego, piwa i pszennego chleba na jednym końcu skali do szpinaku i soczewicy na drugim. Na stronach 80-82 znajdują się wybrane pozycje, podzielone na grupy pokarmów. Zapewne to, co tam znajdziesz, nie będzie dla ciebie całkowitym zaskoczeniem. Wszystkie artykuły spożywcze z białej mąki znajdują się wysoko na liście – większość deserów, pieczywa, pieczywa cukierniczego oraz makaronów. Także ryż błyskawiczny zajmuje wysoką pozycję. Dość wysoki indeks mają pewne owoce tropikalne, warzywa o dużej zawartości skrobi, szczególnie ziemniaki i inne warzywa korzeniowe. Królem wszystkich cukrów, najszybciej podnoszącym poziom glukozy we krwi, jest maltoza zawarta w piwie. Teraz już zapewne rozumiesz, skąd się bierze brzuch piwosza. U przesadnych amatorów tego napoju gwałtowny przyrost poziomu cukru we krwi pobudza odpowiednio dużą produkcję insuliny, która pomaga zmagazynować zbędny cukier w postaci tłuszczu odkładającego się w okolicy brzucha.

Znajomość indeksu glikemicznego i jego wykorzystanie stają się coraz powszechniejsze, koniecznie jednak należy pamiętać o ważnym zastrzeżeniu mającym decydujące znaczenie dla zrozumienia związku pomiędzy węglowodanami a otyłością. Otóż to, do jakiego stopnia wzrośnie ci poziom cukru we krwi, zależy nie tylko od indeksu glikemicznego spożywanego pokarmu, ale również od jego ilości. Na przykład marchew ma wysoki indeks, ale stosunkowo niewielką procentową zawartość węglowodanów. Musiałbyś zatem zjeść kilka garści marchewek, żeby poziom cukru we krwi wzrósł ci do tego stopnia co po jednej kromce białego chleba.

Wyjaśniając tę kwestię pacjentom, posługuję się pewną obrazową analogią.

Mój przykład dotyczy alkoholu. Kiedy go pijemy, podnosi się poziom alkoholu we krwi i po przekroczeniu pewnego progu czujemy się podchmieleni. Jeśli rośnie dalej, upijamy się. Wiadomo, że jeśli pijemy na pusty żołądek, upijamy się szybciej. Z drugiej strony, jeśli jednocześnie jemy i pijemy, a więc mamy pełny żołądek, potrzeba więcej alkoholu, żeby osiągnąć ten sam stan upojenia. Dzieje się tak dlatego, że zjedzony pokarm miesza się w żołądku z alkoholem i opóźnia jego absorpcję do krwiobiegu. Dopiero alkohol krążący w naczyniach krwionośnych dociera do mózgu i powoduje uczucie upojenia alkoholowego. Obowiązuje tu zasada, że im wolniej alkohol jest wchłaniany, tym słabiej na nas działa.

Teraz rozważmy, co się dzieje, kiedy jemy węglowodany, na przykład chleb.

Jeśli jemy biały chleb, to dostarczamy organizmowi węglowodanów bez błonnika. Przypomina to picie na pusty żołądek – nasz żołądek może się dostać do skrobi bez konieczności oddzielenia jej najpierw od błonnika. W rezultacie chleb jest szybko przetwarzany na glukozę – cukier krążący we krwi – i powoduje gwałtowne wydzielanie insuliny. Mamy zatem do czynienia z szybkim wzrostem i spadkiem poziomu glukozy we krwi, czego powinniśmy unikać, gdyż pobudza to dalsze łaknienie. Innymi słowy, jedzenie białego chleba przypomina picie alkoholu na czczo, natomiast jedzenie chleba z pełnego ziarna jest jak picie przy jedzeniu.

Błonnik jest częścią ziarna, która nie ulega absorpcji do krwiobiegu, tylko jest wydalana w formie odchodów. Mimo to błonnik wspomaga trawienie w inny, bardziej znany sposób. Mianowicie pomaga okrężnicy lepiej funkcjonować. Brak błonnika w pożywieniu jest jedną z przyczyn tego, że zaparcia stały się tak powszechnym problemem.

Czyli oprócz tłuszczów, białek i kwasów, także błonnik znajduje się na liście substancji spowalniających absorpcję cukrów i skrobi. Powinniśmy włączać jeden lub kilka z wymienionych rodzajów pokarmów do każdego posiłku, żeby się nie upić – węglowodanami. Wybierając właściwe pokarmy i ich kombinacje oraz planując odpowiednio przekąski, możesz zapobiegać hipoglikemii i w ten sposób dbać o swoją wagę, nie borykając się z atakami głodu.

Na koniec jeszcze jeden przykład ilustrujący tę zasadę. Pewien mój przyjaciel i pacjent w trakcie pierwszego tygodnia diety wybrał się pograć w golfa. Nie zadbał o lunch, toteż postanowił złamać zasady i zjeść kanapkę. Kilka godzin później podczas gry poczuł nagle wielkie osłabienie i rozpoznał ten stan jako hipoglikemię reaktywną. Nie miał w tamtym momencie dostępu do żadnych dozwolonych przekąsek, ale znalazł kilka paczuszek cukru, więc szybko je połknął. Zaspokoiły jego ostry głód i bardzo mu smakowały. Wrócił potem do domu, gdzie pochłonął torebkę chipsów i tabliczkę czekolady. Objadł się tak nie dlatego, że nie potrafił panować nad sobą, tylko dlatego, że źle zaplanował posiłki. W momencie kiedy dopadła go hipoglikemia, jej konsekwencje były przesądzone. Gdyby mój przyjaciel zjadł sałatkę z tuńczyka zamiast kanapki oraz niskotłuszczowy ser lub orzeszki jako przekąskę, mógł uniknąć zarówno hipoglikemii, jak i późniejszego obżarstwa.

MOJA DIETA SOUTH BEACH	**PAUL L.: DZIĘKI TEJ DIECIE MOGŁEM POZBYĆ SIĘ LEKÓW** Pięć lat temu, kiedy przeszedłem na tę dietę, ważyłem 105 kilogramów. Od lat walczyłem z nadwagą i wypróbowałem wiele diet. Byłem na diecie Atkinsa – prawdę mówiąc, byłem nawet jego pacjentem, zanim stał się sławny, i wypróbowałem jego dietę ni-

skowęglowodanową. Potem próbowałem także diet niskotłuszczowych, w tym diety Amerykańskiego Towarzystwa Kardiologicznego. Za każdym razem chudłem, ale potem odzyskiwałem stracone kilogramy.

Mam teraz 73 lata, a kiedy zaczynałem dietę South Beach, miałem 68. Wcześniej bardzo dużo paliłem, a potem rzuciłem papierosy i dlatego tak bardzo utyłem. Nie byłem wielkim miłośnikiem słodyczy, ale lubiłem całą resztę. Jadłem chleb trzy razy dziennie, do każdego posiłku. Poza tym ziemniaki, ryż, makaron. Oczywiście mięso i te inne rzeczy – duże, ciężkie posiłki. Od kiedy tak bardzo przybrałem na wadze, zacząłem mieć także inne problemy. Pewnego dnia okazało się, że mam cukrzycę. Miałem też wysokie ciśnienie, wysoki poziom trójglicerydów i cholesterolu.

Kiedy doktor Agatston został moim kardiologiem, zaczęliśmy rozmawiać o tym, że to moja nadwaga powoduje wiele problemów zdrowotnych. Doktor zaproponował mi dietę, którą sam opracował. Ponieważ byłem przyzwyczajony do diet, postanowiłem ją wypróbować.

Pierwszych kilka dni nie było zbyt łatwych. Nie powiem, że czujesz się źle, ale zdecydowanie inaczej. Trochę dziwnie. Jesteś głodny, bo nie jesz tak jak normalnie. Jednak po tych trzech pierwszych dniach wszystko nagle wydało się łatwiejsze. W rzeczywistości wcale nie chodziłem głodny. W czasie fazy ścisłej jadłem tony warzyw, dużo mięsa i ryb, no i ser. Mnóstwo białego mięsa z kurczaka i indyka. Ale żadnego chleba, makaronu czy nawet owoców.

Po tych pierwszych dwóch tygodniach zacząłem dodawać pewne rzeczy z powrotem do jadłospisu. Jadłem trochę owoców, choć szczerze mówiąc, kiedy zjadłem mały owoc, miałem ochotę na więcej. Łatwiej było całkiem obyć się bez nich.

Nigdy nie dodałem ziemniaków – po prostu nie brakowało mi ich aż na tyle, żebym musiał je jeść. Może też łatwiej mi wcale ich nie jeść, niż jeść trochę. Natomiast bardzo lubię makaron, więc od czasu do czasu go jem, powiedzmy raz na kilka tygodni. Na ryżu mniej mi zależy, chociaż czasem też go włączam. Natomiast powróciłem do jedzenia chleba. Pozwalam sobie na niego praktycznie codziennie i zjadam dwa, trzy kawałki. Piję też czerwone wino – dwa kieliszki dziennie.

Zajęło mi to mniej więcej rok, ale schudłem na tej diecie ze 105 do 77 kilogramów w 50 tygodni. A przez ostatnie 4 lata bez wielkiego trudu utrzymuję tę wagę. Raz niepostrzeżenie podpełzła do 81, więc wróciłem do Fazy 1 i całkiem szybko schudłem z powrotem do 77. Jednak najlepsze w tym wszystkim jest to, że dzięki tej diecie mogłem opróżnić swoją szafkę z lekarstwami. Przestałem brać leki przeciwcukrzycowe, bo cukier się obniżył. Leki przeciw nadciśnieniu też mogłem wyrzucić. Brałem również statynę, aby obniżyć poziom cholesterolu, ale nawet tego mogłem się pozbyć.

Indeks glikemiczny

Tabele na stronach 80-82 przedstawiają indeksy glikemiczne wielu artykułów spożywczych, z którymi prawdopodobnie masz do czynienia w codziennym życiu. Artykuły te podzielono według grup żywności, a w każdej grupie uszeregowane zostały od tych o najniższym indeksie do tych o najwyższym.

Indeks glikemiczny pokarmu wskazuje, o ile po jego spożyciu wzrośnie poziom glukozy we krwi w porównaniu ze wzrostem spowodowanym przez taką samą ilość białego chleba.

Żywność o niższych indeksach powoduje wolniejszy wzrost, a następnie spadek poziomu cukru we krwi niż pokarmy o wyższych indeksach. Liczne badania udowodniły również, że pokarmy o niskim indeksie glikemicznym zaspokajają głód na dłużej i skuteczniej zmniejszają późniejsze łaknienie.

W Fazie 1 diety South Beach powinieneś wybierać wyłącznie żywność o niskim indeksie glikemicznym. Później, kiedy przejdziesz już przez etap szybkiej utraty masy ciała, możesz zacząć ją mieszać z pokarmami o wyższych indeksach.

Mimo wszystko, powinieneś nadal przestrzegać pozostałych zasad diety – nawet jeśli niskotłuszczowe mleko i cukierki M&M's z orzeszkami mają ten sam indeks glikemiczny, właściwości odżywcze mleka są znacznie lepsze.

PIECZYWO CUKIERNICZE	IG
Biszkopt	66
Ciasto z równych proporcji mąki, cukru, masła i jajek	77
Ciasto duńskie	84
Babeczka	88
Kruche ciasto, tarta	93
Biszkopt na samych białkach	95
Rogalik francuski	96
Pączek	108
Gofry	109

NAPOJE	IG
Sok jabłkowy	41
Mleko sojowe	43
Sok ananasowy	66
Sok grejpfrutowy	69

PIECZYWO	IG
Chleb z otrąb owsianych	68
Chleb wieloziarnisty	69
Pumpernikiel	71
Biała pita	82
Pizza serowa	86
Bułka do hamburgera	87
Chleb żytni	92
Chleb z semoliny	92
Chleb owsiany	93
Chleb pszenny z pełnego ziarna	99
Chleb tostowy	100
Biały chleb	101
Bajgiel	103
Kajzerka	104
Nadzienie chlebowe	106
Chleb pszenny bezglutenowy	129
Bagietka	136

PŁATKI ŚNIADANIOWE	IG
Otręby ryżowe	27
All-Bran	60
Płatki owsiane (nie błyskawiczne)	70
Otręby owsiane	78
Muesli	80
Z winogronami i orzechami	96

Pszenica preparowana	105
Cheerios	106
Otręby kukurydziane	107
Chex kukurydziane	118
Płatki kukurydziane (cornflakes)	119
Crispix	124
Chex ryżowe	127

KASZE I PRODUKTY ZBOŻOWE	IG
Kasza jęczmienna perłowa	36
Żyto	48
Ziarno pszenicy	59
Ryż błyskawiczny	65
Kasza z ziarna pszennego	68
Ryż parboiled (preparowany termicznie)	68
Śruta jęczmienna	72
Pszenica (do szybkiego gotowania)	77
Kasza gryczana	78
Brązowy ryż	79
Dziki ryż	81
Biały ryż	83
Kuskus	93
Płatki jęczmienne	94
Muszelki taco	97
Mąka kukurydziana	98
Proso	101
Tapioka gotowana z mlekiem	115

CIASTKA	IG
Ciastka z płatków owsianych	79
Kruche ciastka	91
Ciastka z mąki arrarutowej (z bulwy maranty)	95
Krakersy grahamki	106
Wafle waniliowe	110
Ciastka anyżowe	113

KRAKERSY	IG
Pszenne krakersy bretońskie	96
Sucharki z miażdżonego ziarna pszenicy	96
Ciastka ryżowe	110

NABIAŁ	IG
Jogurt niskotłuszczowy, sztucznie słodzony	20
Mleko czekoladowe, sztucznie słodzone	34
Mleko pełnotłuste	39
Mleko odtłuszczone	46
Jogurt niskotłuszczowy o smaku owocowym	47
Lody niskotłuszczowe	71
Lody	87

OWOCE I PRODUKTY OWOCOWE	IG
Wiśnie	32
Grejpfruty	36
Brzoskwinie	40
Sok jabłkowy	41
Suszone morele	43
Świeże morele	43
Brzoskwinie z puszki	43
Pomarańcze	47
Gruszki	47
Śliwki	55
Jabłka	56
Winogrona	62
Gruszki z puszki	63
Rodzynki	64
Sok ananasowy	66
Sok grejpfrutowy	69
Koktajl owocowy	79
Kiwi	83
Mango	86
Banan	89
Morele z puszki w syropie	91
Ananas	94
Arbuz	103

ROŚLINY STRĄCZKOWE	IG
Soja gotowana	23
Czerwona soczewica gotowana	36
Czerwona fasola kidney gotowana	42
Zielona soczewica gotowana	42

Fasola „Piękny Jaś" gotowana	44
Żółty groch łuskany gotowany	45
Fasola „Piękny Jaś" (mniejsze nasiona) mrożona	46
Ciecierzyca	47
Fasola biała gotowana	54
Fasola pinto	55
Fasola „Czarne oczko"	59
Ciecierzyca z puszki	60
Fasola pinto z puszki	64
Fasola w sosie pomidorowym z puszki	69
Czerwona fasola kidney z puszki	74
Zielona soczewica z puszki	74
Bób	113

MAKARONY	IG
Spaghetti wzbogacone w białko	38
Fettuccine (wstążki)	46
Makaron nitki	50
Spaghetti z pełnego ziarna	53
Ravioli z mięsem	56
Spaghetti z białej mąki	59
Capellini	64
Makaron rurki	64
Linguine (płaskie kluski włoskie)	65
Tortellini z serem	71
Spaghetti durum	78
Makaron rurki z serem	92
Kluski (gnocchi)	95
Makaron z brązowego ryżu	113

WARZYWA KORZENIOWE	IG
Słodkie ziemniaki (bataty)	63
Marchew gotowana	70
Jams (słodki ziemniak)	73
Białe ziemniaki gotowane	83
Ziemniaki gotowane na parze	93
Młode ziemniaki	101
Brukiew	103
Purée z gotowanych ziemniaków	104
Frytki	107
Purée błyskawiczne	114

Ziemniaki gotowane	
w kuchence mikrofalowej	117
Pasternak	139
Ziemniaki pieczone	158

PRZEKĄSKI I SŁODYCZE	IG
Orzeszki ziemne (arachidowe)	20
M&M's z orzechami	
arachidowymi firmy Mars	46
Baton Snickers firmy Mars	57
Baton Twix (karmelowy)	
firmy Mars	62
Baton czekoladowy (5 g)	70
Dżemy i marmolady	70
Chipsy ziemniaczane	77
Kukurydza prażona	79
Baton Kudos Whole Grain	
firmy Mars	87
Baton Mars	91
Skittles firmy Mars	98
Life Savers	100
Chipsy kukurydziane	105
Żelki	114
Precle	116
Daktyle	146

ZUPY	IG
Zupa pomidorowa z puszki	54
Zupa z soczewicy z puszki	63
Zupa grochowa	86
Zupa z czarnej fasoli	92
Zupa z zielonego groszku	
z puszki	94

CUKRY	IG
Fruktoza	32
Laktoza	65
Miód	83

Syrop kukurydziany o dużej	
zawartości fruktozy	89
Sacharoza	92
Glukoza	137
Maltodekstryna	150
Maltoza	150

WARZYWA	IG
Karczoch	<20
Rukola	<20
Szparagi	<20
Brokuły	<20
Brukselka	<20
Kabaczek, wszystkie odmiany	<20
Kalafior	<20
Seler naciowy	<20
Ogórek	<20
Endywia	<20
Bakłażan	<20
Burak	<20
Burak liściowy (boćwina)	<20
Kapusta ogrodowa	<20
Jarmuż	<20
Gorczyca	<20
Szpinak	<20
Rzepa	<20
Sałata, wszystkie odmiany	<20
Grzyby, wszystkie odmiany	<20
Ketmia jadalna (okra)	<20
Orzechy arachidowe	<20
Papryka, wszystkie odmiany	<20
Fasola szparagowa zielona	<20
Strączki zielonego groszku	
bez łyka	<20
Rzeżucha	<20
Fasola w strąkach	<20
Cukinia	<20
Pomidory	23
Groch suszony	32
Zielony groszek	68
Kukurydza	78
Dynia	107

Czy to już cukrzyca?

Widuję mnóstwo ludzi cierpiących na zaburzenie, które jest w dużej mierze odpowiedzialne za obecną epidemię otyłości i chorób serca. Ty również ich widujesz, choć może nie zdajesz sobie z tego sprawy.

Przyjmuję ich oczywiście w swoim gabinecie lekarskim, ale spotykam także na ulicach, przyjęciach, podczas zakupów, na plaży – dosłownie wszędzie. Bardzo łatwo ich rozpoznać, gdyż mają wyraźną cechę charakterystyczną, tak zwaną otyłość centralną. U takich osób zbędny tłuszcz gromadzi się głównie w obszarze brzucha, który silnie wystaje, podczas gdy twarz, ręce i nogi takiej osoby wyglądają, jakby należały do kogoś chudszego. O takiej otyłości mówi się, że ma kształt jabłka, w przeciwieństwie do otyłości w kształcie gruszki, przy której tłuszcz gromadzi się na biodrach, pośladkach i nogach.

Otyłość centralną często określa się jakąś żartobliwą przenośnią, jak brzuch piwosza, bandzioch, korbolek, dla mnie jednak jest on poważnym ostrzeżeniem, że jego posiadacz ma nieprawidłowy skład chemiczny krwi i w przyszłości czekają go poważne problemy kardiologiczne. Spotykając takie osoby na gruncie towarzyskim, muszę powstrzymywać się od doradzania im, żeby jak najszybciej skontaktowały się ze mną (lub innym kardiologiem) i umówiły na badania diagnostyczne. Mam poczucie pewnej misji, jeśli chodzi o to zagadnienie, gdyż problem ten jest tak niebezpieczny i tak powszechny, a jednocześnie tak prosty do wyleczenia przy zastosowaniu diety, ćwiczeń fizycznych i leków.

Kiedy pytam pacjentów z nadwagą o historię zdrowia rodziny, często słyszę, że u któregoś z rodziców lub dziadków wystąpiła w późnym wieku, po siedemdziesiątce lub osiemdziesiątce, cukrzyca. „Ale to była tylko cukrzyca «chemiczna». Nawet nie brał na to insuliny" – zapewniają mnie, używając przy tym przestarzałej nazwy. Czasem mówią też cukrzyca „cukrowa", co jest kolejnym przeżytkiem terminologii medycznej. Tacy pacjenci nie zdają sobie sprawy, że tego rodzaju późno ujawniająca się cukrzyca u jednego z rodziców wskazuje na obecność potencjalnie śmiertelnego czynnika, który w ich własnym organizmie przygotowuje warunki do przyszłego zawału serca lub udaru. Gen powodujący cukrzycę jest przekazywany potomstwu. Wczesnym objawem choroby jest przybieranie na wadze w średnim wieku, na długo, zanim podniesie się poziom cukru we krwi.

Ale co ma wspólnego cukrzyca z zawałem serca lub udarem? Pytanie to zadaje większość osób. W ciągu minionych dziesięciu lat udało się dokonać wielu odkryć umożliwiających lepsze zrozumienie tego związku. Wiemy już dziś bez najmniejszych wątpliwości, że te problemy zdrowotne są ze sobą powiązane. Stwierdzono, że około połowy osób, które przeszły zawał serca, cierpi również na chorobę znaną pod kilkoma nazwami. Obecnie jej najbardziej popularnym określeniem jest zespół metaboliczny, lecz nazywana jest również insulinoopornością lub zespołem X. O jej istnieniu wiemy dopiero od roku 1989 i nadal dokładniej ją poznajemy. Dla naszych celów będziemy ją nazywać stanem przedcukrzycowym, gdyż ta nazwa określa to, czym w istocie ona jest – wczesnym stadium tej choroby. Nie leczona przekształci się w przyszłości w pełnoobjawową cukrzycę typu 2.

Według najnowszych szacunków około 47 milionów Amerykanów – czyli niemal jedna piąta – ma stan przedcukrzycowy. Jednak odsetek dorosłych chorych na serce, u których równocześnie występuje ten zespół chorobowy, jest znacznie większy – około połowy moich pacjentów wykazuje jego oznaki. Poniżej przedstawiono wykaz objawów przygotowany przez Krajowy Program Edukacji Cholesterolowej:

• wysokie stężenie cholesterolu,
• wysoki stosunek złego cholesterolu do dobrego (LDL/HDL),
• wysokie ciśnienie krwi,
• otyłość centralna,
• wysokie stężenie trójglicerydów.

Ja dodałbym jeszcze do tego:

• małe cząsteczki LDL (złego cholesterolu).

Te same objawy mają ścisłe powiązanie z zawałem serca i udarem. O tym, czy u ciebie wystąpią, w dużej mierze decyduje genetyka, jednak równie ważną rolę odgrywa nieprawidłowa dieta. Nie chciałbym cię obciążać zbyt dużą dawką wiedzy naukowej podczas wyjaśniania związku pomiędzy chorobami serca a cukrzycą dorosłych. Pragnę jednak, żebyś mi zaufał, że zrozumienie tego jest bardzo ważne.

Podstawowe informacje na temat cukrzycy

Większość osób wie, że cukrzyca to niezdolność organizmu do prawidłowego przetwarzania cukrów i skrobi. Organizm, trawiąc posiłek, przetwarza wszystkie węglowodany w glukozę, cukier obecny w naszej krwi. Następnie zadaniem trzustki jest wykrycie tego nagłego wzrostu poziomu glukozy i wyprodukowanie hormonu zwanego insuliną. Insulina umożliwia różnym organom naszego ciała – mózgowi, mięśniom, wątrobie i innym – pobranie glukozy z krwiobiegu i wykorzystanie jej lub zmagazynowanie do przyszłego użytku. Organizm ma stałe zapotrzebowanie na cukier i przy jego niedoborze odczuwamy zawroty głowy, mdlejemy, zapadamy w śpiączkę i w niedługim czasie umieramy.

Wyobraź sobie, że każda komórka twojego ciała jest zamknięta na kłódkę, a insulina stanowi jedyny klucz, który ją otwiera. Jeśli komórka pozostaje zamknięta, cukier nie może dostać się do środka i krąży bezużytecznie w naczyniach krwionośnych, powodując duże szkody.

Jednak większość ludzi nie zdaje sobie sprawy, że cukrzyca polega również na niezdolności do prawidłowego przetwarzania spożywanych tłuszczów.

Kiedy spożywamy tłuszcze, które są zawarte w mięsie, olejach roślinnych lub produktach nabiałowych, insulina powinna przetransportować kwasy tłuszczowe (główny składnik tłuszczów) z krwiobiegu do odpowiednich tkanek, gdzie zostaną zużyte jako paliwo lub zmagazynowane na przyszłość w formie znanej nam jako trójglicerydy lub po prostu tłuszcz.

Innymi słowy, cukrzycę można zdefiniować jako niezdolność organizmu do właściwego zarządzania zapasami paliwa. Także otyłość jest wynikiem złej gospodarki paliwem, spowodowanej czynnikami genetycznymi oraz stylem życia. Nasze ciało nie bez powodu zostało stworzone do magazynowania nadmiaru energii (który mierzymy w kaloriach). Przez większą część historii ludzkości naszym najważniejszym zadaniem było zadbanie o stałe i dostateczne zapasy żywności. Ponieważ na zmianę przeżywaliśmy okresy tłuste i chude, nasze ciała musiały się dostosować i nauczyć magazynować energię z dzisiejszej uczty, żeby móc ją jutro spalić, i dzięki temu przetrwać. Dlatego ten rodzaj tłuszczu gromadzi się w okolicy brzucha – kończyny musiały zostać szczupłe i umięśnione, żeby nadawały się do pracy fizycznej, a przede wszystkim ucieczki. Postęp cywilizacyjny w dużym stopniu wyeliminował głód, ale nastąpiło to kosztem naszej sylwetki i układu sercowo-naczyniowego, który cierpi z powodu niepotrzebnych już nam zapasów tłuszczu. Czulibyśmy się znacznie lepiej, gdyby nasz organizm potrafił wydalać niepotrzebną energię, ale niestety tak nie jest.

Sytuację pogarsza jeszcze budowa tkanki tłuszczowej. Kiedy przybieramy na wadze, nie powstają nowe komórki tłuszczowe – ich liczba nie zmienia się od dzieciństwa. Natomiast istniejące komórki ulegają powiększeniu. Dlatego u osób otyłych insulina ma trudności z przyłączeniem się do komórek tłuszczowych – stają się one zbyt duże. W związku z tym, kiedy osoba z nadwagą je zbyt dużo, przypomina to próbę napełnienia zbiornika gazu, który jest już pełen. Nadmiar po prostu się przelewa. W organizmie oznacza to, że cukry i tłuszcze zbyt długo krążą w naczyniach krwionośnych. Kiedy organizm nie potrafi prawidłowo przenieść glukozy i kwasów tłuszczowych z krwiobiegu do odpowiednich tkanek, zaczynają się kłopoty. Nie leczona cukrzyca może się zakończyć śmiercią.

Istnieją dwa rodzaje cukrzycy, które zasadniczo się różnią.

Cukrzyca młodzieńcza (inaczej typu 1) pojawia się w dzieciństwie lub okresie dojrzewania. Jej przyczyną jest uszkodzenie trzustki, prawdopodobnie spowodowane wirusem. W rezultacie organ ten wytwarza zbyt mało insuliny, żeby przenieść cukier i tłuszcze z układu krwionośnego do odpowiednich tkanek. Obecnie jest to choroba nieuleczalna, a warunkiem funkcjonowania dotkniętej nią osoby jest uzupełnianie insuliny za pomocą zastrzyków. Chory musi prawidłowo się odżywiać i regularnie mierzyć poziom cukru we krwi, a insulina jest dla niego lekiem ratującym życie.

Dla drugiej formy choroby nie mamy nawet prawidłowej nazwy, toteż określa się ją roboczo cukrzycą typu 2. Inna nazwa to cukrzyca dorosłych, gdyż najczęściej ujawnia się w wieku dojrzałym. W jej wypadku nie można winić wirusa, tylko to, kim jesteśmy (genetykę) oraz jak się odżywiamy. Zaskakująco duża liczba osób ma genetyczne predyspozycje do tej choroby, jednak jest to tylko potencjalna możliwość – dopóki nieodpowiednią dietą i brakiem aktywności fizycznej nie dokonamy reszty. Nie mamy wpływu na swoje geny. Natomiast jeśli potrafisz powstrzymać się przed niewłaściwym odżywianiem, możesz zapobiec wystąpieniu tej formy cukrzycy.

Obie choroby noszą tę samą nazwę, lecz ich przyczyny są odmienne. W cukrzycy młodzieńczej trzustka jest niezdolna do produkowania insuliny. W cukrzycy typu 2 trzustka funkcjonuje normalnie i wytwarza zbyt dużo insuliny. Kiedy masz w ciele nadmiar tłuszczu, utrudnia to insulinie wykonanie zadania. Dlatego poziom cukru we krwi nie obniża się tak szybko, jak powinien, i trzustka wytwarza jeszcze więcej tego hormonu, żeby otworzyć twoje komórki i wpuścić do nich cukier. Insulina pompowana jest do krwiobiegu tak długo, że w końcu jest jej za dużo i poziom cukru nadmiernie spada. Te przeskoki od wysokiego poziomu cukru do gwałtownego spadku (kiedy trzustka wytworzy w końcu dość insuliny) są przyczyną ostrych ataków głodu. Zjadasz wówczas następną porcję węglowodanów i tak wpadasz w błędne koło.

Powyższe informacje wyjaśniają, dlaczego otyłość sprzyja objadaniu się, a jedzenie węglowodanów, zamiast zaspokajać głód, tylko go podsyca. Nadal jednak nie mamy odpowiedzi na pytanie: Co wspólnego ma otyłość i cukrzyca typu 2 lub stan przedcukrzycowy z chorobami serca?

Wpływ na funkcjonowanie serca

Wszystko zaczyna się od wspomnianej otyłości centralnej. Twój wystający brzuch nie powstał wskutek zwiększenia liczby komórek tłuszczowych w tych partiach ciała. Nie, kiedy tyjesz, liczba komórek pozostaje mniej więcej stała, natomiast powiększają się ich rozmiary. Innymi słowy, komórki tłuszczowe tyją. Stają się tak duże, że insulina ma problemy z prawidłowym przyłączeniem się do nich i otworzeniem naszej umownej kłódki. Dlatego, kiedy masz nadwagę, poziom cukru i tłuszczów w twojej krwi jest wyższy niż powinien. Klucz insulinowy potrzebuje więcej czasu, by otworzyć kłódkę.

To z kolei pociąga za sobą inne problemy zdrowotne, będące również oznakami cukrzycy typu 2 lub stanu przedcukrzycowego, oznakami, które może rozpoznać tylko lekarz. Zapewne słyszałeś o nich, jeśli w minionym dziesięcioleciu zwracałeś uwagę na nowinki z dziedziny zdrowia. Należą do nich: wysokie ciśnienie tętnicze, wysokie stężenie trójglicerydów, niskie stężenie dobrego cholesterolu, wysoki stosunek całkowitego cholesterolu do dobrego oraz stosunkowo mało poznany, niemniej niezwykle istotny czynnik, jakim jest mała wielkość cząsteczek złego cholesterolu.

Kiedy insulina nie działa prawidłowo, zmagazynowanie tłuszczu, który zjadłeś, trwa dłużej niż powinno. Z powodu tego opóźnienia wątrobę zalewają kwasy tłuszczowe, a ona reaguje na to, wytwarzając szkodliwe cząsteczki, które odkładają tłuszcz i cholesterol w naczyniach krwionośnych twojego serca (tzw. naczyniach wieńcowych) – tworząc zaczątek przyszłej ich niedrożności. To właśnie jest ogniwem łączącym otyłość z chorobami serca. Niebezpieczeństwo nie kryje się w samych węglowodanach czy cukrach, tylko w tym, jak wpływają one na zdolność twojego organizmu do przetwarzania tłuszczów. Zjedzenie zbyt wielu pączków z dżemem być może nie spowoduje ataku serca. Natomiast stworzy warunki, które do niego doprowadzą. Otyłość jako taka nie uszkadza układu sercowo--naczyniowego, ale jest wyraźną oznaką nieprawidłowego składu krwi, co niemal na pewno skończy się w przyszłości pogorszeniem zdrowia, a może nawet utratą życia.

W dzisiejszych czasach obserwujemy alarmującą sytuację, gdyż cukrzyca typu 2 pojawia się w okresie wczesnej dorosłości, a nawet dojrzewania. Nie oznacza to, że jesteśmy mniej zdrowi genetycznie niż poprzednie pokolenia. Jednak nasze nawyki są znacznie gorsze. Wprawdzie w klasie średniej do dobrego tonu należy chodzenie na siłownię i ćwiczenie na bieżni w domu, ale ogólnie rzecz biorąc, prowadzimy znacznie mniej aktywne fizycznie życie niż nasi rodzice i dziadkowie. Może ich praca wymagała większego wysiłku fizycznego i mieli mniej urządzeń ułatwiających pracę. A może po prostu znacznie więcej chodzili na piechotę.

Ten brak aktywności fizycznej dotyczy nawet dzieci. Głęboko niepokoi mnie, jak mało czasu przeznaczają na wysiłek fizyczny. Dzisiejsza moda na budowanie szkół bez boisk, gdzie dzieci mogły się wybiegać w czasie przerw, oraz ograniczanie godzin wychowania fizycznego na rzecz innych przedmiotów to prosta droga do nieszczęścia. Sytuację pogarszają jeszcze dziesiątki godzin spędzane przed telewizorem, komputerem lub przy grach wideo.

Mimo wszystko wydaje mi się, że nawet bardziej szkodliwe są zmiany, jakie zaszły w odżywianiu. To, co jemy, w coraz większym stopniu przygotowywane jest przez sieci fast food i producentów żywności, co pociąga za sobą pogorszenie jakości – nie tylko pod względem smaku, lecz również zawartości składników odżywczych i błonnika. W pewnym sensie producenci żywności rozpoczynają za nas proces trawienia. Jeszcze do niedawna nie zdawaliśmy sobie sprawy, że wysoko przetworzona żywność jest szkodliwa i w dużej mierze odpowiedzialna za obecną epidemię otyłości. Dawniej cierpieliśmy głód, więc teraz dobrobyt, którym cieszymy się jako naród, znajduje odzwierciedlenie na naszych talerzach. Sytuację pogarsza to, że ponad połowa posiłków serwowanych przez restauracje należy do typu fast food. Dawniej jedliśmy znacznie mniej przetworzone węglowodany. Chleb częściej był pieczony w domu lub w małych piekarniach i z mąki z pełnego ziarna, a nie takiej, z której usunięto cały błonnik. Nie żyliśmy w takim pośpiechu, toteż gotowano potrawy z surowych produktów, a fabryczne półprodukty traktowano jako coś gorszego. Ryż miał więcej błonnika i trzeba było go gotować powoli, a ziemniaków nie sprzedawano w zamrożonych plasterkach lub w postaci proszku w pudełku. Dzieci wracające ze szkoły dostawały normalne jedzenie, a nie tylko to, co można podgrzać w mikrofalówce. Więcej artykułów spożywczych miało trwałość kilku dni, a nie miesięcy czy nawet lat!

Niepotrzebne nam były tak duże dawki cukru w każdym posiłku, poczynając od porannych płatków śniadaniowych, a kończąc na wieczornej przekąsce w postaci precli z białej, całkowicie oczyszczonej mąki. Nie spędzaliśmy tyle czasu pomiędzy barami i stoiskami z ciasteczkami czekoladowymi, lodówkami z gotowymi do podgrzania potrawami i całą tą resztą.

Nawet próby zdrowszego jedzenia doprowadziły nas do bardziej niezdrowego stanu. Następnym razem, kiedy zechcesz kupić produkt „niskotłuszczowy", sprawdź jego skład. Niewątpliwie przekonasz się, że tłuszcz zastąpiono w nim przetworzonymi węglowodanami. Zwróć też uwagę, na jak wielu chlebach widnieje napis „z dodatkiem witamin" lub „wzbogacony", co oznacza, że z ziarna usunięto tak dużo naturalnego błonnika (zawierającego witaminy), iż trzeba było z powrotem dodać pewne składniki odżywcze!

Zdaję sobie sprawę, że mój opis przekracza nawyki jedzeniowe pojedynczego pacjenta. Jednak za to, co się dzieje w organizmach milionów ludzi, należy winić ogólne tendencje żywieniowe w państwie. Zazwyczaj poważne problemy ujawniają się dopiero, gdy mamy pięćdziesiąt, sześćdziesiąt lat. Jednak niewidoczne szkody dokonują się już przez wszystkie wcześniejsze lata, przygotowując warunki do późniejszej katastrofy.

Na szczęście środkiem zapobiegawczym jest tu to samo rozwiązanie co w przypadku otyłości drażniącej miliony ludzi, którzy nie martwią się o przyszły stan swojego serca i układu krwionośnego. Jest to po prostu dieta, którą starałem się sformułować jako rozsądny, praktyczny oraz łatwy do zapamiętania i przestrzegania program odżywiania, który dokładnie wyjaśniam w dalszej części tej książki. Jeśli o mnie chodzi, to prawdziwym celem każdej dobrej diety jest właśnie zdrowie. Wiem, że wygląd jest ważny, ale jeśli rezultatem kuracji odchudzającej są czyste naczynia krwionośne i doskonały skład chemiczny krwi, to taka dieta ma bez porównania większą wartość.

MOJA DIETA SOUTH BEACH

JUDY H.: ZESZŁAM Z ROZMIARU 32 DO 18

Mam 55 lat i jestem rozwiedziona. Mniej więcej rok temu ważyłam 175 kilogramów. To jest dziedziczne w mojej rodzinie. Ze strony mamy wszyscy rodzice i ich najstarsze dziecko – ale tylko najstarsze, czyli również ja – są grubi. Przez większość młodszych lat byłam raczej szczupła. Jednak po urodzeniu syna i córki przybrałam na wadze, a potem na zmianę chudłam i tyłam. Przez te lata próbowałam wielu diet i zawsze udawało mi się schudnąć. Na jednej bardzo ostrej diecie schudłam nawet 45 kilogramów. Jednak nadwaga zawsze w końcu wracała.

Nigdy nie lubiłam jeść śniadań. Nie piłam też kawy. Nie palę, nie piję alkoholu. Miałam zwyczaj nic nie jeść przez cały ranek, nawet żadnej przekąski. Potem na lunch jadłam to, co wszyscy w moim biurze. Nie zastanawiałam się nad tym. To mogła być chińszczyzna albo hamburgery. Wszystko, co dziewczyny zamówiły. Często zamawiałyśmy pełen lunch, który przywozili nam do biura – bardzo lubiłam makaron.

Potem nie jadłam nic aż do obiadu. Żadnych przekąsek po południu. Na obiad zazwyczaj było mięso, warzywa, sałatka i coś ze skrobią, makaron albo ziemniaki. Nigdy nie przepadałam za ryżem. Natomiast bardzo lubiłam inne węglowodany – pizzę i kanapki. Wolałam zjeść kanapkę niż stek z ziemniakami. No i ciasto – uwielbiam ciasta. Nie zależy mi na cukierkach, ale lubiłam pieczywo i desery. Napojów gazowanych nie piłam zbyt dużo. Prawdę mówiąc, nigdy nie chce mi się za bardzo pić, i to mój kolejny problem.

Wszyscy mówili, zapisz się do Strażników Wagi. Wypróbuj dietę Jenny Craig. Próbowałam wszystkiego. Pewnego dnia rozmawiałam z jedną dziewczyną z naszego biura i powiedziałam do niej: „Słuchaj, jak ty świetnie wyglądasz". A ona na to: „Bo jestem na tej diecie, o której niedawno się dowiedziałam, diecie doktora Agatstona". Dała mi kopię, a ja zaczęłam stosować dietę South Beach. W ciągu roku straciłam ponad 60 kilogramów.

Ale na początku, kiedy spojrzałam na te zasady i zobaczyłam, że trzeba ograniczać węglowodany, stwierdziłam, że nie jestem w stanie jej stosować. Potem jednak powiedziałam sobie: „Słuchaj, musisz to zrobić". Więc zdecydowałam – w tym domu nie będzie już więcej chleba ani mleka. Dotąd musiałam zawsze mieć w zapasie ze 20 paczek makaronu. Córce powiedziałam: „Słuchaj, jeśli chcesz sobie zrobić kanapkę, idź kupić bułkę i zrób. Ja tylko nie chcę, żeby leżały mi tu w domu". Pozbyłam się wszystkiego i nigdy więcej nie przyniosłam już tego do domu.

Mimo wszystko nadal, aż do teraz, brakuje mi chleba – naprawdę. Mogłabym zabić, żeby usiąść i zjeść włoskiego chleba z masłem. Ale tego nie zrobię, bo wiem, że nie potrafię się kontrolować pod tym względem. Podczas ostatnich kilku tygodni niewiele brakowało, żebym złamała dietę – po prostu miałam ochotę spróbować to tego, to tamtego. Rzeczy, których przedtem nawet bym nie ruszyła. Spytałam znajomego w pracy, czy zauważył, że robię coś inaczej. A on odparł: „Tak. Kiedy jemy razem lunch w biurze. Przedtem nawet nie ruszyłaś tego, czego ci nie wolno, a teraz bierzesz łyżkę lub dwie". Czyli jednak trochę się opuściłam. Ale dobrze wiedzieć. Będę musiała pilnować się z węglowodanami przez resztę życia.

Pierwszy dzień nie był zły. Czułam, że muszę to zrobić, że to moja ostatnia szansa. Więc zaczęłam i po prostu trzymałam się tego. Zobaczyłam różnicę już po pierwszym tygodniu. W ciągu sześciu tygodni schudłam prawie 23 kilogramy. Potem zaczęłam wprowadzać do diety więcej owoców i warzyw oraz majonez do tuńczyka, tego typu rzeczy. Jednak nadal nie ruszałam płatków śniadaniowych czy owsianki. Żadnej skrobi. Od czasu do czasu pozwalałam sobie na kawałek bułki, jako specjalny przysmak. Ale przestałam. Chodzę tylko do takich restauracji, gdzie będę mogła coś zjeść. Nie mam zamiaru się katować we włoskiej restauracji. Nie jestem taka głupia. Jeśli idę do chińskiej, to tylko takiej, gdzie nie używają glutaminianu sodu. Wybierasz sobie mięso i jarzyny, a oni ci to smażą, szybko mieszając. Więc chodzę tam ze dwa razy na tydzień. Uwielbiam owoce morza – małże, krabie nóżki, krewetki. Mają tam też zieloną fasolkę szparagową przyrządzaną z czosnkiem i oliwą. Mogę zjeść cały talerz. Mrożona herbata ze słodzikiem albo dietetyczna cola. Wracam do domu pełna. To moja uczta, dwa razy na tydzień.

I nie chodzę już do żadnych knajpek fast food, bo nie ma tam dla mnie nic do jedzenia. Tylko raz w miesiącu robię sobie wielką ucztę w McDonaldzie – niskotłuszczowy jogurt owocowy. Wiem, że zawiera węglowodany, ale i tak go jem. Widzicie, oni nie wspominają wam o węglowodanach. Piszą „niskotłuszczowy", ale może w tym być cukier. Owoce też mogą być mrożone w cukrze. Stwarzają wrażenie, że jesz coś zdrowego, ale wcale tak nie jest. Musisz dokładnie czytać skład, zanim cokolwiek kupisz. Jak wtedy, gdy idę do supermarketu i kupuję bezcukrowe lody z mrożonego soku. Zjadam je, kiedy mam ogromną ochotę na coś słodkiego. Jeśli mam złą noc i czuję na coś straszną ochotę, mogę zjeść nawet trzy czy cztery, ale to pomaga mi jakoś przetrzymać. Robię sobie galaretki owocowe bez cukru. Piję dietetyczną colę. Wypijam też jedną filiżankę kawy dziennie, rano.

Teraz próbuję nawet jeść śniadania. Zjadam jajecznicę i ze dwa plasterki bekonu. Albo biorę kawałek wędliny i zawijam z niskotłuszczowym serem i plasterkami pomidora. Nadal nie przepadam za śniadaniami, ale stwierdzam, że to podtrzymuje siły.

Żadnego pieczywa. Kiedy w pracy przynoszą tuńczyka z bagietką, zdarza się, że zjem parę kęsów bułki. Ale bardzo rzadko. Nie pozwalam sobie na więcej. Ostatnio można powiedzieć, że utknęłam w martwym punkcie. Od trzech miesięcy tracę i odzyskuję te same 5 kilogramów. Byłam w domu rodzinnym w Pensylwanii przez trzy tygodnie, poszłam na wesele, przyjęcie urodzinowe i Święto Dziękczynienia – ale wcale nie utyłam. Na przyjęciu weselnym siostrzenicy zjadłam łososia i sałatkę, i to wszystko. Nie tknęłam tortu weselnego.

Na Święto Dziękczynienia mój szwagier zrobił mi bakłażan i sałatkę. Nie jadłam indyka, nadzienia ani ziemniaków. Moja rodzina bardzo mnie wspiera, kiedy jadę do domu. I tak przyjemnie jest tam wracać, bo jeżdżę dość rzadko – raz schudłam

27 kilogramów pomiędzy wizytami, a następnym razem dalsze
14. W sumie do czasu mojej ostatniej wizyty w domu zrzuciłam
około 57 kilogramów. Umówiłam się na obiad z dawnym kole-
gą ze szkoły średniej, a on przeszedł obok mnie. Potem odwró-
cił się i spytał: „Judy? Wyglądasz tak samo jak dwadzieścia pięć
czy trzydzieści lat temu". Ucałowałam go z całej siły. Nie chcę,
żebyście odnieśli mylne wrażenie, nadal jestem gruba, ale na
tej diecie zeszłam z rozmiaru 32 do 18. To jedyna dieta, jaka
w moim wypadku się sprawdziła.

Jak jadać
w restauracjach

Ponieważ ta dieta ma być praktyczna i „przyjazna dla użytkownika", można łatwo przestrzegać jej zasad, nawet jadając poza domem.

Przy innych kuracjach odchudzających zazwyczaj jest z tym kłopot, dlatego tak bardzo nam zależało, żeby dieta South Beach sprawdzała się niezależnie od tego, kto gotuje. Problemy z jadaniem w restauracjach miały szczególnie osoby na dietach niskotłuszczowych. Trzeba było albo poddawać kelnerów przesłuchaniu trzeciego stopnia – Jak była smażona ta pierś kurczaka? Co dokładnie znajduje się w sosie winegret? – albo zabierać własne jedzenie i liczyć, że nikt nie zaprotestuje. Jednak nawet jeśli w restauracji nie robiono trudności, smutny był widok zdrowej, dorosłej osoby pochylonej nad swoją miseczką, podczas gdy jej towarzysze przy stole delektowali się pysznym obiadem.

Na szczęście w okresie ostatnich kilkudziesięciu lat również w restauracjach zapanowała moda na podawanie rzeczy zdrowych i świeżych. Oliwa z oliwek stała się w Ameryce normą. Z każdym dniem odkrywamy nowe zalety pewnych gatunków ryb. W restauracyjnych menu jest coraz więcej potraw z rusztu, a coraz mniej smażonych. Dzięki temu, będąc na diecie South Beach, możesz bez trudu jadać w restauracjach.

Oczywiście, nadal musisz uważać na to, co robisz, ale jedzenie poza domem jest dobrym momentem, żeby pozwolić sobie na wyjątkowe przysmaki, choćby dlatego, że troszkę ci to ułatwi zachowanie umiaru przez pozostały czas. Istnieje kilka strategii – nawiasem mówiąc, głównie przekazanych nam przez pacjentów – które mogą pomóc jeść rozsądnie, gdy znajdujemy się poza domem.

Najprostsza: Zjedz coś na piętnaście minut przed przyjściem do restauracji. Niech to będzie drobna przekąska z białkami. Dobry jest kawałek niskotłuszczowego sera, bo możesz go zabrać do torebki lub teczki. Dzięki tym kilku kęsom zaczniesz już napełniać żołądek i kiedy przyjdzie pora coś zamówić, nie będziesz miał wrażenia, że umierasz z głodu.

Polecam tę metodę także dlatego, że pomoże ci pokonać najbardziej podstępną przeszkodę czekającą na ciebie w każdej restauracji – koszyk z pieczywem. Zazwyczaj kiedy przychodzisz do lokalu, czujesz się głodny, a tam już czeka na ciebie na stole świeże, chrupiące pieczywo, pełne złych węglowodanów. W rzeczywistości wcale nie zaspokoi twojego głodu, natomiast gwałtownie podniesie poziom glukozy we krwi, przygotowując grunt dla reaktywnej hipoglikemii i apetytu na węglowodany przez resztę wieczoru.

Wiele osób na diecie po prostu prosi kelnera o zabranie koszyka z pieczywem, co jest wspaniałym pomysłem, jeżeli nie przeszkadza twoim towarzyszom przy stole. Jednak jeśli oni mają ochotę na chleb, możesz zawsze poprosić, żeby sobie wzięli, a potem się go pozbyć.

Inny sposób to zamówienie zupy, najlepiej czystego bulionu, od razu po przyjściu do restauracji. Dzięki temu nie tylko zaspokoisz pierwszy głód, ale ponadto wydłużysz czas jedzenia. Jest to dobry pomysł, gdyż zdaniem specjalistów, istnieje około dwudziestominutowa zwłoka pomiędzy rozpoczęciem jedzenia a chwilą, gdy sygnał o tym dotrze do mózgu. Dlatego tak łatwo się przejeść. Takie niebezpieczeństwo szczególnie zagraża w dzisiejszych czasach, gdy zarówno w przygotowywaniu, jak i spożywaniu jedzenia liczy się szybkość. Jemy tak szybko, że nie zauważamy przekroczenia momentu sytości i pochłaniamy dalsze kęsy, aż do chwili, gdy nagle stwierdzamy, że zaraz pękniemy.

Kiedy zaczynasz jeść bulion, rozpoczynasz jednocześnie zaspokajanie głodu i wysyłasz informację o tym do mózgu. Wszystko, co w tej chwili łagodzi twój głód, jest dobre, gdyż uchroni cię przed zjedzeniem zbyt dużej porcji, kiedy przyniosą danie główne.

Jeśli zaglądając do koszyka z pieczywem, znajdziesz w nim dobry, pełnoziarnisty chleb, być może pozwolisz sobie go zjeść. Jeśli tak, zanurz go w oliwie z oliwek, która spowolni przyswajanie skrobi i zwiększy uczucie sytości. Być może w to nie uwierzysz, ale chleb z oliwą lub nawet odrobiną masła jest lepszy dla twojej diety niż suchy, mimo większej liczby kalorii.

Kolejna wskazówka: Wybierz się do restauracji serwującej jedzenie w stylu śródziemnomorskim. Nie mam na myśli restauracji włoskiej, która może być niebezpieczna, gdyż w menu dominują makarony i chleb. Chodzi mi raczej o kuchnię grecką lub bliskowschodnią, w której wykorzystuje się dużo oliwy z oliwek, co zawsze jest plusem. Możesz tam zjeść humus (pastę z ciecierzycy) na picie, co jest znacznie lepszym wyborem niż biały chleb z masłem, i ma ciekawszy smak. Dostaniesz tam również dobre, pełnoziarniste węglowodany, jak tabbula i kuskus, zamiast ziemniaków i ryżu. Poza tym przy doprawianiu potraw stosuje się w tych kuchniach raczej zioła i ostre przyprawy, a nie cukier.

Jeśli jednak poszedłbyś do włoskiej restauracji, zaplanuj posiłek taki, jak jedzą we Włoszech – podzielony na dania. Najpierw zjedz niewielką porcję makaronu al dente ze zdrowym sosem pomidorowym, a następnie danie główne składające się z mięsa lub ryby i świeżych warzyw albo liściastych, jak endywia lub szpinak, albo krzyżowych, jak brokuły, a do tego sałatka z sosem z oliwy. We Włoszech obiad nie polega na tym, że zjadasz ogromny talerz makaronu, zagryzając chlebem. Dlatego Włosi mogą jeść makaron dwa razy dziennie i nie muszą walczyć z epidemią otyłości, jaką obserwujemy w Stanach Zjednoczonych. W wielu restauracjach możesz zamówić pół porcji makaronu jako przekąskę. Przekonasz się wówczas, że zupełnie ci to wystarczy. Staraj się zjeść przy tym dostateczną ilość dobrych tłuszczów (danie główne i oliwa z oliwek) oraz dobre węglowodany (warzywa i sałatka), żeby zrównoważyć skrobię w makaronie.

Wszyscy mamy skłonność do zakładania, że kuchnia azjatycka jest zdrowa. Narodowe sposoby odżywiania w różnych krajach azjatyckich opierają się na rybach i warzywach, natomiast niewiele w nich tłustych mięs i słodyczy. Ale to nie dotyczy wszystkich azjatyckich restauracji w Stanach Zjednoczonych. Jedną z głównych różnic jest wielkość porcji – my jesteśmy przyzwyczajeni do znacznie większej ilości jedzenia na talerzu, a ponieważ nie lubimy marnotrawstwa, zjadamy wszystko, co się na nim znajduje. Druga ważna różnica związana jest z ryżem. W Azji używa się pełnego ziarna, włącznie z błonnikiem, tak że układ trawienny musi się napracować, zanim dotrze do skrobi. W Stanach Zjednoczonych oraz coraz większej liczbie miast azjatyckich stosuje się przetworzony biały ryż, który znacznie podnosi indeks glikemiczny posiłku.

Być może nie zdajesz sobie sprawy z jeszcze jednego faktu: glutaminian sodu wzmacniający smak potraw produkowany jest z buraków, które są wprawdzie zdrowym warzywem, ale mają wysoki indeks glikemiczny. Innymi słowy, są pełne cukru, choć przeciętne chińskie jedzenie, które kupujesz na wynos, dobrze to maskuje.

W każdej restauracji trzymaj się z dala od ziemniaków i ryżu. Zamów zamiast nich podwójną porcję warzyw. Nigdy też nie zamawiaj niczego smażonego. Może być pieczone, opiekane na ruszcie, duszone, zapiekane lub sauté (smażone na małej ilości tłuszczu). Jeśli potrawa jest z sosem, proś, żeby podano go osobno. Nie znaczy to, że masz go sobie całkowicie odmawiać, ale zaręczam, że starczy ci połowa tego, co naleją ci na talerz.

Jeśli chodzi o picie, od razu zacznij od wody, jak tylko usiądziesz przy stoliku. Później możesz wypić kieliszek lub dwa czerwonego wina, które służy twojemu zdrowiu i nie jest bardzo tuczące. Unikaj jednak białego wina, wódki, a przede wszystkim piwa.

Co do deseru, nie bądź dla siebie zbyt surowy. Jeśli jadasz poza domem cztery razy na tydzień, to na ogół musisz go sobie odmawiać. Jednak jeśli posiłek w restauracji służy uczczeniu jakiejś wyjątkowej okazji, postaraj się jak najlepiej go wykorzystać. Jeśli twój apetyt można zaspokoić owocem, zjedz owoc. Jeśli musisz zjeść lody z owocami, nie szkodzi. Zamów je w osobnych naczyniach i przygotuj własny deser z trzech łyżeczek lodów przybranych owocami. Natomiast jeśli czujesz, że tylko najbardziej kaloryczny tort czekoladowy będzie spełnieniem twoich marzeń, nie wahaj się i zamów kawałek – wraz z dostateczną liczbą widelczyków dla wszystkich przy stole. Zjedz tylko trzy kęsy, i to najwolniej, jak to możliwe. Resztę każ kelnerowi zabrać. Wypróbuj tę samą sztuczkę w domu. Zjadaj trzy kęsy dowolnego deseru, a resztę odłóż na bok. Przekonasz się, że dało ci to taką samą przyjemność jak zjedzenie całej porcji. A na dodatek rano nadal będziesz czuć do siebie szacunek.

Oczywiście, opisane dotychczas strategie zakładają, że jesz w normalnej restauracji, tymczasem obecnie Amerykanie jadają najczęściej w barach fast food. Trudno znaleźć metody, które mogłyby pomóc w zdrowym jedzeniu w takich miejscach. Wszystko w nich sprzysięga się, żebyś zjadł tam najgorszy z możliwych posiłków, przynajmniej z perspektywy naszej diety.

Zacznij od wyeliminowania głównych atrakcji takiego miejsca. Żadnych hamburgerów (zbyt dużo tłuszczów nasyconych w mięsie i tłuszczu, na którym są smażone, i zbyt dużo węglowodanów w bułce). Ryby też lepiej nie bierz, gdyż z powodu panierki i metody smażenia może być nawet bardziej tucząca niż hamburger. Zrezygnuj też z frytek, które są najgorszą częścią tego posiłku, jeśli chodzi o indeks glikemiczny, zarówno z powodu ziemniaków, jak i ketchupu. Nie bierz też słodkich napojów gazowanych, które spowodują gwałtowny wzrost poziomu cukru we krwi. Zwróć uwagę, jak restauracje fast food promują najgorszą oferowaną przez siebie strawę. Nawet „powiększone" porcje to sposób sprzedaży większej ilości najtańszej części posiłku, czyli napoju i frytek. W takich sieciach kładzie się nacisk na dużo, słodko, tłusto i szybko – czyli wszystko to, co doprowadziło do obecnego problemu otyłości w Stanach Zjednoczonych.

Jeśli potrafisz pójść do restauracji serwującej fast food i ograniczyć się do sałatki (z oliwą i octem zamiast innych sosów) oraz piersi kurczaka z grilla (tam, gdzie ją podają) i wody lub kawy, to możesz tam jeść. Natomiast panierowane kawałki kurczaka smażone w głębokim tłuszczu to nie najlepszy pomysł. Podobnie jak ryba sprzedawana w takich miejscach, jest to głównie chleb i odrobina mięsa smażone we fryturze zawierającej kwasy tłuszczowe trans. Trudno jeść w takich miejscach i przestrzegać jakiejkolwiek zdrowej diety. Ale nie jest to chyba dla ciebie zaskoczeniem, prawda?

MOJA DIETA SOUTH BEACH

JUDITH W.: NOSZĘ TERAZ UBRANIA O TRZY ROZMIARY MNIEJSZE, A POZIOM MOJEGO CHOLESTEROLU SPADŁ.

Od wielu lat mam wysokie ciśnienie i chorobę wieńcową, a problemy z sercem są dziedziczne w mojej rodzinie. W 1990 roku miałam robione potrójne by-passy i byłam najmłodsza na oddziale kardiologicznym. Moja mama i siostra też mają po jednym by-passie. Kilka lat temu szukałam nowego kardiologa i tak trafiłam do doktora Agatstona. Po pierwsze stwierdził, że muszę schudnąć, bo ważyłam wtedy 78 kilogramów. Wiedziałam, że ma rację. Nie powiedział mi niczego nowego, ale przekonał mnie i doradził tę dietę.

Zrezygnowałam ze wszystkich węglowodanów, z którymi należy skończyć. Powiedzieli mi, żeby nie kupować produktów odtłuszczonych, bo to oznacza, że mają więcej cukru. Ja jednak kupowałam dwuprocentowe mleko i sery niskotłuszczowe. Zanim przeszłam na tę dietę, nigdy nie jadłam śniadań. Za to podjadałam sobie wieczorami. Nie słodycze, tylko owoce albo precle. Zawsze też jadłam pieczone ziemniaki, ale bez masła, bo myślałam, że ziemniaki można jeść. Pozwalałam sobie na frytki, kiedy tylko miałam ochotę. Oczywiście, hamburger zawsze z bułką. Starałam się jeść rozsądnie, ale nie przesadzałam z tym. W ten sposób powoli, ale nieuchronnie przybierałam na wadze. Kiedy zaczynałam tę dietę, byłam zrozpaczona, bo nigdy przedtem nie byłam taka wielka. Nigdy.

Kiedy przeszłam przez fazę ścisłą, zaczęłam dodawać z powrotem niektóre węglowodany. Ale niewiele. Nie mam już do nich zaufania. Jem makaron pszenny z pełnego przemiału, ale tylko trochę. I jeszcze brązowy ryż. I to wszystko. Cheerios. Z ziemniakami zupełnie skończyłam – jem tylko słodkie. Piekę je, ale nie zjadam całego, tylko pół. Jeśli trzeba, jem też dżemy lub galaretki bez cukru, ale właściwie nie jestem miłośniczką słodyczy, więc mam szczęście. Kiedy dodałam z powrotem węglowodany, dalej traciłam na wadze. Teraz od czasu do czasu zjem kanapkę z pszennego chleba z pełnego ziarna – cienko pokrojonego, jeśli uda mi się go dostać.

Schudłam około 13 kilogramów w ciągu 6 miesięcy, a teraz, 3 lata później, udaje mi się utrzymać nową wagę. Noszę teraz ubrania o trzy rozmiary mniejsze, a poziom mojego cholesterolu spadł. Mój mąż mówi, że jest to najdroższa dieta, na jakiej kiedykolwiek byłam, bo musiałam wyrzucić wszystkie stare rzeczy i kupić nowe. Jestem prawniczką, więc mam bardzo drogie ubrania do pracy. Poza tym często chodzimy na wieczorne przyjęcia. Uwielbiam to. W końcu mam doskonały pretekst, żeby kupować sobie nowe rzeczy.

Wracając do kardiologii

Jak już wspominałem, zająłem się dietami i odchudzaniem tylko z powodu swojej specjalności, czyli profilaktyki kardiologicznej. Zgadzam się w pełni ze słowami raportu grupy prowadzącej słynne badania we Framingham: „Zawał serca lub udar należy traktować jako porażkę terapii medycznej, a nie początek medycznej interwencji". Jestem przekonany, że zapobieganie większości zawałów i udarów nie jest mrzonką, lecz całkowicie wykonalnym zadaniem. Nawet tym moim pacjentom, w rodzinach których występowały choroby serca w młodym wieku, udaje się w większości przezwyciężyć tę genetyczną predyspozycję. Należy jednak pamiętać, że im wcześniej rozpocznie się działania profilaktyczne, tym łatwiej zapobiec potencjalnej katastrofie. Niestety, w zbyt wielu przypadkach pierwszy zawał lub udar jest zarazem ostatnim.

Oczywiście, dieta jest zasadniczym elementem działań profilaktycznych. W przypadku wielu pacjentów, szczególnie tych z cukrzycą lub stanem przedcukrzycowym, jest to pierwsza sprawa, którą się zajmujemy. Cały program zdrowotny obejmuje też ćwiczenia fizyczne i ewentualnie leki lub suplementy, ale dieta ma absolutnie decydujące znaczenie dla powodzenia tych działań.

Jeśli zlekceważysz sobie tę sprawę, może się pewnego dnia okazać, że pozostało ci tylko liczyć na tak zwane cuda współczesnej kardiologii – angioplastykę, pomosty aortalno-wieńcowe (by-passy), przeszczep, a może nawet sztuczne serce. Takie metody być może przywrócą funkcjonowanie twojego układu krwionośnego i utrzymają cię przy życiu. Jednak powinieneś zdawać sobie sprawę, że wszystkie te procedury są pośrednim przyznaniem się do porażki. Są to ostateczne, inwazyjne metody, które trzeba zastosować, kiedy pacjentowi i jego lekarzowi nie udało się zadbać o to, żeby jego układ sercowo-naczyniowy funkcjonował tak, jak chciała natura. W niektórych przypadkach jest to rzeczywiście skutek choroby lub uszkodzeń, ale większości zawałów serca i udarów można zapobiec.

Ćwiczenia fizyczne

Podobnie jak w wypadku diety, twoim zadaniem jest opracowanie programu aktywności fizycznej, który będziesz mógł traktować jako część swojego stylu życia – i z łatwością włączyć do planu codziennych zajęć. Być może przychodzi ci na myśl, że ułożysz sobie wspaniały plan treningów, który umożliwi ci osiągnięcie kondycji maratończyka. Jednak jeśli będzie on wymagał przeorganizowania całego życia, zapewne nic z niego nie wyjdzie. Nie uda ci się go przestrzegać przez dłuższy czas, a spowodowane rezygnacją rozczarowanie pogorszy twój ogólny stan.

Poza tym, w rzeczywistości nie musisz trenować z równą intensywnością jak komandosi, żeby zadbać o dobry stan swojego serca. Wystarczy ci codzienna dawka aktywności fizycznej, która pozwoli jak najefektywniej osiągnąć pożądany skutek. Nic ponad to nie jest konieczne. Zbyt wiele osób prezentuje podejście wszystko albo nic. Zaczynają od intensywnego programu, wytrzymują przez krótki czas, w końcu mają tego dość i znów nic nie robią. Lepiej opracować sobie półgodzinny program, który będziesz mógł wykonywać codziennie. Wprawdzie nie spalisz zbyt wielu kalorii, ale skumulowany efekt będzie dla ciebie pod każdym względem korzystny. W najgorszym wypadku stracisz kilogram lub dwa, które osobom w średnim wieku przybywają niepostrzeżenie w ciągu roku. Osoby, które często i z zapałem wykonują ćwiczenia fizyczne, mają znacznie lepsze samopoczucie. Nie jest to tylko kwestia zdrowia fizycznego – ruch i wykorzystywanie możliwości swojego ciała wprawia nas również w pozytywny nastrój.

Na początek należy wprowadzić ćwiczenia poprawiające wydolność oddechową. Nie ma jednak potrzeby, żebyś przez godzinę ćwiczył na domowej bieżni, schodach czy innym urządzeniu. Proponuję ci natomiast szybki dwudziestominutowy spacer – codziennie. Nie biegaj, chyba że naprawdę masz ochotę. Kieruj się bardzo prostą zasadą: Jeśli się spociłeś, to osiągnąłeś swój cel. Większość korzyści z ćwiczenia fizycznego odnosisz w ciągu pierwszych dwudziestu minut. Jeśli przerwiesz w tym momencie, to nic nie szkodzi. Osiągnąłeś swój cel. Ale przez te dwadzieścia minut musisz to robić z zapałem i oddaniem, codziennie. Jeśli lubisz pływać i masz dostęp do basenu przez cały rok, pływaj. Pamiętaj jednak, że nie musisz trenować jak nadzieja olimpijska. Wystarczy dwadzieścia minut.

Dodatkowo radzę jeszcze ćwiczenia rozciągające, głównie dlatego, że dzięki nim nie zrobisz sobie krzywdy podczas wybranej przez ciebie aktywności. Z wiekiem tracimy elastyczność, lecz można temu zapobiec dzięki regularnym ćwiczeniom rozciągającym. Na koniec chcę ci jeszcze polecić ćwiczenia siłowe, które również dają wiele korzystnych efektów. Podwyższają stosunek mięśni do tłuszczu, co z kolei poprawia przemianę materii, dzięki czemu twój organizm szybciej spala paliwo, nawet gdy śpisz. Nie oznacza to, że masz zostać kulturystą, ale zwiększenie beztłuszczowej masy ciała – czyli wszystkiego poza tłuszczem – jest ważne. Ćwiczenia siłowe są szczególnie korzystne dla kobiet, gdyż zwiększają gęstość kości, pomagając powstrzymać osteoporozę. Dzięki temu łatwiej będzie uniknąć złamania kości biodrowej i innych obrażeń.

Ćwiczenia fizyczne obniżają też ciśnienie krwi i podnoszą poziom dobrego cholesterolu. Ćwicz regularnie i prawidłowo się odżywiaj, a wówczas zrobisz prawie wszystko co możliwe, żeby zadbać o zdrowie swojego układu sercowo-naczyniowego. Już teraz robisz dla siebie znacznie więcej, niż mogą dla ciebie zrobić nauki medyczne.

Jeśli planujesz dłuższy trening (ponad 90 minut), warto zjeść przedtem trochę węglowodanów o niskim indeksie glikemicznym, na przykład jogurt niskotłuszczowy, płatki owsiane lub pumpernikiel. Zjedz je dwie godziny przed ćwiczeniami, tak żeby dostarczyć organizmowi zastrzyk energii. Po treningu musisz uzupełnić zapas glikogenu, więc możesz pozwolić sobie na białe pieczywo lub ziemniak.

Leki i preparaty uzupełniające

Wcześniej opowiadałem o swojej drodze jako kardiologa, który na pierwszym miejscu stawia profilaktykę, szczególnie jeśli chodzi o dietę. Niestety odpowiednie odżywianie i ćwiczenia nie zawsze wystarczą do zachowania zdrowego serca. Pod koniec lat osiemdziesiątych pojawiła się nowa grupa leków obniżających stężenie cholesterolu – były to statyny, takie jak Mevacor, Pravachol, Lescol, Zocor i Lipitor. Dzięki nim mogliśmy stosunkowo łatwo i znacząco obniżać stężenie cholesterolu, początkowo o 20 do 30%, a obecnie nawet do 50. Uznaliśmy, że dzięki tym lekom pacjenci będą mogli jednocześnie zjeść swoje ciastko i je zachować – zupełnie dosłownie. Mogli stosować dietę lub nie, a i tak utrzymać niski cholesterol. Oczywiście nie pomagało to na obwód pasa. Mimo to chętnie zapominano o diecie i decydowano się na leki. Statyny były i są drogie, jednak badania pokazują, że można dzięki nim zmniejszyć liczbę zawałów o mniej więcej 30%.

Nie chcę cię obciążać naukowymi wyjaśnieniami działania statyn. W każdym razie związki te blokują produkcję cholesterolu w wątrobie. W związku z nimi pojawiły się pewne kontrowersje dotyczące możliwości powodowania problemów z wątrobą. Jednak temat ten został wyolbrzymiony przez prasę. Jedna ze statyn, benecor, została wycofana, ponieważ odnotowano niedopuszczalną liczbę toksycznych reakcji. Co do statyn obecnych na rynku, bardzo rzadko powodują one niepożądane reakcje, tyle że prasa i telewizja rozpowszechniają od czasu do czasu przerażające wieści. Tymczasem korzyści płynące z ich stosowania dalece przewyższają ewentualne niebezpieczne skutki. Lekarze nigdy poważnie nie podważali ich zalet. Najlepszy dowód, że większość znanych mi kardiologów po czterdziestce przyjmuje statyny, nawet jeśli w ich rodzinie nie było przypadków chorób serca. Wprawdzie nie jest to tani lek – roczna kuracja kosztuje około 3 000 dolarów – ale rezultaty warte są tych pieniędzy.

W ostatnich latach ważnym elementem dbałości o serce stały się różnego rodzaju preparaty uzupełniające.

Większość z nas wie o tym, że dobrze jest przyjmować codziennie aspirynę, która rozrzedza lekko krew i w ten sposób pomaga zapobiegać zawałom serca i udarom u osób zagrożonych tym ryzykiem. Warto tu podkreślić, jakim błogosławieństwem jest aspiryna w profilaktyce chorób serca. Tymczasem często zapominamy o jej znaczeniu, gdyż jest tak rozpowszechniona i tania.

Od lat słyszeliśmy także o cudownych właściwościach witamin będących antyutleniaczami (A, C i E), jeśli chodzi o zapobieganie zawałom serca, udarom i rakowi. Niestety ostatnio przeprowadzono wiele badań, w których nie udało się tego udowodnić. Dobrą wiadomością jest to, że środki te nie szkodzą (chyba że twojemu portfelowi), natomiast złą, że również nie pomagają. Istnieją pewne dowody, że naturalna forma witaminy E, o nazwie d-alfa tokoferol rzeczywiście daje dobre rezultaty w zapobieganiu zawałom serca i udarom. Jednak niezbędne są dalsze badania. Ja radziłbym ci podwyższać poziom antyutleniaczy w organizmie poprzez ćwiczenia fizyczne oraz jedzenie owoców i warzyw bogatych w składniki odżywcze. Można to uzupełnić jedną tabletką multiwitaminy dziennie.

Natomiast bardzo obiecujące są wieści na temat korzyści z przyjmowania oleju rybiego w kapsułkach. Od lat doradzaliśmy jedzenie dużych ilości ryb bogatych w kwasy omega-3, takich jak łosoś i tuńczyk, teraz radzimy brać także te kapsułki. Obniżają one poziom trójglicerydów i zmniejszają kleistość komórek krwi. Stwierdzono także, że zapobiegają nagłej śmierci z powodu arytmii serca – czyli nagłego, potencjalnie śmiertelnego zatrzymania normalnej pracy serca. Kwasy tłuszczowe omega-3 pomagają także w zapobieganiu cukrzycy i stanowi przedcukrzycowemu. Mogą ponadto odgrywać pozytywną rolę w leczeniu depresji i zapalenia stawów. (Więcej informacji na temat cudownych właściwości rybiego oleju można znaleźć we wspaniałej książce doktora Andrew L. Stolla *The Omega-3 Connection.*)

Jeśli o mnie chodzi, biorę aspirynę, kapsułki z rybim olejem oraz statyny.

Ostatnie badania wskazują, że do listy preparatów uzupełniających może dołączyć jeszcze jeden ważny związek. Niektórzy mężczyźni przechodzą rodzaj menopauzy (tzw. andropauzę) związanej z normalnym spadkiem testosteronu w miarę przybywania lat, zaczynającym się już w wieku dwudziestu kilku lat. Zawsze wiedzieliśmy, że hormon ten jest odpowiedzialny za popęd płciowy, a teraz okazuje się, że może mieć również związek z funkcjonowaniem serca. Badania wykazały, że mężczyźni, którzy przeszli zawał, często mają obniżony poziom testosteronu. Podobnie mężczyźni chorzy na cukrzycę. Uzupełnienie braków tego hormonu podwyższa masę mięśni i kości oraz zmniejsza otyłość centralną. Obecnie wygląda na to, że spadek poziomu testosteronu może być kolejną przyczyną tego, że mężczyźni z wiekiem przybierają na wadze.

Wcześniej nie wiedziano o tym, ponieważ poziom testosteronu mierzono tylko u mężczyzn z zaburzeniami seksualnymi. Dopiero teraz dostrzegamy wpływ tego hormonu na całość zależności pomiędzy otyłością a stanem zdrowotnym serca. Ja badam poziom testosteronu u wszystkich moich pacjentów płci męskiej i w razie potrzeby przepisuję zawierający go żel (do wcierania w skórę).

Zaawansowane metody badania krwi

Obniżenie całkowitego stężenia cholesterolu jest ważnym celem w profilaktyce chorób serca i układu naczyniowego, ale to nie wystarczy. Prawdę mówiąc, większość osób, które przeszły zawał, miało przeciętne stężenie cholesterolu. Nie ulega wątpliwości, że u jednych, mimo niskiego stężenia cholesterolu, zagrożenie zawałem serca jest bardzo duże, a inni, z wyższym stężeniem cholesterolu, są całkiem zdrowi. Innymi słowy, s a m ogólny poziom cholesterolu nie mówi nam wszystkiego.

Obecnie zdajemy już sobie na ogół sprawę, że istnieją dwa podstawowe typy cholesterolu – tak zwany dobry (HDL, czyli lipoproteiny o wysokiej gęstości) oraz zły (LDL, czyli lipoproteiny o niskiej gęstości). Czynnikiem bardzo istotnym dla naszego zdrowia jest stosunek dobrego cholesterolu do złego, który obecnie określa się zazwyczaj w badaniach laboratoryjnych krwi.

Istnieją jednak jeszcze inne ważne czynniki, które można zmierzyć tylko w zaawansowanych badaniach lipidów, nic zatem dziwnego, że takie badania stają się istotnym uzupełnieniem kardiologicznej opieki zdrowotnej.

Laboratoria analityki medycznej wyposażone w bardziej zaawansowany technicznie sprzęt potrafią obecnie mierzyć poziom pięciu podklas HDL oraz siedmiu LDL. Jednym z czynników, które można w nich określić, jest w i e l k o ś ć cząsteczek cholesterolu. Zasadniczo duże cząsteczki są dobre, a małe złe. Duże cząsteczki HDL bardziej skutecznie usuwają złe tłuszcze z krwiobiegu. Jeszcze ważniejsza jest różnica wielkości w cząsteczkach LDL. Małe cząsteczki łatwiej wciskają się pod wyściółkę naczyń krwionośnych, gdzie tworzą płytki zwężające tętnice. Dużym cząsteczkom trudniej dostać się pod wyściółkę, toteż powodują mniejsze szkody.

Inicjatorem prowadzenia zaawansowanych badań lipidów we krwi było laboratorium Lawrence Berkeley National Laboratory przy Uniwersytecie Kalifornijskim w Berkeley oraz jego reprezentant handlowy – Berkeley HeartLab. Doktor Robert Superko, dyrektor medyczny laboratorium, zrobił bardzo wiele dla edukacji lekarzy w dziedzinie wykorzystania zaawansowanych badań krwi w leczeniu pacjentów. Kiedy równolegle z badaniami podklas cholesterolu wykonamy inne zaawansowane badania, w tym na stężenie lipoproteiny (A) i homocysteiny, możemy wyjaśnić przyczyny danej choroby w ponad 90% przypadków. Dzięki tym metodom można również mierzyć podwyższony poziom białka C-reaktywnego – CRP, który wskazuje na zapalenie wyściółki naczyń krwionośnych. Doktor Paul Ridker z Uniwersytetu Harvarda przeprowadził przełomowe badania udowadniające, że zapalenie tętnic może mieć duży wpływ na arteriosklerozę i zawały serca. Dzięki stwierdzeniu takiego zapalenia można przewidzieć, kto jest zagrożony atakiem serca, nawet jeśli ma normalny lub niski poziom cholesterolu. Ciekawym spostrzeżeniem jest to, że osoby z cukrzycą lub stanem przedcukrzycowym mają często normalny poziom cholesterolu, lecz wysoki poziom CRP.

Szybka tomografia komputerowa EBT

Istnieje jeszcze jedno badanie medyczne, które należy stosować w promocji zdrowia układu sercowo-naczyniowego – szybka tomografia komputerowa EBT, nieinwazyjna metoda badania serca, która jest mi wyjątkowo dobrze znana. Jest ona znacznie lepsza niż normalne czy wysiłkowe EKG – daje nam dokładny obraz stanu naczyń krwionośnych zasilających bijące serce. Żadne inne badanie diagnostyczne nie dostarcza tak istotnych informacji.

W czerwcu 1988 roku wraz moimi kolegami doktorem Warrenem Janowitzem, doktorem Davidem Kingiem i doktorem Manuelem Viamonte opracowaliśmy prostą, dokładną i bezbolesną metodę, która w sposób nieinwazyjny pozwalała wykrywać blaszkę miażdżycową. Wykorzystaliśmy rewolucyjną wówczas odmianę tomografii komputerowej wykonywaną za pomocą tomografu wiązki elektronowej (EBT).

Urządzenie to, pozwalające na wykonanie szybkiego, bezbolesnego badania (bez igieł, kontrastu czy rozbierania pacjenta), wynalazł wspaniały fizyk Douglas Boyd. Kolejne obrazy otrzymuje się w ułamkach sekund, dzięki czemu można uzyskać obraz bijącego serca. Przy tradycyjnej tomografii komputerowej taki obraz jest zamazaną plamą. Przy wykorzystaniu tomografu EBT firmy General Electric otrzymujemy obraz tętnic wieńcowych o wysokiej rozdzielczości. Umożliwia to obserwację i pomiar występujących w nich złogów wapniowych, co jest dokładnym wskaźnikiem całkowitego stopnia zaawansowania miażdżycy w ścianach naczyń krwionośnych. Dzięki takim badaniom możemy zidentyfikować osoby wymagające leczenia, zanim dojdzie u nich do zawału lub udaru. Po zastosowaniu odpowiedniej diety, ćwiczeń i leków wykonuje się kolejne badanie sprawdzające skuteczność leczenia.

Pamiętaj jednak, że najważniejsze, co możesz zrobić dla swojego serca, to przestrzegać odpowiedniej diety i utrzymywać aktywność fizyczną. Jeśli połączymy to z zaawansowanymi metodami badań lipidów, agresywną terapią lipidową i EBT, będzie można zapobiec większości zawałów serca i udarów.

MOJA DIETA SOUTH BEACH

NANCY A.: WCALE NIE UTYŁAM PODCZAS CIĄŻY

Pracowałam w przedszkolu szpitala Mt. Sinai, a rodzice niektórych dzieci byli zatrudnieni na oddziale kardiologiczno-naczyniowym. Poprosili nas o wzięcie udziału w badaniach, które przeprowadzali, a w zamian mieliśmy otrzymać trzymiesięczne bezpłatne konsultacje dietetyka. Mieliśmy losowo wybrać dietę i trafiłam na zmodyfikowaną dietę węglowodanową, która potem stała się znana jako dieta South Beach.

Kiedy zaczynałam, ważyłam prawie 77 kilogramów. Przez poprzednie 5 lat próbowałam wszystkiego, żeby schudnąć. Trzykrotnie robiłam kuracje preparatem Fen-phen. W ten sposób tak utyłam, bo za każdym razem, gdy przerywałam, kilogramy wracały podwójnie. Potem spróbowałam Slim-Fastu, ale już wkrótce czułam się bardzo głodna, pijąc wyłącznie koktajle, tak że wróciłam do dawnych nawyków żywieniowych. Raz sama postanowiłam ograniczyć się do sałatek, ale to też się nie sprawdziło – nie miałam dostatecznie silnej woli. Po takiej sałatce czułam się jeszcze bardziej głodna.

Jestem Hiszpanką i wychowałam się na hiszpańskiej kuchni, która jest raczej tłusta. Musiałam ograniczyć takie potrawy, szczególnie te smażone. Jednak za każdym razem kiedy przez miesiąc lub dwa wytrzymywałam na zdrowym jedzeniu, bardzo mi brakowało moich tradycyjnych potraw. Wieprzowina pieczona z ryżem, smażony kurczak. Nic nie mogłam poradzić na to, że mam na nie tak wielką ochotę. Na dodatek lubię słodycze i nieraz zjadałam kawałek sernika lub parę ciasteczek. Pracuję w przedszkolu, więc mamy tu pełno przysmaków dla dzieci. Po sutym obiedzie zjadałam jeszcze lody, płatki albo ciasto.

W diecie South Beach najtrudniejsze były dla mnie pierwsze dwa tygodnie – tylko chude mięso, warzywa i woda. W drugim tygodniu myślałam, że oszaleję. Było to bardzo wyczerpujące psychicznie. Ale dałam radę. Bardzo pomagały mi wizyty u dietetyczki. Przez te pierwsze tygodnie tylko raz oszukałam, z sernikiem. Kilka razy kusiło mnie, żeby zjeść trochę ryżu, ale przestałam go kupować, więc nie miałam w domu. To była męka, nie mieć go pod ręką.

Kiedy skończyły się te dwa tygodnie ścisłej diety, zrobiło się znacznie łatwiej. Mogłam urozmaicić sobie jedzenie. Poszłam do sklepu i jak szalona kupowałam wszystko, co było na liście rzeczy dozwolonych. Mogłam wreszcie zjeść owoce. Co do warzyw, to zaczęłam jeść takie, których dawniej nawet nie próbowałam. Tak bardzo pragnęłam jakiegoś urozmaicenia. Brokuły, szparagi, wszystko, co zobaczyłam.

Po trzech miesiącach schudłam z 77 do 63 kilogramów. Tego dnia, gdy po raz ostatni poszłam do dietetyczki, dowiedziałam się, że jestem w ciąży. Przedtem od pięciu lat próbowałam zajść w ciążę i prawdę mówiąc, już zrezygnowałam. A tu, proszę, jestem w końcu w ciąży. Tak naprawdę nie wiem, co w tym pomogło, ale myślę, że przedtem nic nie wychodziło, bo miałam taką nadwagę i źle się odżywiałam. Coś musiało się zmienić. A ciąża była po prostu idealna.

Utrzymuję nową masę ciała od dwóch lat. Po ciąży nic mi nie przybyło. Dopiero ostatnio zaczęłam nieco się opuszczać. Zaniedbuję się trochę i kilogramy zaczynają wracać. Kiedy masz w domu trzylatka i na dodatek pracujesz w przedszkolu, to jesteś dosłownie otoczona słodyczami. Ale właśnie postarałam się o kopię diety od dietetyczki i znowu ją zaczynam.

Dlaczego niektórym nie udaje się wytrwać przy tej diecie?

Jest to dobre pytanie, bo rzeczywiście niektórym nie udaje się wytrwać. Zawsze wówczas szukamy przyczyn i staramy się udoskonalić program. Większość osób, które przeszły na dietę South Beach, twierdzi, że zaskakująco łatwo zdecydowały się na ten krok. Po części wynika to z faktu, że kuracja ta nie wymaga rezygnowania ze wszystkiego, co lubisz. Poza tym do jej zasad należy, żeby jeść, dopóki nie zaspokoisz głodu, i zjadać przekąski, ilekroć poczujesz taką potrzebę, nawet w fazie ścisłej.

Zdajemy sobie jednak sprawę, że początki są takie łatwe również dlatego, iż w pierwszym okresie k a ż d e j kuracji zdrowotnej jesteśmy na ogół pełni zapału. Masz motywację, żeby przestrzegać zasad, przepełnia cię optymizm i determinacja, aby wytrwać i przywrócić swoje życie i wygląd do właściwego stanu. Na dodatek już po niedługim czasie dostrzegasz, że nadwaga zaczyna się zmniejszać. Wchodząc na wagę, widzisz coraz mniejsze liczby i zaczynasz wyjmować z szafy rzeczy, które jeszcze niedawno były stanowczo za ciasne, a teraz znowu na ciebie pasują. Odbierasz tyle pozytywnych wzmocnień swojego postępowania, że łatwo ci przychodzi przestrzeganie zasad diety.

W takim razie, gdzie kryje się problem?

Do pewnego stopnia porażka jest następstwem pozytywnych skutków kuracji. W czasie pierwszych dwóch tygodni zrzuca się na ogół od 3,5 do 6 kilogramów. Następnie należy przestawić się z fazy ścisłej na fazę drugą, podczas której zaczynamy wprowadzać z powrotem do jadłospisu pewne węglowodany. Jak już wspomniałem, istnieje kilka powodów przemawiających za takim posunięciem. Mianowicie, niektóre węglowodany są korzystne dla twojego organizmu, a ponadto zależy nam, żebyś był na zdrowej diecie tak zbliżonej do „normalnego" jedzenia, jak to możliwe. Oznacza to, że będziesz jeść owoce, od czasu do czasu chleb lub makaron, a nawet deser.

W Fazie 2 nadal chudniesz, ale już nie w takim tempie jak w Fazie 1. Zależnie od tego, ilu kilogramów chcesz się pozbyć, może ona trwać do roku, a nawet dłużej.

Na tym etapie niektórzy z odchudzających się przeżywają rozczarowanie. Poza tym pamiętają, że pierwszy etap nie był aż tak bardzo trudny. Nie mogli wprawdzie jeść pewnych produktów, które uwielbiają, ale nigdy nie byli głodni i nie czuli się źle. Dlatego decydują się pozostać przy fazie ścisłej aż do osiągnięcia swojego celu.

Cóż, znam wiele osób, które podjęły taką decyzję i odniosły sukces. Jednak znam też mnóstwo takich, którym się nie udało.

Dlaczego ponieśli porażkę? Faza 1 nie została zaprojektowana jako długofalowy program odchudzania. W związku z tym nie masz tu zbyt wielkiego wyboru potraw – grillowane lub opiekane chude mięso i ryby, sery niskotłuszczowe, sałatki i warzywa, wszystko na parze albo przyrządzane z użyciem dobrych tłuszczów, takich jak oliwa z oliwek lub olej z rzepaku canola. Jako przekąski możesz jeść orzechy lub częściowo odtłuszczone paluszki z mozzarelli, i to w zasadzie wszystko.

Z kulinarnego punktu widzenia taka dieta jest całkowicie do przyjęcia – na dwa lub trzy tygodnie. Po tym czasie zaczyna nas nudzić i wówczas zaczynają się kłopoty.

Odchudzający się zaczynają eksperymentować, tyle że robią to niewłaściwie. Od czasu do czasu wtrącają coś ze swoich starych złych nawyków. Realizują Fazę 1, ale co wieczór dodają do niej garść ciasteczek czekoladowych. Chociaż to nawet niezupełnie o to chodzi. Rzecz w tym, że najpierw zjadają jedno ciasteczko po obiedzie. Przypominają sobie, jak świetnie smakuje, i dochodzą do wniosku, że nie wyrządzi wielkiej szkody, więc zwiększają ich liczbę do trzech co wieczór. Skoro trzy ciastka nie powodują widocznej szkody, można sobie jeszcze pozwolić na małą paczkę chipsów kukurydzianych po południu. Kiedy przy trzech ciastkach i chipsach wszystko jest w porządku, nic się nie stanie, jeśli w weekend zjemy sobie pizzę i wypijemy piwo, o których przez cały czas marzyliśmy.

Już po niedługim czasie okazuje się, że bardziej oszukujesz, niż przestrzegasz diety.

Kiedy uświadomisz sobie, że zszedłeś na manowce, możesz zrobić to samo, co zrobiło wielu naszych pacjentów – wrócić do Fazy 1. Tylko że tym razem wyda ci się ona jeszcze bardziej monotonna niż przedtem.

W tym momencie możesz się po prostu poddać – i tak niektórzy robią. Jeśli będziesz miał szczęście, nie będziesz ważył więcej niż przed rozpoczęciem diety, choć niestety cofanie się ma to do siebie, że często lądujemy daleko poza punktem, w którym rozpoczynaliśmy.

Wprawdzie truizmem już stało się stwierdzenie, że trudno zgubić w ciągu kilku dni to, na co pracowaliśmy przez lata, ale mimo to nie potrafimy oprzeć się pokusie szukania szybkich rozwiązań. Czasem kończy się to zyskaniem dodatkowych kilogramów zamiast schudnięcia. Ważne jest, aby lubić to, co jemy. Jedzenie powinno być przyjemnością, nawet gdy staramy się schudnąć. Takie rozsądne podejście jest również jedną z podstawowych zasad diety South Beach. Dlatego nalegamy, aby nasi pacjenci przechodzili po dwóch tygodniach do Fazy 2, nawet jeśli mają wielką ochotę pozostać przy fazie ścisłej. Dieta South Beach jest programem długofalowym, a podział na trzy fazy w dużym stopniu decyduje o jej sukcesie. Zapewne osiągnięcie pożądanej masy ciała zajmie przy takim podejściu więcej czasu, ale też znacznie większe są szanse, że uda się ją utrzymać.

Codzienne przeszkody

Druga przyczyna zdarzających się porażek ma związek z przeszkodami napotykanymi w codziennym życiu. Powiedzmy, że osiągnąłeś pożądaną masę ciała. Przeszedłeś do Fazy 3, mającej na celu jej utrzymanie, co oznacza, że nadal musisz jadać w określony sposób. Jeśli chcesz trzymać się naszego programu, będziesz tak jadł do końca życia.

Zatem, jakie przeszkody mam na myśli? Na przykład, osoby, które dużo podróżują, zwłaszcza w interesach, są w szczególnie trudnej sytuacji, jeśli chodzi o przestrzeganie diety. Każda podróż zakłóca nasze normalne nawyki, także żywieniowe. Jest to niebezpieczne, szczególnie w obecnych czasach, kiedy na przykład podczas lotu nie otrzymujemy już normalnych posiłków. Dawniej można było zamówić sobie z wyprzedzeniem specjalny wegetariański lub koszerny posiłek i w czasie podróży otrzymać świeże i zdrowe jedzenie. Absolutnie nie musiałeś się zadowalać mięsem z tłustym sosem, duszonymi ziemniakami, marchewką z groszkiem, musem jabłkowym i plackiem owocowym na deser.

Dziś zapewne podadzą ci jakąś mieszankę z suszonych owoców i orzeszków lub orzechy ziemne prażone w miodzie i słodki napój gazowany. Oprócz orzechów wszystko w tym zestawie to węglowodany i cukier.

Zanim wylądujesz i dotrzesz do hotelu, dawno już minie normalna pora twojego posiłku. Przy zmianie stref czasowych może nawet minąć pora pójścia spać. Jednak jesteś podniecony podróżą i konasz z głodu. Dlatego natychmiast po dotarciu na miejsce łapiesz telefon i menu i zamawiasz znacznie większy posiłek, niż potrzeba. Być może starczyłaby sałatka z sosem cesarskim i pieczona pierś kurczaka, ale ty zamawiasz kanapkę z indykiem, a do tego frytki i koktajl mleczny. Żałujesz tego od razu po odłożeniu słuchawki, ale kiedy przynoszą ci zamówienie, jakoś udaje ci się wszystko pochłonąć, wraz z piwem z minibaru, które ma ci pomóc zasnąć.

Następnego dnia odżywiasz się prawidłowo, lecz kiedy zbliża się normalna pora obiadu, siedzisz jeszcze na ważnym zebraniu roboczym w centrali. Dopiero około 19.30 – kiedy znów umierasz z głodu – ktoś wpada na pomysł, żeby zamówić pizzę i colę. W ten sposób kolejny dzień kończysz dużą porcją złych węglowodanów.

Głównym winowajcą nieprzestrzegania diety są długie godziny pracy, czy w domu, czy na delegacji. Nie możesz jeść posiłków o normalnych porach i w rezultacie się przejadasz, kiedy wreszcie zasiądziesz do jedzenia. A być może jesteś jednym ze współczesnych wojowników – biznesmenem lub przedstawicielem handlowym, który spędza całe godziny w samochodzie i ma czas tylko na niezdrowy posiłek w przydrożnym barze lub kupienie przekąski w sieci fast food i zjedzenie jej na parkingu?

Czasem to stres związany z pracą sprawia, że powracamy do starych nawyków, które stanowią dla nas pociechę. Właśnie osoby, które rozładowują napięcia psychiczne za pomocą jedzenia, często zbaczają ze szlaku diety. Nic w tym dziwnego, gdyż artykuły spożywcze, po które sięgamy, by się pocieszyć, to najczęściej ciastka, czekolada czy makaron z serem.

Trudno nawet policzyć, ile osób zrezygnowało z diety jesienią i zimą 2001 roku. Ataki terrorystyczne odarły nas z poczucia bezpieczeństwa, a ponadto w ich obliczu nadwaga wydawała się czymś zupełnie bez znaczenia. Przy tego rodzaju lękach i niepewności często szuka się pociechy w słodyczach lub pełnym talerzu. Trudno też doradzać ludziom, jak mają sobie poradzić z tego rodzaju stresem, a jednocześnie trzymać się diety.

W wielu miejscach tej książki przedstawiłem wypowiedzi osób, które przeszły na dietę South Beach, schudły do pożądanej wagi i udaje im się ją utrzymywać. Teraz chcę zacytować kogoś, kto schudł na tej diecie, a następnie zmarnował to, co osiągnął – do tego stopnia, że obecnie waży znacznie więcej, niż kiedy zaczynał. Jego opowieść jest dobrym przykładem, jak czasem chwilowa przerwa w diecie może doprowadzić do katastrofy – i w tym sensie jest równie pouczająca jak pozostałe. Jednak dla dobra winnego nie podaję jego danych.

Wcześnie przeszedłem zawał – jestem po pięćdziesiątce – i w czasie rehabilitacji doszedłem do wniosku, że muszę schudnąć. Ważyłem wówczas około 107 kilogramów. Poszedłem do dietetyczki, a ona doradziła mi czterotygodniową wersję diety South Beach. W pierwszych dwóch tygodniach schudłem ponad 3,5 kilograma, ale czułem się trochę osłabiony. Potem zacząłem wprowadzać z powrotem niektóre węglowodany i poczułem się lepiej, a waga dalej spadała. Przed dietą moją największą słabością był chleb. Jadłem go do każdego posiłku, a czasem także między posiłkami. W restauracji potrafiłem tyle go zjeść ze stojącego na stole koszyka, że kiedy przynosili obiad, już wcale nie byłem głodny. Nieraz musiałem zabierać go do domu. Dlatego z chlebem całkowicie skończyłem.

Moją drugą słabością były słodycze. Uwielbiam ciasteczka, szczególnie owsiane z rodzynkami. Jadałem je przez cały dzień – kupowałem takie świeżo upieczone i zabierałem dla wszystkich do pracy, ale sam brałem garść za każdym razem, gdy przechodziłem koło kuchni.

Zawsze też jadłem dużo ziemniaków, a teraz musiałem z nich zrezygnować, ale to nie było zbyt trudne. Najgorzej było z chlebem i ciastkami. I z goframi z syropem na śniadanie. I ciastem duńskim. Kiedy przeszedłem na dietę, skończyłem z tym całym pieczywem na śniadanie i pozostałem przy jajkach. Do tego dużo wody i kawa bezkofeinowa.

Teraz pomiędzy posiłkami zamiast ciastek jadłem orzechy. Trochę orzeszków arachidowych po południu. I koniec z deserami wieczorem. Przedtem zjadałem wieczorem następne ciasteczka albo dużą miskę płatków zbożowych z mlekiem. Na diecie moim deserem były migdały, które jadłem, oglądając telewizję. Odliczałem 15 sztuk, tak jak mi kazano, i zjadałem je bardzo powoli, żeby na dłużej starczyły.

Podczas Fazy 2 schudłem 11 kilogramów. I robiło się coraz łatwiej. W restauracjach prosiłem, żeby zabrali koszyk z chlebem. Pozostawałem przy mięsie i warzywach i czułem się bardzo dobrze.

Potem, zgodnie z zasadami, zacząłem dodawać z powrotem do jadłospisu niektóre węglowodany. Co parę dni zjadałem kromkę chleba albo porcję ryżu. Dalej traciłem na wadze i trzymałem się tej diety przez cały rok.

Mniej więcej po tym czasie mieliśmy wielką rodzinną uroczystość, w której brałem udział. Przez tyle czasu się pilnowałem, że tym razem postanowiłem jeść wszystko, na co mi przyjdzie ochota. Wytłumaczyłem sobie, że to będzie tylko jeden dzień, a następnego dnia wrócę na dietę. Tylko że ten następny dzień jeszcze nie przyszedł. Tak się cieszyłem z jedzenia wszystkiego, że nie chciałem przestać. Dawniej jeśli zjadłem zbyt dużo węglowodanów i przestawałem chudnąć, to po prostu wracałem na pewien czas do Fazy 1. Tym razem nie mogłem się do tego zmusić. Zanim się spostrzegłem, cała waga, którą straciłem – prawie 23 kilogramy – wróciła. Teraz planuję ponownie wrócić do Fazy 1, ale to będzie zaczynanie wszystkiego od początku. To bardzo dobra dieta i naprawdę działa. Jednak żeby tak było, trzeba jej przestrzegać.

To prawda, że ten mężczyzna mógł swobodnie dogadzać sobie przez cały dzień na uroczystości rodzinnej, a następnego dnia wrócić na dietę. Wiele osób tak właśnie robi. Przy specjalnych okazjach, takich jak ślub, wakacje czy przyjęcie, ulegają pokusie, a następnego dnia odrabiają straty. Na tej diecie możesz zbłądzić, stwierdzić, że przybyło ci parę kilogramów i wrócić do Fazy 1 do czasu, aż je znowu zgubisz. Takie postępowanie ma oczywiście sens – nawet dla osób, które tak bardzo zbłądziły, że zmarnowały tygodnie lub miesiące pracy. Można od czasu do czasu ulec pokusie, pod warunkiem że natychmiast potem powrócisz na właściwy szlak!

MOJA DIETA SOUTH BEACH

STEVE L.: JEŚLI OD CZASU DO CZASU ZBOCZYSZ ZE SZLAKU, MOŻESZ SZYBKO NA NIEGO WRÓCIĆ.
Doktor Agatston został moim kardiologiem, kiedy się tu przeprowadziliśmy. Po raz pierwszy spotkał się ze mną nie w gabinecie lekarskim, tylko swoim biurze. Przeprowadził dla mnie mały pokaz za pomocą PowerPointa, a potem powiedział: „Jeśli zdecydujemy się współpracować, tak będzie wyglądała nasza procedura profilaktyki chorób serca. Jeśli dostanie pan zawału, to będzie oznaczało, że zawiodłem".

Kłopoty z sercem są w mojej rodzinie dziedziczne, więc zależało mi, żeby ktoś się tym zajął. Zawsze byłem dość potężnej postury. Jestem wysoki, mam prawie metr dziewięćdziesiąt. Kiedy zaczynałem tę dietę, ważyłem około 122 kilogramów, najwięcej w swoim życiu. Potrafiłem całkiem dobrze to ukryć i swobodnie się poruszałem mimo tej wagi, ale to nie było zbyt zdrowe. No i jestem z Minnesoty – stanu, gdzie jada się mięso i ziemniaki oraz mnóstwo węglowodanów.

Moją wielką słabością jest chleb i makaron. Przeprowadziliśmy się tu z Seattle, gdzie mieliśmy własny piec do pizzy. Zawsze miałem wielki apetyt przede wszystkim na węglowodany. Nie słodycze, ale całą resztę. Kiedy szliśmy do restauracji, bez trudu sam zjadałem całą zawartość koszyka z pieczywem. Jadałem chleb co najmniej trzy razy dziennie. Poza tym, choć nie zależy mi specjalnie na deserach, w domu zawsze były jakieś ciastka.

Częściowo problemy brały się z mojej ignorancji. Wychowałem się w przekonaniu, że wszystkie owoce są zdrowe. Potem się dowiedziałem, że jedne mają dużo cukrów, a inne nie. Nie wiedziałem, na przykład, że arbuz jest pełen cukru, a melon nie. Z kolei jajka przesunęły się do dobrej kategorii. Nie piję dużo, ale miałem zwyczaj popijać piwo. Teraz nie ruszyłem go już od ponad dwóch lat.

Moja żona i ja uwielbiamy gotować – i jeść. Teraz jednak zaczęliśmy jeść brązowy ryż zamiast białego i słodkie ziemniaki zamiast normalnych. Co do warzyw korzeniowych, to bez żalu z nich zrezygnowałem. Odkryliśmy naprawdę świetne przepisy i grillowaliśmy jak szaleni. Mnóstwo warzyw z grilla. I znacznie więcej ryb, niż dotychczas jedliśmy. Chleb tylko w ograniczonych ilościach. Na przykład pół bajgla na śniadanie. Jeśli chcę zjeść kanapkę na lunch, to robię ją z pumpernikla albo chleba ryżowego i jest w niej więcej mięsa niż dawniej.

Przez całe życie próbowałem różnych diet i zazwyczaj na początku byłem nerwowy, miałem zawroty głowy i tak dalej. Na tej czułem się doskonale. Żadnych skutków ubocznych. Na dwa tygodnie zrezygnowałem też z kofeiny, a jestem strasznym kawiarzem. Dla mojej żony te pierwsze dwa tygodnie były okropnie ciężkie. Ale dla mnie nie. I ściśle trzymaliśmy się reguł –

na przykład zabierałem do pracy orzeszki pistacjowe i paluszki z częściowo odtłuszczonej mozzarelli jako przekąski na popołudnie. Można dostać całkiem dobre sery niskotłuszczowe. Ogromnym problemem było dla mnie zrezygnowanie z chleba. Przez 6 miesięcy, kiedy byłem na tej diecie, schudłem prawie 23 kilogramy. Później znowu mi trochę przybyło, bo jadłem pod wpływem stresu, ale wiem, że mogę wrócić do ścisłej fazy i znowu schudnąć. A z błogosławieństwem doktora Agatstona, jeśli mamy na coś wielką ochotę, to po prostu to jemy. Jeśli od czasu do czasu zboczysz ze szlaku, możesz szybko na niego wrócić. Dlatego, kiedy jemy obiad poza domem, zamawiamy sobie od czasu do czasu deser – może raz na trzy wyjścia. Ale tylko jeden deser na nas dwoje, zjadamy po dwa kęsy i odsyłamy. Wystarczy, żeby zakończyć posiłek czymś słodkim. Piję tylko czerwone wino – żadnego innego alkoholu. Nie tylko schudłem, ale też poprawiły się moje wyniki. Na przykład trójglicerydy spadły z 256 do 62 po 6 tygodniach. A wszystko to dzięki diecie. Poziom cholesterolu nadal spada.

CZĘŚĆ DRUGA

Jadłospisy
i przepisy kulinarne

FAZA PIERWSZA

Jadłospis

Jak już wiesz, jest to faza najściślejszej diety. Przewidziana jest na dwa tygodnie, gdyż to wystarczy, aby spowodować ustąpienie insulinooporności wywołanej spożywaniem zbyt wielu złych (głównie wysoko przetworzonych) węglowodanów. Faza 1 nie musi być n i s k o w ę g l o w o d a n o w a, jeżeli jesz w ł a ś c i w e węglowodany. Jej jadłospis został ułożony w taki sposób, żebyś dostarczył organizmowi obfitej porcji białek, dobrych tłuszczów i węglowodanów o najniższych indeksach glikemicznych, potrzebnych do zaspokojenia głodu i uregulowania poziomu cukru we krwi. Do tych ostatnich należą warzywa o niskich indeksach, które ponadto dostarczają błonnika oraz ważnych składników odżywczych, takich jak folany oraz inne witaminy i minerały. Wiele sałatek i warzyw można jeść bez ograniczeń. Białka będziesz mógł wybierać z rozmaitych źródeł.

Zanim ta faza dobiegnie końca, twój niezdrowy apetyt na takie produkty, jak słodycze, pieczywo czy skrobie praktycznie zniknie. Zwróć uwagę, że codziennie będziesz mógł zjeść sześć posiłków, więc nie powinieneś chodzić głodny, chyba że będziesz sobie wydzielał zbyt skąpe porcje. Dieta South Beach nie wymaga mierzenia tego, co jesz, w gramach, kaloriach czy innych jednostkach. Posiłki powinny być normalnej wielkości – dostatecznie duże, żebyś zaspokoił głód, ale nic ponadto.

Dzień 1

Śniadanie
180 ml soku wielowarzywnego
2 babeczki jarzynowe quiche na wynos (str. 144)
Kawa lub herbata bezkofeinowa z odtłuszczonym mlekiem
i substytutem cukru

Przekąska przedpołudniowa
1 paluszek z częściowo odtłuszczonego sera mozzarella

Lunch
Plastry piersi kurczaka z grilla na sałacie rzymskiej
2 łyżki balsamicznego sosu winegret (str. 158) lub 2 łyżki sosu o małej
zawartości cukru
Aromatyzowana galaretka bez cukru

Przekąska popołudniowa
Seler nadziewany jednym trójkącikiem serka topionego Krówka
Śmieszka light

Obiad
Łosoś z rusztu z rozmarynem (str. 172)
Szparagi gotowane na parze
Sałatka (mieszane warzywa liściaste, ogórek, zielona papryka,
pomidory winogronowe)
Oliwa z oliwek i ocet do smaku lub 2 łyżki sosu o niskiej zawartości
cukru

Deser
Krem waniliowy z ricotty (str. 191)

Dzień 2

Śniadanie

180 ml soku pomidorowego
¼–½ szklanki płynnego substytutu jajka* (1–2 jajka)
Kawa lub herbata bezkofeinowa z odtłuszczonym mlekiem
i substytutem cukru

Przekąska przedpołudniowa

1–2 roladki z indyka (str. 189)
2 łyżki majonezu z kolendrą (według uznania) (str. 189)

Lunch

Siekana sałatka South Beach z tuńczykiem (str. 150)
Aromatyzowana galaretka bez cukru

Przekąska popołudniowa

Seler nadziewany jednym trójkącikiem serka Krówka Śmieszka light

Obiad

Pieczona pierś kurczaka
Pieczony bakłażan z papryką (str. 179)
Sałatka (mieszane warzywa liściaste, ogórek, zielona papryka,
pomidory winogronowe)
2 łyżki balsamicznego sosu winegret (str. 158) lub sosu o małej
zawartości cukru

Deser

Krem kawowy z ricotty (str. 192)

---

* W Stanach Zjednoczonych dostępne są powszechnie płynne substytuty jajek (np. Egg Beaters). ¼ szklanki takiego substytutu to tyle co jedno całe jajko. Jednak ¼ szklanki płynnego substytutu jajka zawiera tylko 30 kalorii (całe jajko – 75) 0 g tłuszczu (jajko – 5 g) i 0 mg cholesterolu (całe jajko zawiera go 210 mg) (przyp. red.).

Dzień 3

Śniadanie
180 ml soku wielowarzywnego
Łatwy omlet ze szparagami i pieczarkami (str. 142)
Kawa lub herbata bezkofeinowa z odtłuszczonym mlekiem
i substytutem cukru

Przekąska przedpołudniowa
1 paluszek z częściowo odtłuszczonego sera mozzarella

Lunch
Koperkowa sałatka z krewetek z sosem koperkowo-ziołowym (str. 152)
Aromatyzowana galaretka bez cukru

Przekąska popołudniowa
1–2 roladki z szynki (str. 189)
2 łyżki majonezu z kolendrą (według uznania) (str. 189)

Obiad
Opiekany stek z polędwicy wołowej
Brokuły gotowane na parze
Pomidory opiekane (s. 183)
Purée „ziemniaczane" South Beach (str. 181)

Deser
Krem migdałowy z ricotty (str. 191)

Dzień 4

Śniadanie

180 ml soku pomidorowego
Jajka po florencku (1 jajko w koszulce podane na szpinaku –
½ szklanki – przysmażonym na oliwie z oliwek)
2 plastry chudego bekonu
Kawa lub herbata bezkofeinowa z odtłuszczonym mlekiem
i substytutem cukru

Przekąska przedpołudniowa

Seler nadziewany jednym trójkącikiem serka Krówka Śmieszka light

Lunch

Sałatka szefa kuchni (co najmniej po trzydzieści gramów szynki,
indyka i sera niskotłuszczowego na mieszanych warzywach
liściastych)
Oliwa z oliwek i ocet do smaku lub 2 łyżki sosu o niskiej zawartości
cukru

Przekąska popołudniowa

Do dziesięciu pomidorów winogronowych nadziewanych ½ szklanki
niskotłuszczowego serka wiejskiego

Obiad

Gardłosz atlantycki w sosie szalotkowo-imbirowym (str. 173)
Strączki grochu bezłykowego gotowane na parze
Szatkowana kapusta przysmażona na oliwie z oliwek

Deser

Krem kawowy z ricotty (str. 192)

Dzień 5

Śniadanie
180 ml soku wielowarzywnego
Zachodni omlet z białek (str. 143)
Kawa lub herbata bezkofeinowa z odtłuszczonym mlekiem
i substytutem cukru

Przekąska przedpołudniowa
1–2 roladki z indyka (str. 189)
2 łyżki majonezu z kolendrą (według uznania) (str. 189)

Lunch
Gazpacho (str. 159)
Hamburger z polędwicy wołowej z rusztu (bez bułki)
Sałatka (mieszane warzywa liściaste, ogórek, zielona papryka,
pomidory winogronowe)
Oliwa z oliwek i ocet do smaku lub 2 łyżki sosu o niskiej zawartości
cukru

Przekąska popołudniowa
Plasterki ogórka z pastą z łososia

Obiad
Kurczak balsamiczny (str. 161)
Duszone pomidory z cebulą (str. 182)
Szpinak gotowany na parze
Sałatka (mieszane warzywa liściaste, ogórek, zielona papryka,
pomidory winogronowe)
Oliwa z oliwek i ocet do smaku lub 2 łyżki sosu o niskiej zawartości
cukru

Deser
Krem migdałowy z ricotty (str. 191)

Dzień 6

Śniadanie
180 ml soku pomidorowego
Jajecznica ze świeżymi ziołami i grzybami
2 plastry chudego bekonu
Kawa lub herbata bezkofeinowa z odtłuszczonym mlekiem
i substytutem cukru

Przekąska przedpołudniowa
1 paluszek z częściowo odtłuszczonego sera mozzarella

Lunch
Sałatka cesarska z kurczaka (bez grzanek)
2 łyżki gotowego sosu cesarskiego

Przekąska popołudniowa
½ szklanki niskotłuszczowego serka wiejskiego z ½ szklanki
posiekanych pomidorów i ogórków

Obiad
Koryfena (mahi mahi) z rusztu (str. 177)
Warzywa pieczone w piekarniku (str. 178)
Sałatka z rukoli
2 łyżeczki balsamicznego sosu winegret (str. 158) lub sosu o małej
zawartości cukru

Deser
Krem z ricotty ze skórką cytrynową (str. 190)

Dzień 7

Śniadanie
180 ml soku wielowarzywnego
Fritata z wędzonym łososiem (str. 141)
Kawa lub herbata bezkofeinowa z odtłuszczonym mlekiem
i substytutem cukru

Przekąska przedpołudniowa
Seler nadziewany jednym trójkącikiem serka Krówka Śmieszka light

Lunch
Sałatka Cobba z krabów (str. 153)
Aromatyzowana galaretka bez cukru

Przekąska popołudniowa
2 plasterki niskotłuszczowej mozzarelli z dwoma plasterkami świeżego
pomidora pokropione octem balsamicznym i oliwą z oliwek
oraz posypane świeżo zmielonym czarnym pieprzem

Obiad
Marynowana wołowina z rusztu po londyńsku (str. 168)
Pieczarki nadziewane szpinakiem (str. 180)
Purée „ziemniaczane" South Beach (str. 181)
Sałatka (mieszane warzywa liściaste, ogórek, zielona papryka,
pomidory winogronowe)
Oliwa z oliwek i ocet do smaku lub 2 łyżki sosu o niskiej zawartości
cukru

Deser
Krem z ricotty ze skórką z limonki (str. 192)

Dzień 8

Śniadanie
Lekka fritata szpinakowa z salsą pomidorową (str. 140)
Kawa lub herbata bezkofeinowa z odtłuszczonym mlekiem
i substytutem cukru

Przekąska przedpołudniowa
1 paluszek z częściowo odtłuszczonego sera mozzarella

Lunch
Krojone mięso na zimno (reszta wołowiny po londyńsku, str. 168)
na mieszanych warzywach liściastych
2 łyżki balsamicznego sosu winegret (str. 158) lub sosu o małej
zawartości cukru
Aromatyzowana galaretka bez cukru

Przekąska popołudniowa
Humus (str. 188) z surowymi warzywami (można użyć humusu
kupionego w sklepie)

Obiad
Pikantny kurczak sauté (str. 163)
Purée „ziemniaczane" South Beach (str. 181)
Fasolka szparagowa gotowana na parze
Sałatka bostońska z sałatą i orzeszkami pekan
Oliwa z oliwek i ocet do smaku

Deser
Krem waniliowy z ricotty (str. 191)

Dzień 9

Śniadanie
180 ml soku wielowarzywnego
2 babeczki jarzynowe quiche na wynos (str. 144)
Kawa lub herbata bezkofeinowa z odtłuszczonym mlekiem
i substytutem cukru

Przekąska przedpołudniowa
1–2 roladki z indyka (str. 189)
2 łyżki majonezu z kolendrą (według uznania) (str. 189)

Lunch
Sałatka grecka (str. 147)
Aromatyzowana galaretka bez cukru

Przekąska popołudniowa
Seler nadziewany jednym trójkącikiem serka Krówka Śmieszka light

Obiad
Szaszłyk rybny (str. 176)
Warzywa pieczone w piekarniku (str. 178)
Krojony ogórek z oliwą z oliwek

Deser
Krem z ricotty ze skórką cytrynową (str. 190)

Dzień 10

Śniadanie
180 ml soku pomidorowego
Omlet z białek z siekanym chudym bekonem i grzybami
Kawa lub herbata bezkofeinowa z odtłuszczonym mlekiem
i substytutem cukru

Przekąska przedpołudniowa
1 trójkąt serka Krówka Śmieszka light

Lunch
Sałatka nicejska (str. 157)

Przekąska popołudniowa
½ szklanki niskotłuszczowego serka wiejskiego

Obiad
Stek w kruszonym pieprzu (str. 170)
Opiekany pomidor z pesto (str. 184)
Brokuły gotowane na parze
Sałatka wiosenna (mesclun – mieszanka młodych liści sałaty, cykorii,
mniszka, rukwi, roszponki itp.)
2 łyżki balsamicznego sosu winegret (str. 158) lub sosu o małej
zawartości cukru

Deser
Krem migdałowy z ricotty (str. 191)

Dzień 11

Śniadanie
180 ml soku pomidorowego
Fritata serowa (str. 139)
Kawa lub herbata bezkofeinowa z odtłuszczonym mlekiem
i substytutem cukru

Przekąska przedpołudniowa
1–2 roladki z indyka (str. 189)
2 łyżki majonezu z kolendrą (według uznania) (str. 189)

Lunch
Gazpacho (str. 159)
Hamburger z polędwicy wołowej z grilla (bez bułki)
Sałatka (mieszane warzywa liściaste, ogórek, zielona papryka,
pomidory winogronowe)
Oliwa z oliwek i ocet do smaku lub 2 łyżki sosu o niskiej zawartości
cukru

Przekąska popołudniowa
Kuleczki ze świeżej mozzarelli

Obiad
Pierś kurczaka w imbirze (str. 162)
Strączki groszku bezłykowego gotowane na parze
Orientalna sałatka z kapusty (str. 187)

Deser
Krem migdałowy z ricotty (str. 191)

Dzień 12

Śniadanie
180 ml soku wielowarzywnego
Fritata z brokułami i szynką (str. 141)
Kawa lub herbata bezkofeinowa z odtłuszczonym mlekiem
i substytutem cukru

Przekąska przedpołudniowa
1 trójkąt serka Krówka Śmieszka light

Lunch
Sałatka kurczakowo-pistacjowa (str. 151)

Przekąska popołudniowa
Kuleczki ze świeżej mozzarelli

Obiad
Łosoś gotowany w sosie koperkowo-ogórkowym (str. 171)
Sałatka z zielonej soi (str. 186)
Pomidory opiekane (str. 183)
Szparagi gotowane na parze

Deser
Krem z ricotty ze skórką cytrynową (str. 190)

Dzień 13

Śniadanie
Jajka zapiekane w miseczkach z chudego bekonu
Kawa lub herbata bezkofeinowa z odtłuszczonym mlekiem
i substytutem cukru

Przekąska przedpołudniowa
Seler nadziewany jednym trójkącikiem serka Krówka Śmieszka light

Lunch
Sałatka z gotowanego łososia ze szpinakiem (reszta łososia
z poprzedniego dnia) (str. 171)
Oliwa z oliwek i ocet do smaku lub 2 łyżki sosu o niskiej zawartości
cukru

Przekąska popołudniowa
Humus (str. 188) z surowymi warzywami (można użyć humusu
kupionego w sklepie)

Obiad
Stek z grilla z pikantną pastą pomidorową

Deser
Krem kawowy z ricotty (str. 192)

Dzień 14

Śniadanie
Karczochy po benedyktyńsku (str. 145)
Sos holenderski inaczej (str. 146)
Kawa lub herbata bezkofeinowa z odtłuszczonym mlekiem
i substytutem cukru

Przekąska przedpołudniowa
1–2 roladki z indyka (str. 189)
2 łyżki majonezu z kolendrą (według uznania) (str. 189)

Lunch
Serek wiejski i siekane warzywa w miseczce z czerwonej papryki

Przekąska popołudniowa
Humus (str. 188) z surowymi warzywami (można użyć humusu
kupionego w sklepie)

Obiad
Grillowana pierś kurczaka z warzywami z grilla i koprem włoskim
lub endywią

Deser
Deser z aromatyzowanej galaretki bez cukru z łyżeczką zamrożonej
odtłuszczonej bitej śmietany i substytutem cukru do smaku

Co można jeść

WOŁOWINA
Chude części, takie jak:
Górna część udźca (krzyżowa)
Polędwica (także mielona)

DRÓB (BEZ SKÓRY)
Bekon z indyka (2 plastry dziennie)
Kura kornwalijska
Pierś kurczaka i indyka

OWOCE MORZA
Wszystkie rodzaje ryb i skorupiaków

WIEPRZOWINA
Chudy bekon
Szynka gotowana
Polędwica

CIELĘCINA
Górka
Górna część udźca
Kotlet z udźca

MIELONKA ŚNIADANIOWA
Tylko beztłuszczowa albo
niskotłuszczowa

SERY (BEZTŁUSZCZOWE LUB NISKOTŁUSZCZOWE)
Amerykański
Cheddar
Feta
Mozzarella
Parmezan
Provolone
Ricotta
Serek wiejski 2% lub beztłuszczowy
String

ORZECHY
Masło orzechowe, 1 łyżeczka
Połówki orzechów pekan, 15

Orzeszki arachidowe, 20 małych
Orzeszki pistacjowe, 30

JAJKA
Spożycie całych jaj nie jest
ograniczone, chyba że twój
lekarz zaleci inaczej. W razie
potrzeby stosuj białka lub
substytuty jaj.

TOFU
Odmiany miękkie, niskotłuszczowe
lub *lite*

WARZYWA I ROŚLINY STRĄCZKOWE
Bakłażany
Brokuły
Cukinia
Fasola (czarna, „Piękny Jaś", ciecie-
rzyca, szparagowa, różne
odmiany fasoli strączkowej,
czerwona fasola kidney,
soczewica, limeńska, bób, soja,
groch łuskany)
Groszek bezłykowy
Grzyby (wszystkie odmiany)
Jarmuż
Kalafior
Kapusta
Karczochy
Kiełki lucerny
Ogórki
Rukiew wodna
Rzepa
Sałata (wszystkie odmiany)
Seler
Szparagi
Szpinak

TŁUSZCZE
Olej z rzepaku typu canola
Oliwa z oliwek

PRZYPRAWY I DODATKI
Bulion
I Can't Believe It's Not Butter
  w sprayu*
Olejki zapachowe (migdałowy,
  waniliowy itd.)
Pieprz (czarny, cayenne, czerwony,
  biały)
Sos chrzanowy
Wszystkie przyprawy bez dodatku
  cukru

SŁODKIE PRZYSMAKI (OGRANICZ DO 75 KALORII DZIENNIE)
Czekolada w proszku bez dodatku
  cukru
Galaretka bez cukru
Guma do żucia bez cukru
Kakao do pieczenia
Lody na patyku, beztłuszczowe
Lody na patyku z mrożonego soku,
  bez cukru
Substytut cukru (słodzik)
Twarde cukierki bez cukru

Czego unikać

WOŁOWINA
Mostek
Wątroba
Żeberka
Inne tłuste części

DRÓB
Gęś
Kaczka
Przetworzone produkty z drobiu
Skrzydła i nogi kurczaka

WIEPRZOWINA
Szynka pieczona w miodzie

CIELĘCINA
Mostek

SERY
Brie
Edamski
Pełnotłuste

WARZYWA
Buraki
Jamsy
Kukurydza
Marchew
Pomidory (ogranicz
  do 1 normalnego
  lub 10 winogronowych na posiłek)
Ziemniaki białe
Ziemniaki słodkie (bataty)

OWOCE
W Fazie 1 należy unikać wszystkich
  owoców i soków owocowych.
  Wyklucz między innymi:
Brzoskwinie
Grejpfruty
Gruszki
Jabłka
Melony
Morele
Owoce jagodowe

SKROBIE I WĘGLOWODANY
W Fazie 1 należy unikać wszystkich
  produktów skrobiowych. Wyklucz
  między innymi:
Macę
Makaron, wszystkie rodzaje
Owsiankę

* Zamiast tego tłuszczu niedostępnego w Polsce można użyć Smażyka firmy Knorr albo Ramy lub innego tłuszczu roślinnego w płynie (przyp. red.).

Pieczywo, wszystkie rodzaje
Płatki zbożowe
Produkty mączne i pieczywo
cukiernicze, wszystkie rodzaje
Ryż, wszystkie rodzaje

NABIAŁ

W Fazie 1 unikaj wszystkich
produktów nabiałowych.
Wyklucz między innymi:

Jogurty, świeże i mrożone
Lody
Mleko, niskotłuszczowe, 0%,
pełnotłuste
Mleko sojowe

INNE

Wszelkie alkohole, w tym wino
i piwo

FAZA PIERWSZA
Przepisy kulinarne

Jest to najściślejsza faza diety, toteż nie mamy do wyboru zbyt dużej gamy składników. Na śniadania będziesz jeść jajka i substytuty jajek, a na pozostałe posiłki mnóstwo warzyw, sery niskotłuszczowe, mięso i ryby. Przez pierwsze dwa tygodnie nie wolno jeść ziemniaków, pieczywa, owoców czy ryżu – to prawda. Ale trudno nazwać szczególnie ciężką dietę, która umożliwia ci jedzenie takich potraw, jak marynowana wołowina po londyńsku, sałatka z krabów, humus czy krem z ricotty. Ponadto kuracja, która wymaga od ciebie jedzenia 6 razy dziennie – 3 posiłki główne plus przekąska przed południem i po południu oraz deser wieczorem – została niewątpliwie ułożona tak, by do minimum ograniczyć niemiłe strony diety.

 ŚNIADANIA

Fritata serowa

2 łyżeczki margaryny Smart Balance*
½ szklanki pokrojonej w plasterki cebuli
½ szklanki pokrojonej w plasterki papryki pomidorowej
½ pokrojonej w plasterki cukinii
2 małe pomidory winogronowe
1 łyżka posiekanej świeżej bazylii
szczypta świeżo zmielonego czarnego pieprzu
½ szklanki płynnego substytutu jajka (2 jajka)**
½ szklanki serka wiejskiego 1%
¼ szklanki skondensowanego mleka 0%
2 dag wiórków sera Monterey Jack o obniżonej zawartości tłuszczu

Naczynie żaroodporne (lub patelnię z odłączaną rączką) o średnicy 25 cm nasmarować olejem (lub rozpylić na nią olej w sprayu) i podgrzewać na dość słabym ogniu, aż będzie gorąca. Roztopić na niej margarynę. Włożyć na patelnię cebulę, paprykę i cukinię i smażyć je na niezbyt silnym ogniu, aż się lekko zrumienią, 2–3 minuty. Dodać pomidory, bazylię i pieprz i dobrze wymieszać. Podgrzewać 2–3 minuty, dopóki smaki się nie połączą, a następnie zestawić patelnię z palnika.

Rozgrzać opiekacz lub piekarnik z funkcją opiekacza. Substytut jajka, serek wiejski i mleko wymieszać mikserem na jednolitą masę. Następnie wlać ją do warzyw. Nakryć naczynie i podgrzewać w niezbyt wysokiej temperaturze do chwili, gdy spód będzie ścięty, a wierzch lekko wilgotny. Wstawić naczynie do piekarnika na 2–3 minuty, aż zetnie się masa na wierzchu. Następnie posypać serem i zapiekać, dopóki ser się nie stopi.

Liczba porcji: 2

WARTOŚĆ ODŻYWCZA
1 porcja: 231 kalorii, 21 g białka, 16 g węglowodanów, 10 g tłuszczu,
3 g tłuszczów nasyconych, 480 mg sodu, 15 mg cholesterolu, 2 g błonnika

---

* Dostępna w Polsce margaryna Flora przypomina składem margarynę Smart Balance (przyp. red.).
** Jeśli użyjemy jajek, wartość odżywcza potrawy ulegnie zmianie (przyp. red.).

Lekka fritata szpinakowa z salsą pomidorową

Fritata

1 łyżka oliwy z oliwek (extra virgin)
1 mała cebula pokrojona w plasterki
2 zmielone ząbki czosnku
30 dag mrożonego szpinaku (odmrozić i dobrze odsączyć)
2 duże jajka
3 białka jajek
⅓ szklanki skondensowanego mleka 0%
½ szklanki wiórków mozzarelli o obniżonej zawartości tłuszczu

Salsa

4 pomidory winogronowe, pozbawione pestek i posiekane
2 zmielone szalotki
1 zmielony ząbek czosnku
2 łyżki zmielonej świeżej kolendry
1 łyżka świeżego soku z cytryny
¼ łyżeczki soli
⅛ łyżeczki świeżo zmielonego czarnego pieprzu

Przygotowanie fritaty: Rozgrzać piekarnik do 180°C. Na średnio rozgrzanym palniku podgrzać oliwę na patelni o średnicy 25 cm z powłoką nieprzyczepną. Cebulę i czosnek mieszając, smażyć przez trzy minuty lub do miękkości. Dodać szpinak i wymieszać. Zmniejszyć ogień. W dużej misce ubić jajka i białka jajek z mlekiem na jasnożółtą, pienistą masę, a następnie wylać je na szpinak na patelni. Podgrzewać przez 5–7 minut, aż masa zetnie się całkowicie na dnie i będzie prawie ścięta na wierzchu. Posypać serem. Zapiekać w piekarniku do chwili, aż jajka zetną się całkowicie, a ser roztopi, 5–10 minut.

Przygotowanie salsy: W dużym naczyniu wymieszać razem pomidory, szalotkę, czosnek, kolendrę, sok cytrynowy, sól i pieprz. Podawać świeżą, w temperaturze pokojowej, z fritatą.

Fritatę można także podawać z gotową salsą.

Liczba porcji: 2

WARTOŚĆ ODŻYWCZA

1 porcja: 369 kalorii, 27 g białka, 28 g węglowodanów, 17 g tłuszczu, 6 g tłuszczów nasyconych, 740 mg sodu, 230 mg cholesterolu, 8 g błonnika

Fritata z wędzonym łososiem

8 świeżych szparagów
1 łyżka oliwy z oliwek (extra virgin)
½ cebuli
¼ szklanki suszonych na słońcu pomidorów
ok. 6 dag wędzonego łososia
½ szklanki płynnego substytutu jajka (2 jajka)
¼ szklanki wody
3 łyżki odtłuszczonego mleka w proszku
¼ łyżeczki posiekanego świeżego majeranku
szczypta świeżo zmielonego czarnego pieprzu
kwaśna śmietana 0% (według uznania)
kawior czerwony (według uznania)
szczypiorek (według uznania)

Na dużą patelnię wlać wodę na wysokość 2,5 cm i zagotować. Włożyć szparagi i gotować bez przykrycia, aż będą na wpół miękkie. Naczynie żaroodporne o średnicy 20 cm umieścić na małym ogniu. Wlać oliwę i smażyć na niej cebulę do miękkości. Dodać szparagi i suszone na słońcu pomidory. Włożyć wędzonego łososia i zdjąć patelnię z palnika.

Rozgrzać opiekacz lub piekarnik z funkcją opiekacza. Wymieszać substytut jajka z wodą, mlekiem w proszku, majerankiem i pieprzem. Wlać do naczynia z łososiem. Nakryć i podgrzewać na umiarkowanym ogniu przez 7 minut lub do momentu, gdy dolna warstwa się zetnie, a górna będzie lekko wilgotna. Umieścić naczynie w piekarniku w odległości 10–15 cm od źródła ciepła i piec przez 2–3 minuty, dopóki wierzch fritaty się nie zetnie. Polać kwaśną śmietaną, wyłożyć kawior, posypać majerankiem lub szczypiorkiem – zależnie od upodobania. Pokroić w trójkąty i od razu podawać.

Szparagi można zastąpić szklanką brokułów, a łososia ok. 6 dag szynki.

Liczba porcji: 2

WARTOŚĆ ODŻYWCZA
1 porcja: 241 kalorii, 19 g białka, 18 g węglowodanów, 11 g tłuszczu, 2 g tłuszczów nasyconych, 730 mg sodu, 5 mg cholesterolu, 4 g błonnika

Łatwy omlet ze szparagami i pieczarkami

2 jajka
2 łyżki wody
3 świeże szparagi
¼ szklanki pokrojonych pieczarek
¼ szklanki wiórków mozzarelli o obniżonej zawartości tłuszczu

Na dużą patelnię wlać wodę na wysokość 2,5 cm i zagotować. Włożyć szparagi i gotować bez przykrycia, aż będą na wpół miękkie. W międzyczasie w średniej wielkości misce ubić jajka z wodą, tak aby żółtka i białka całkowicie się połączyły.

Patelnię o średnicy 25 cm z powłoką nieprzyczepną nasmarować oliwą. Rozgrzać ją na dość silnym ogniu, tak aby rzucona na nią kropla wody zasyczała. Wlać masę jajeczną, która powinna się szybko ściąć.

Kiedy masa zacznie się ścinać, łopatką do przewracania naleśników unieść brzegi, żeby surowa część jajek spłynęła pod spód.

Kiedy wierzch również się zetnie, wyłożyć szparagi, pieczarki i ser na połowę omleta.

Łopatką złożyć omlet na pół, przykrywając nadzienie. Zsunąć na talerz i natychmiast podawać.

Liczba porcji: 1

WARTOŚĆ ODŻYWCZA

1 porcja: 238 kalorii, 21 g białka, 5 g węglowodanów, 15 g tłuszczu, 6 g tłuszczów nasyconych, 260 mg sodu, 440 mg cholesterolu, 1 g błonnika

---

Zachodni omlet z białek

1 łyżka posiekanej zielonej papryki pomidorowej
1 łyżka posiekanej szalotki
1 łyżka posiekanej czerwonej papryki pomidorowej
½ szklanki płynnego substytutu jajka (2 jajka)
3 łyżki wiórków sera o obniżonej zawartości tłuszczu

Średniej wielkości patelnię lekko natłuścić oliwą. Przysmażyć paprykę i szalotkę, tak aby były na pół miękkie. Polać warzywa substytutem jajek. Kiedy jajka częściowo się zetną, rozłożyć ser na połowie powierzchni i złożyć omlet na pół, przykrywając nadzienie. Smażyć jeszcze chwilę, aż środek również się zetnie. Podawać natychmiast.

Liczba porcji: 1

WARTOŚĆ ODŻYWCZA
1 porcja: 169 kalorii, 20 g białka, 4 g węglowodanów, 8 g tłuszczu,
3 g tłuszczów nasyconych, 320 mg sodu, 15 mg cholesterolu, 1 g błonnika

---

Babeczki jarzynowe quiche na wynos

30 dag mrożonego siekanego szpinaku
³/₄ szklanki płynnego substytutu jajka (3 jajka)
³/₄ szklanki wiórków sera o obniżonej zawartości tłuszczu
¹/₄ szklanki pokrojonej w kostkę zielonej papryki pomidorowej
¹/₄ szklanki pokrojonej w kostkę cebuli
3 krople ostrego sosu paprykowego (według uznania)

Szpinak włożyć na dwie i pół minuty do mikrofalówki i włączyć ją na wysoką moc. Następnie odsączyć nadmiar soku.

12 foremek do muffinów wysmarować tłuszczem i ustawić na blasze do pieczenia.

Dobrze wymieszać w misce substytut jajka, ser, paprykę, cebulę i szpinak. Rozdzielić masę równo do foremek. Piec w temperaturze 180°C przez 20 minut. Sprawdzić, czy są dobrze upieczone, wbijając nóż w środek jednej z babeczek – nóż po wyjęciu powinien być czysty.

Babeczki quiche można zamrozić i odgrzewać w mikrofalówce. Do ich przygotowania można wykorzystać dowolne warzywa o niskim indeksie glikemicznym i dowolny ser o obniżonej zawartości tłuszczu.

Liczba porcji: 6

WARTOŚĆ ODŻYWCZA
1 porcja: 77 kalorii, 9 g białka, 3 g węglowodanów, 3 g tłuszczu, 2 g tłuszczów nasyconych, 160 mg sodu, 10 mg cholesterolu, 2 g błonnika

---

Karczochy po benedyktyńsku

2 średnie karczochy
2 plastry chudego bekonu
2 jajka
2 łyżki sosu holenderskiego inaczej (patrz str. 146)

Umyć karczochy, odciąć łodygę przy nasadzie i usunąć małe dolne liście. Ustawić karczochy pionowo w głębokim rondlu wypełnionym osoloną wodą na wysokość 5–7 cm. Nakryć i gotować powoli przez 35–45 minut. Po wyjęciu odwrócić dołem do góry, żeby odsączyć wodę. Rozłożyć liście jak płatki kwiatu. Łyżką usunąć ostrożnie środkowe listki i „sianko". Utrzymywać karczochy w cieple.

Zrumienić na patelni bekon, a jajka ugotować bez skorupek w osolonej wrzącej wodzie. Umieścić plasterek bekonu w każdym karczochu. Położyć na nim ugotowane jajko i polać dwoma łyżkami sosu. Podawać natychmiast.

Liczba porcji: 2

WARTOŚĆ ODŻYWCZA

1 porcja: 227 kalorii, 18 g białka, 16 g węglowodanów, 12 g tłuszczu, 3 g tłuszczów nasyconych, 540 mg sodu, 225 mg cholesterolu, 8 g błonnika

---

Sos holenderski inaczej

¼ szklanki płynnego substytutu jajka (1 jajko)
1 łyżka margaryny Smart Balance
1 łyżeczka świeżego soku z cytryny
½ łyżeczki musztardy Dijon
grubo zmielona czerwona papryka

W pojemniku nadającym się do gotowania w mikrofalówce umieścić substytut jajka i margarynę. Wstawić naczynie do mikrofalówki ustawionej na małą moc (20%) i podgrzewać przez 1 minutę, aż margaryna zmięknie (w połowie czasu raz zamieszać).

Sok cytrynowy i musztardę wymieszać z otrzymaną masą. Podgrzewać w mikrofalówce przy niskiej mocy przez dalsze 3 minuty, co 30 sekund mieszając, aż zgęstnieje. Domieszać paprykę.

Jeśli mieszanina się zwarzy, przełożyć ją do miksera i ucierać na wolnych obrotach przez 30 sekund, aż stanie się gładka.

Liczba porcji: 2

WARTOŚĆ ODŻYWCZA

1 porcja: 54 kalorie, 4 g białka, 2 g węglowodanów, 4 g tłuszczu,
0 g tłuszczów nasyconych, 150 mg sodu, 5 mg cholesterolu, 0 g błonnika

LUNCHE

Sałatka grecka

8 liści sałaty rzymskiej podartej na kawałki wielkości kęsa
1 ogórek zielony, obrany, pozbawiony pestek i pokrojony w plasterki
1 posiekany pomidor
½ szklanki pokrojonej w plasterki czerwonej cebuli
½ szklanki pokruszonego sera feta o obniżonej zawartości tłuszczu
2 łyżki oliwy z oliwek (extra virgin)
2 łyżki świeżego soku z cytryny
1 łyżeczka suszonych liści oregano
½ łyżeczki soli

Włożyć sałatę, ogórek, pomidor, cebulę i ser do dużej miski.
Ubić oliwę, sok cytrynowy, oregano i sól w małej misce. Otrzymanym sosem polać warzywa i wymieszać, tak by równomiernie rozprowadzić sos.

Sałatka grecka jest też doskonałym dodatkiem do kurczaka lub ryby z grilla.

Liczba porcji: 1

WARTOŚĆ ODŻYWCZA

1 porcja: 501 kalorii, 22 g białka, 25 g węglowodanów, 38 g tłuszczu,
10 g tłuszczów nasyconych, 2300 mg sodu, 30 mg cholesterolu, 6 g błonnika.
Sałatka grecka bez soli: 1134 mg sodu

1220 AT THE TIDES

1220 Ocean Drive, Miami Beach

SZEF KUCHNI: ROGER RUCH

CIESZĄCA SIĘ UZNANIEM RESTAURACJA
1220 AT THE TIDES, MIESZCZĄCA SIĘ
PRZY OCEAN DRIVE, PRZYLEGA DO HOLU
PIĘKNIE ODNOWIONEGO HOTELU TIDES.
W TYM SWOBODNYM, A JEDNOCZEŚNIE
LUKSUSOWYM OTOCZENIU ROGER RUCH,
SZEF KUCHNI, TWORZY ARCYDZIEŁA KULINARNE.
DZIĘKI SWEJ WYSZUKANEJ ELEGANCJI THE TIDES
JEST ULUBIONYM MIEJSCEM ZARÓWNO
MIESZKAŃCÓW, JAK I GOŚCI SOUTH BEACH.

Ceviche z lucjana

4 filety z lucjana (lub tilapii) pokrojone w średniej wielkości kostkę
sok z 3 świeżych cytryn
½ łyżeczki pasty z chili z czosnkiem (sambal oelek)
2 dojrzałe pomidory pokrojone w średniej wielkości kostkę
½ żółtej cebuli pokrojonej w średniej wielkości kostkę
2½ łyżki świeżej, drobno posiekanej kolendry
sól koszerna
czarny pieprz

Namoczyć pokrojoną rybę w $\frac{3}{4}$ soku cytrynowego i pozostawić na 3 godziny. Następnie odsączyć sok i wylać go.

Wymieszać rybę z pastą z chili z czosnkiem, pomidorami, cebulą, kolendrą i resztą soku cytrynowego. Doprawić pieprzem i solą do smaku.

Ryba mięknie pod wpływem kwasu zawartego w soku cytrynowym, a nie pod wpływem ciepła.
Zamiast lucjana lub tilapii można użyć flądry albo soli.

Liczba porcji: 4

WARTOŚĆ ODŻYWCZA
1 porcja: 225 kalorii, 36 g białka, 15 g węglowodanów, 2 g tłuszczu,
1 g tłuszczów nasyconych, 115 mg sodu, 63 mg cholesterolu, 3 g błonnika

Siekana sałatka South Beach z tuńczykiem

Sałatka

1 puszka (170 g) tuńczyka
(w zalewie wodnej)
⅓ szklanki posiekanego ogórka
⅓ szklanki posiekanego
pomidora
⅓ szklanki posiekanego
awokado
⅓ szklanki posiekanego selera
⅓ szklanki posiekanej rzodkiewki
1 szklanka posiekanej sałaty
rzymskiej

Sos

4 łyżeczki oliwy z oliwek
(extra virgin)
2 łyżki świeżego soku z cytryny
2 ząbki drobno posiekanego
czosnku
½ łyżeczki czarnego pieprzu

Przygotowanie sałatki: Ułożyć tuńczyka, ogórki, pomidory, awokado, seler, rzodkiewki i sałatę w ozdobnej szklanej misie.

Przygotowanie sosu: Wymieszać oliwę, sok cytrynowy, czosnek i pieprz. Otrzymanym sosem skropić sałatkę.

Liczba porcji: 1

WARTOŚĆ ODŻYWCZA

1 porcja: 506 kalorii, 48 g białka, 18 g węglowodanów, 28 g tłuszczu,
4 g tłuszczów nasyconych, 640 mg sodu, 50 mg cholesterolu, 6 g błonnika

Sałatka kurczakowo-pistacjowa

Sałatka
½ szklanki wyłuskanych
orzechów pistacjowych,
drobno zmielonych
½ + ¼ łyżeczki soli
½ łyżeczki + szczypta świeżo
zmielonego czarnego pieprzu
4 połówki piersi z kurczaka
bez kości i skóry
2 łyżki oliwy z oliwek
(extra virgin)
½ szklanki pokrojonej w kostkę
słodkiej białej cebuli
1 główka sałaty rzymskiej

Sos
1 łyżeczka startej słodkiej białej
cebuli
1 duże dojrzałe awokado, obrane
i wypestkowane
3 łyżki oliwy z oliwek (extra virgin)
3 łyżki świeżego soku z cytryny
1 łyżka wody

Przygotowanie sałatki: Rozgrzać piekarnik do 190°C. Na blaszce do pieczenia wymieszać orzeszki z ½ łyżeczki soli i ½ łyżeczki pieprzu. Obtoczyć pierś kurczaka w orzechach, mocno przyciskając je do mięsa. Rozgrzać na patelni 1 łyżkę oleju i smażyć piersi w orzechach przez 2 minuty z każdej strony. Przełożyć je do naczynia do zapiekanek i piec przez 15 minut albo dopóty, dopóki termometr włożony w najgrubszą część nie pokaże 70°C, a w wypływającym soku nie będzie krwi.

Pozostałą łyżkę oliwy rozgrzać mocno na patelni z powłoką nieprzyczepną i smażyć na niej pokrojoną cebulę z ¼ łyżeczki soli i szczyptą pieprzu, aż się zrumieni.

Ułożyć sałatę na czterech talerzach. Pokroić upieczone piersi i położyć po jednej na każdym talerzu. Podawać z sosem.

Przygotowanie sosu: Zmiksować razem cebulę, awokado, oliwę, sok cytrynowy i wodę.

Liczba porcji: 4

WARTOŚĆ ODŻYWCZA

1 porcja: 481 kalorii, 33 g białka, 13 g węglowodanów, 34 g tłuszczu,
5 g tłuszczów nasyconych, 520 mg sodu, 70 mg cholesterolu, 5 g błonnika

Koperkowa sałatka z krewetek z sosem koperkowo-ziołowym

Krewetki

1 szklanka wytrawnego białego wina
1 łyżeczka nasion gorczycy
¼ łyżeczki płatków papryki chili
2 liście laurowe
1 cytryna pokrojona w plasterki
70 dag dużych krewetek

Sos koperkowo-ziołowy

3 łyżki oliwy z oliwek (extra virgin)
3 łyżki octu z czerwonego wina
2 łyżki wody
2 łyżki posiekanej świeżej bazylii
2 łyżki posiekanego świeżego koperku
1 łyżeczka drobno posiekanego czosnku
1 łyżeczka musztardy Dijon
½ średniej cebuli, pokrojonej w plasterki
1 duża główka sałaty rzymskiej
4 dojrzałe pomidory, pokrojone w ćwiartki
6 świeżych pieczarek, pokrojonych w plasterki
gałązki świeżego kopru (według uznania)

Przygotowanie krewetek: Wlać wino i wsypać nasiona gorczycy, płatki papryki, liście laurowe i cytrynę do dużego rondla. Dopełnić wodą do dwóch trzecich wysokości. Zagotować na silnym ogniu. Dodać krewetki i gotować przez 3–4 minuty, aż zrobią się różowe i stracą przezroczystość w środku. Osączyć i ostudzić. Wyjąć i wyrzucić liście laurowe.

Przygotowanie sosu koperkowo-ziołowego: W zamykanym naczyniu wymieszać oliwę, ocet, wodę, bazylię, koper, czosnek, musztardę i cebulę. Silnie wstrząsnąć.

Umieścić krewetki w dużej misie i polać je sosem. Dobrze wymieszać, nakryć i mocno schłodzić.

Podawać na liściach sałaty rzymskiej, otoczone ćwiartkami pomidora i plasterkami pieczarek. Udekorować łodygami kopru (według uznania).

Liczba porcji: 4

WARTOŚĆ ODŻYWCZA

1 porcja: 382 kalorie, 38 g białka, 16 g węglowodanów, 14 g tłuszczu, 2 g tłuszczów nasyconych, 310 mg sodu, 260 mg cholesterolu, 4 g błonnika

Sałatka Cobba z krabów

6 szklanek sałaty rzymskiej podartej na kawałki wielkości kęsa
1 puszka (170 g) mięsa krabiego (osączyć)
1 szklanka pokrojonych w kostkę dojrzałych pomidorów
  lub przepołowionych pomidorów winogronowych
¼ szklanki pokruszonego sera pleśniowego
2 łyżki pasków chudego bekonu
¼ szklanki sosu o niskiej zawartości cukru lub sosu winegret na oliwie
  z oliwek

Schłodzić 2 talerze.
Wyłożyć sałatą duży półmisek i ułożyć na niej rzędami krabie mięso, pomidory, ser pleśniowy i kawałki bekonu.
Tuż przed podaniem skropić równomiernie sałatkę sosem i dobrze
wymieszać. Przełożyć na schłodzone talerze.

Liczba porcji: 2

WARTOŚĆ ODŻYWCZA

1 porcja: 267 kalorii, 27 g białka, 12 g węglowodanów, 13 g tłuszczu,
4 g tłuszczów nasyconych, 1012 mg sodu, 95 mg cholesterolu, 4 g błonnika

---

CHINA GRILL

404 Washington Avenue, Miami Beach

SZEF KUCHNI: CHRISTIAN PLOTCZYK

FILIA POPULARNEGO CHINA GRILL W NOWYM JORKU,
KTÓRA ODNIOSŁA SZALONY SUKCES I JEST OBECNIE
JEDNYM Z NAJBARDZIEJ UCZĘSZCZANYCH LOKALI
W SOUTH BEACH.
WPRAWDZIE TUTEJSZA KUCHNIA POZOSTAJE
POD WPŁYWEM WSCHODNICH SMAKÓW
I SPOSOBÓW PRZYRZĄDZANIA, ALE JEDNOCZEŚNIE
DOSTARCZA ZASKAKUJĄCYCH PRZEŻYĆ
DZIĘKI PRODUKTOM KULINARNYM Z CAŁEGO ŚWIATA.
WYBIERZ SIĘ WRAZ Z PRZYJACIÓŁMI,
BO SERWOWANE TU DANIA SĄ STWORZONE PO TO,
BY SIĘ NIMI DZIELIĆ.

Tuńczyk na ostro

6 dag białego pieprzu
6 dag czarnego pieprzu
6 dag nasion kopru włoskiego
6 dag nasion kolendry
6 dag zmielonego kminku
2 filety z tuńczyka (ok. 20 dag każdy)

4 żółtka
¼ pęczka kolendry
¼ pęczka szczypiorku
¼ pęczka natki pietruszki
4 papryki jalapeño bez pestek (przygotowywać w gumowych rękawiczkach) lub inna ostra papryka
230 ml mirinu (słodkiej sake)
360 ml oliwy z oliwek
3 opiekane czerwone papryki chili
1 ogórek pokrojony w cieniutkie plasterki

Rozgrzać piekarnik do 160°C. Prażyć biały pieprz, czarny pieprz, nasiona kopru włoskiego i kolendry przez 15 minut. Dodać kminek i wszystkie przyprawy drobno zmielić.

Dokładnie opanierować tuńczyka prażonymi przyprawami i opiekać na patelni, aż będzie średnio miękki. Odstawić.

Przygotować w blenderze sos winegret jalapeño, mieszając 2 żółtka z kolendrą, szczypiorkiem, natką pietruszki, paprykami jalapeño i połową mirinu. Dodać powoli 180 ml oliwy, cały czas mieszając, tak by powstała emulsja.

Przygotować w blenderze sos winegret z opiekaną papryką chili, mieszając pozostałe 2 żółtka, z pozostałym octem ryżowym i opieczonymi paprykami. Zmieszać z pozostałą oliwą.

Wlać sos z jalapeño na jedną połowę dużego półmiska, a z papryką chili na drugą. Pokroić tuńczyka w plastry i ułożyć na sosie. Udekorować plasterkami ogórka.

Zamiast jajka można użyć płynnego substytutu (np. Egg Beaters).

Liczba porcji: 4

WARTOŚĆ ODŻYWCZA

1 porcja: 626 kalorii, 37 g białka, 57 g węglowodanów, 26 g tłuszczu, 4 g tłuszczów nasyconych, 137 mg sodu, 266 mg cholesterolu, 21 g błonnika

Sałatka z mieszanych warzyw liściastych z mięsem krabim

2 szklanki podartych liści endywii kędzierzawej
2 szklanki luźno wsypanych liści rukwi wodnej
2 szklanki podartych liści świeżego szpinaku
2 szklanki podartych liści czerwonej kapusty
½ szklanki pokrojonych w plasterki orzechów wodnych
1 szklanka czerwonej papryki pomidorowej pociętej w długie, cienkie paski
70 dag mięsa krabiego, świeżego lub z puszki
Sos musztardowy Joego (str. 185)

Wrzucić endywię, rukiew wodną, szpinak, kapustę, orzechy wodne i paprykę do dużej miski i dobrze wymieszać. Dodać kraby.

Rozłożyć na 4 talerze i skropić z wierzchu sosem musztardowym Joego.

Liczba porcji: 4

WARTOŚĆ ODŻYWCZA

1 porcja: 123 kalorie, 20 g białka, 9 g węglowodanów, 1g tłuszczu, 0 g tłuszczów nasyconych, 338 mg sodu, 76 mg cholesterolu, 4 g błonnika

---

Sałatka nicejska

25 dag drobnej fasoli szparagowej
25 dag małych dojrzałych pomidorów pokrojonych w ćwiartki
1 zielona papryka pomidorowa, pozbawiona pestek i pokrojona
w paski
1 ogórek (z prawie niewidocznymi pestkami) pokrojony na grube
paski
6 dag anchois z puszki, osączonych
½ szklanki czarnych oliwek bez pestek
20 dag tuńczyka z puszki w zalewie wodnej, osączonego
i rozdrobnionego
½ szklanki orzechów wodnych pokrojonych w plasterki
4 jajka na twardo pokrojone na ćwiartki
5 łyżek oliwy z oliwek (extra virgin)
1 łyżka octu z białego wina
1 zmielony ząbek czosnku
szczypta soli
szczypta świeżo zmielonego czarnego pieprzu
2 łyżki drobno posiekanej natki pietruszki

Fasolę wrzucić na krótko na wrzącą wodę, tak żeby była na wpół ugotowana, a następnie przepłukać ją zimną wodą bieżącą i osuszyć.

Wymieszać fasolę, pomidory, paprykę i ogórek w dużej misce (lub ułożyć w osobnych stosikach dookoła środka miski). Na wierzchu ułożyć anchois, oliwki, tuńczyka, orzechy wodne i jajka.

Przygotować sos, energicznie mieszając oliwę, ocet i czosnek z solą i pieprzem. Sałatkę polać sosem i posypać pietruszką.

Liczba porcji: 4

WARTOŚĆ ODŻYWCZA
1 porcja: 405 kalorii, 26 g białka, 14 g węglowodanów, 27 g tłuszczu, 5 g tłuszczów nasyconych, 1010 mg sodu, 240 mg cholesterolu, 4 g błonnika

Balsamiczny sos winegret

⅓ szklanki oliwy z oliwek (extra virgin)
⅓ szklanki octu balsamicznego
2 łyżeczki posiekanego świeżego tymianku
¼ łyżeczki soli
⅛ łyżeczki białego pieprzu
1 łyżka posiekanej świeżej bazylii

Umieścić oliwę, ocet, tymianek, sól, pieprz i bazylię w słoju z zakręcaną pokrywką. Zamknąć słój i przez chwilę silnie potrząsać.

Porcja: ⅔ szklanki

WARTOŚĆ ODŻYWCZA

1 porcja: 90 kalorii, 0 g białka, 2 g węglowodanów, 9 g tłuszczu,
1 g tłuszczów nasyconych, 75 mg sodu, 0 mg cholesterolu, 0 g błonnika

---

Gazpacho

2½ szklanki soku pomidorowego lub wielowarzywnego
1 szklanka obranych, pozbawionych nasion i drobno pokrojonych
   świeżych pomidorów
½ szklanki drobno posiekanego selera
½ szklanki drobno posiekanego ogórka
½ szklanki drobno posiekanej zielonej papryki pomidorowej
½ szklanki drobno posiekanej dymki
3 łyżki octu z białego wina
2 łyżki oliwy z oliwek (extra virgin)
1 zmielony duży ząbek czosnku
2 łyżeczki drobno posiekanej świeżej natki pietruszki
½ łyżeczki soli
½ łyżeczki sosu Worcestershire
½ łyżeczki świeżo zmielonego czarnego pieprzu

Wymieszać sok, pomidory, seler, ogórek, paprykę, dymkę, ocet, oliwę, czosnek, natkę pietruszki, sól, sos Worcestershire i pieprz w dużej misce szklanej lub ze stali nierdzewnej. Nakryć i zostawić w lodówce do następnego dnia.
Podawać na zimno.

Liczba porcji: 5

WARTOŚĆ ODŻYWCZA

1 porcja: 117 kalorii, 2 g białka, 13 g węglowodanów, 6 g tłuszczu,
1 g tłuszczów nasyconych, 690 mg sodu, 0 mg cholesterolu, 4 g błonnika

---

OBIADY

Kurczak w papilotach

4 połówki piersi kurczaka bez kości i skóry (około 45 dag)
szczypta soli
szczypta świeżo zmielonego czarnego pieprzu
2 posiekane szalotki
1 średniej wielkości marchew pokrojona w ukośne plasterki
1 mała cukinia przecięta wzdłuż na połowę, a następnie
poprzecznie na kawałki grubości około centymetra
1 łyżeczka suszonego estragonu
½ łyżeczki otartej skórki pomarańczy

Rozgrzać piekarnik do 200°C (220°C – jeśli stosowana jest folia aluminiowa). Uciąć cztery kawałki pergaminu lub folii aluminiowej o długości 60 cm każdy. Złożyć każdy na pół, tworząc kwadrat o boku 30 cm. Oprószyć piersi kurczaka pieprzem i solą. Umieścić każdą pierś nieco poniżej środka kwadratu.

W małej misce wymieszać szalotkę, marchew, cukinię, estragon i skórkę pomarańczową. Nałożyć jedną czwartą otrzymanej mieszaniny na każdą z piersi.

Zawinąć mięso w pergamin lub folię i szczelnie ścisnąć brzegi. Ułożyć na blaszce do pieczenia i piec przez 20 minut.

Przed podaniem naciąć pergamin nożyczkami w kształcie litery X i rozedrzeć.

Liczba porcji: 4

WARTOŚĆ ODŻYWCZA
1 porcja: 144 kalorie, 27 g białka, 4 g węglowodanów, 2 g tłuszczu, 0 g tłuszczów nasyconych, 86 mg sodu, 65 mg cholesterolu, 1 g błonnika
---

Kurczak balsamiczny

6 połówek piersi kurczaka bez kości i skóry
1½ łyżeczki zmielonych świeżych liści rozmarynu lub ½ łyżeczki suszonych
2 zmielone ząbki czosnku
½ łyżeczki świeżo zmielonego czarnego pieprzu
½ łyżeczki soli
2 łyżki oliwy z oliwek (extra virgin)
4–6 łyżek białego wina (według uznania)
¼ szklanki octu balsamicznego

Piersi kurczaka opłukać i wysuszyć. Rozmaryn, czosnek, pieprz i sól dokładnie wymieszać w małej misce. Umieścić mięso w dużej misce. Skropić oliwą i natrzeć mieszanką przypraw. Nakryć i zostawić do następnego dnia w lodówce.

Rozgrzać piekarnik do 230°C. Natłuścić brytfannę lub stalową patelnię i umieścić w niej mięso. Piec przez 10 minut, a następnie odwrócić na drugą stronę. Jeśli sos, który wyciekł z mięsa, zaczyna przywierać do dna, dolać 3–4 łyżki wody lub białego wina (według uznania) i rozmieszać.

Piec przez następne 10 minut lub dopóki termometr włożony w najgrubszą część nie pokaże 70°C, a w wypływającym soku nie będzie krwi. Jeśli woda z sosu wyparuje, ponownie dolać łyżkę lub dwie wody albo wina, żeby go rozrzedzić. Następnie skropić mięso na blasze octem balsamicznym.

Przełożyć kurczaka na talerze. Zamieszać sos pozostały po pieczeniu i skropić nim mięso.

Liczba porcji: 6

WARTOŚĆ ODŻYWCZA
1 porcja: 183 kalorie, 26 g białka, 4 g węglowodanów, 6 g tłuszczu, 1 g tłuszczów nasyconych, 270 mg sodu, 65 mg cholesterolu, 0 g błonnika

Pierś kurczaka w imbirze

1 łyżka świeżego soku z cytryny
1½ łyżeczki utartego świeżego imbiru
½ łyżeczki świeżo zmielonego czarnego pieprzu
2 ząbki czosnku
4 połówki piersi kurczaka bez kości i skóry

W małej misce wymieszać sok cytrynowy, imbir, pieprz i czosnek. Umieścić piersi kurczaka w głębokiej misce i polać je otrzymaną mieszaniną, obracając, żeby pokryła obie strony. Nakryć i włożyć do lodówki na 30 minut do 2 godzin.

Dużą patelnię z powłoką nieprzyczepną nasmarować oliwą i rozgrzać silnie na dość mocnym ogniu. Mięso smażyć do miękkości, około 8 minut. Po 4 minutach obrócić piersi na drugą stronę.

Liczba porcji: 4

WARTOŚĆ ODŻYWCZA

1 porcja: 129 kalorii, 26 g białka, 1 g węglowodanów, 1 g tłuszczu, 0 g tłuszczów nasyconych, 75 mg sodu, 65 mg cholesterolu, 0 g błonnika

---

Pikantny kurczak sauté

2 łyżki oliwy z oliwek (extra virgin)
4 połówki piersi kurczaka bez kości i skóry
1 duża cebula pokrojona w plasterki
2 zmielone ząbki czosnku
1 łyżka świeżych posiekanych liści rozmarynu
½ szklanki beztłuszczowego bulionu z kurczaka
szczypta soli
szczypta świeżo zmielonego czarnego pieprzu

Na średnio rozgrzanym palniku zagrzać olej na dużej patelni. Obsmażać na nim piersi kurczaka przez 4 minuty, a następnie obrócić je i dodać cebulę. Nakryć i smażyć przez dalsze 3 minuty, od czasu do czasu mieszając. Dodać czosnek, rozmaryn i bulion. Nakryć i gotować, aż cebula będzie średnio miękka, czyli około 5 minut, od czasu do czasu mieszając. Doprawić pieprzem i solą.

Liczba porcji: 4

WARTOŚĆ ODŻYWCZA

1 porcja: 217 kalorii, 28 g białka, 6 g węglowodanów, 8 g tłuszczu,
1 g tłuszczów nasyconych, 95 mg sodu, 65 mg cholesterolu, 1 g błonnika

---

TUSCAN STEAK

431 Washington Avenue, Miami Beach

SZEF KUCHNI: MICHAEL WAGNER

TOSKANIA, GDZIE JEDZENIE JEST PROSTE,
ZAZWYCZAJ PRZYRZĄDZANE NA RUSZCIE
I ZAWSZE PYSZNE, ZNALAZŁA DROGĘ
DO SOUTH BEACH DZIĘKI RESTAURACJI TUSCAN STEAK.
ATMOSFERĘ TEGO MIEJSCA
NAJLEPIEJ ODDAJĄ SŁOWA:
„WYTWORNY FLORENCKI GRILL W RODZINNYM STYLU
PREZENTUJĄCY KUCHNIĘ TOSKAŃSKĄ
ZABARWIONĄ AKCENTAMI Z FLORYDY".
NIE ISTNIEJE NIC PODOBNEGO DO TUSCAN STEAK.

Stek z rostbefu po florencku

1½ kg ładnego rostbefu
⅓ szklanki zmielonego świeżego czosnku
1 szklanka posiekanej natki pietruszki
1 szklanka posiekanej bazylii
sól
świeżo zmielony czarny pieprz
1 szklanka oliwy z oliwek (extra virgin)

Natrzeć mięso czosnkiem, natką pietruszki i bazylią. Posolić i po-
pieprzyć, a następnie skropić oliwą i pozostawić w takiej marynacie
na 24 godziny.

Rozgrzać grill i piec mięso przez godzinę na średnim ogniu, obracając co 10 minut. W tym czasie rozgrzać wstępnie piekarnik do 200°C.
Po zdjęciu mięsa z rusztu odstawić je na 20 minut. Następnie piec
w piekarniku przez 10–30 minut zależnie od tego, jak mocno ma być
wypieczone. Po godzinnym pieczeniu na grillu i 10-minutowym w piekarniku otrzymujemy średnio wypieczony stek. Termometr wbity w mięso pokazuje wówczas 65°C.

Pokroić rostbef w plastry i skropić częścią marynaty pozostałej po
wyjęciu mięsa (o temperaturze pokojowej).

Liczba porcji: 4

WARTOŚĆ ODŻYWCZA

1 porcja: 885 kalorii, 59 g białka, 5 g węglowodanów, 68 g tłuszczu,
13 g tłuszczów nasyconych, 170 mg sodu, 105 mg cholesterolu, 1 g błonnika

Marynowany stek z łaty wołowej

1 mała czerwona cebula pokrojona na ćwiartki
⅓ szklanki octu balsamicznego
¼ szklanki osączonych kaparów
2 łyżki posiekanego świeżego oregano
3 zmielone ząbki czosnku
70 dag łaty wołowej
¼ łyżeczki soli
¼ łyżeczki grubo zmielonego czarnego pieprzu

Ćwiartkę cebuli pokroić w paseczki i odłożyć na bok. Resztę cebuli posiekać. Wymieszać ją w misce z octem, kaparami, oregano i czosnkiem. ¼ tej mieszaniny przełożyć do paseczków cebuli i odstawić.
Oprószyć obie strony steku solą i pieprzem i dokładnie ponakłuwać go widelcem. W dużej torbie do przechowywania żywności zaopatrzonej w zamknięcie umieścić stek oraz resztę mieszaniny przypraw z cebulą. Marynować przez godzinę lub do następnego dnia.
Rozgrzać grill, opiekacz lub piekarnik z funkcją opiekacza, umieszczając półkę w piekarniku tak, by mięso położone na ruszcie w brytfannie znajdowało się w odległości 10 cm od źródła ciepła. Wyjąć mięso z marynaty i umieścić na grillu bezpośrednio nad źródłem ciepła lub na ruszcie w brytfannie. Marynatę wyrzucić. Grillować lub opiekać po 4–5 minut z każdej strony (otrzymamy wówczas stek średnio wypieczony). Przed pokrojeniem odczekać 5 minut.
Umieścić mięso na półmisku i polać odłożoną wcześniej mieszaniną z cebulą.

Liczba porcji: 6

WARTOŚĆ ODŻYWCZA
1 porcja: 176 kalorii, 19 g białka, 3 g węglowodanów, 9 g tłuszczu,
4 g tłuszczów nasyconych, 230 mg sodu, 50 mg cholesterolu, 1 g błonnika

---

Opiekany stek z łaty wołowej

1 stek z łaty wołowej (ok. 70 dag)
$\frac{1}{2}$ szklanki soku pomidorowego
$\frac{1}{4}$ szklanki sosu Worcestershire
1 mała, drobno poszatkowana cebula ($\frac{1}{4}$ szklanki)
1 łyżka świeżego soku z cytryny
1 zmielony ząbek czosnku
$\frac{1}{2}$ łyżeczki świeżo zmielonego czarnego pieprzu
$\frac{1}{8}$ łyżeczki soli

Umieścić stek w szklanej brytfannie o wymiarach 33×23 cm. Wymieszać razem sok pomidorowy, sos Worcestershire, cebulę, sok z cytryny, czosnek, pieprz i sól. Otrzymaną mieszaniną polać stek. Nakryć i wstawić do lodówki na 2 godziny. Po godzinie obrócić.

Umieścić stek w opiekaczu lub piekarniku z funkcją opiekacza w odległości ok. 8 cm od źródła ciepła, posmarować marynatą i piec przez 5 minut. Następnie obrócić, posmarować drugą stronę marynatą i piec jeszcze przez 3 minuty lub dopóki termometr wbity w środek nie pokaże 65°C (dla średnio wypieczonego steku).

Przed podaniem pokroić ukośnie w poprzek włókien na cienkie plastry.

Liczba porcji: 4

WARTOŚĆ ODŻYWCZA

1 porcja: 265 kalorii, 29 g białka, 6 g węglowodanów, 13 g tłuszczu, 6 g tłuszczów nasyconych, 440 mg sodu, 70 mg cholesterolu, 0 g błonnika

Marynowana wołowina z rusztu po londyńsku

2 łyżki oliwy z oliwek (extra virgin)
½ szklanki wytrawnego czerwonego wina
3 zmielone ząbki czosnku
3 łyżki posiekanej natki pietruszki
1 łyżka posiekanego świeżego oregano
1 liść laurowy
½ łyżeczki świeżo zmielonego czarnego pieprzu
70 dag wołowiny: polędwicy, zrazowej górnej lub ligawy

Zmiksować razem oliwę, wino, czosnek, natkę, oregano, liść laurowy i pieprz. Umieścić stek w dużej misce i polać go marynatą. Po chwili obrócić, tak żeby marynata pokryła obie strony, nakryć i włożyć do lodówki na co najmniej 4 godziny, a najlepiej do następnego dnia.

Następnie rozgrzać opiekacz, piekarnik z funkcją opiekacza lub grill na węgiel drzewny. Wyjąć mięso z marynaty i opiekać po około 5 minut z każdej strony lub dopóki termometr wbity w środek nie pokaże 65°C (dla średnio wypieczonego steku).

Pokroić mięso na cienkie ukośne kawałki poprzecznie do włókien. Podawać na ciepło lub na zimno.

Liczba porcji: 8

WARTOŚĆ ODŻYWCZA

1 porcja: 171 kalorii, 17 g białka, 1 g węglowodanów, 10 g tłuszczu, 3 g tłuszczów nasyconych, 50 mg sodu, 40 mg cholesterolu, 0 g błonnika

Stek z grilla
z pikantną pastą pomidorową

2 steki z polędwicy wołowej (po 15 dag każdy)
2 średnie podłużne pomidory, przekrojone wzdłuż na połowę
2 łyżki oliwy z oliwek (extra virgin)
1 średnia posiekana cebula
1 zmielony lub rozduszony ząbek czosnku
¼ szklanki posiekanej świeżej bazylii lub 2 łyżki bazylii suszonej
szczypta soli
szczypta świeżo zmielonego czarnego pieprzu
gałązki bazylii (według uznania)

Umieścić stek na lekko natłuszczonym grillu w odległości 10–16 cm
nad grubą warstwą średnio rozgrzanego węgla. Piec, w miarę potrzeby
odwracając, aż będzie z wierzchu równomiernie zrumieniony, a termometr wbity w środek pokaże 65°C (dla średnio wysmażonego steku).
Naciąć, żeby sprawdzić, czy jest upieczony. (Czas pieczenia ok. 15 minut.)
    W międzyczasie ułożyć pomidory na ruszcie, przeciętą stroną do
góry i posmarować lekko 1 łyżką oleju. Kiedy zbrązowieją od spodu
(po ok. 3 minutach), obrócić je i kontynuować pieczenie, aż przy naci-
śnięciu okażą się miękkie (także ok. 3 minut).
    W tym czasie wymieszać pozostałą łyżkę oliwy, cebulę i czosnek na
średniej patelni z żaroodporną rączką. Postawić patelnię nad rozżarzo-
nym węglem lub na kuchence na dość mocnym ogniu i podgrzewać,
aż cebula zmięknie i przybierze złoty kolor (około 10 minut). Dodać
bazylię i wymieszać.
    Kiedy pomidory zmiękną, wymieszać je ze składnikami na patelni,
a następnie patelnię odstawić w chłodniejsze miejsce grilla (lub nakryć i utrzymywać w stanie ciepłym na kuchence).
    Kiedy stek się upiecze, wyjąć go na deskę z rowkiem lub na półmi-
sek. Łyżką ułożyć pastę pomidorową wzdłuż steku. Posolić i popie-
przyć oraz udekorować gałązkami bazylii (według uznania).
    Podawać stek pokrojony w cienkie plastry. Zależnie od upodobania,
można połączyć sok, który wyciekł z mięsa, z pastą pomidorową.

Liczba porcji: 2

WARTOŚĆ ODŻYWCZA

1 porcja: 366 kalorii, 31 g białka, 11 g węglowodanów, 22 g tłuszczu,
5 g tłuszczów nasyconych, 70 mg sodu, 85 mg cholesterolu, 3 g błonnika

Stek w kruszonym pieprzu

1 łyżka kruszonego czarnego pieprzu
½ łyżeczki suszonego rozmarynu
2 kawałki wołowiny zrazowej o grubości 2,5 cm (10 do 20 dag każdy)
1 łyżka margaryny Smart Balance
1 łyżka oliwy z oliwek (extra virgin)
¼ szklanki brandy lub wytrawnego czerwonego wina

W dużej misce wymieszać pieprz z rozmarynem i w tej mieszance obtoczyć steki ze wszystkich stron.

Rozgrzać na patelni Smart Balance i oliwę, tak żeby były gorące. Położyć steki na rozgrzanym tłuszczu i na średnio lub dość mocno rozgrzanym palniku smażyć przez 5–7 minut lub dopóki termometr wbity w środek nie pokaże 70°C (dla średnio wypieczonego steku).

Wyjąć steki z patelni i przykryć, tak żeby pozostały ciepłe.

Na patelnię wlać brandy i zagotować na silnym ogniu, zdrapując pozostałości ze smażenia, które przywarły do dna. Gotować przez około minutę lub dopóki połowa płynu nie odparuje. Łyżką polać tym sosem steki.

Liczba porcji: 2

WARTOŚĆ ODŻYWCZA
1 porcja: 322 kalorie, 24 g białka, 3 g węglowodanów, 21 g tłuszczu, 6 g tłuszczów nasyconych, 55 mg sodu, 70 mg cholesterolu, 1 g błonnika

Łosoś gotowany
w sosie koperkowo-ogórkowym

Łosoś
2 szklanki Chablis lub innego
wytrawnego białego wina
2 szklanki wody
½ łyżeczki granulek bulionu
z kurczaka
6 ziarenek pieprzu
4 gałązki świeżego kopru
2 liście laurowe
1 posiekany seler naciowy
1 mała cytryna pokrojona
w plasterki
6 filetów z łososia o grubości
ok. 1,5 cm (ok. 10 dag każdy)

Sos koperkowo-ogórkowy
⅓ szklanki obranego, pozbawionego pestek i drobno
posiekanego ogórka
⅓ szklanki kwaśnej śmietany 0%
⅓ szklanki naturalnego jogurtu 0%
2 łyżeczki posiekanego świeżego
koperku
1 łyżeczka musztardy Dijon
łodygi świeżego kopru
(według uznania)

Przygotowanie łososia: Umieścić wino, wodę, bulion, ziarnka pieprzu, koper, liście laurowe, seler i cytrynę na patelni. Doprowadzić do wrzenia, a następnie nakryć, zmniejszyć ogień i powoli gotować. Po 10 minutach włożyć łososia i gotować przez dalsze 10 minut lub do chwili, gdy mięso będzie się łatwo rozdrabniać.

Przełożyć łososia na półmisek za pomocą łyżki cedzakowej. Nakryć i całkowicie schłodzić. Wywar pozostały na patelni wylać.

Przygotowanie sosu koperkowo-ogórkowego: W średniej wielkości misce wymieszać razem ogórek, kwaśną śmietanę, jogurt, koper i musztardę.

Rozłożyć filety na osobne talerze. Na każdy łyżką nałożyć jednakową ilość sosu.

Liczba porcji: 6

WARTOŚĆ ODŻYWCZA
1 porcja: 260 kalorii, 24 g białka, 5 g węglowodanów, 13 g tłuszczu, 3 g tłuszczów nasyconych, 150 mg sodu, 70 mg cholesterolu, 0 g błonnika

Łosoś z rusztu z rozmarynem

45 dag łososia
2 łyżeczki oliwy z oliwek (extra virgin)
2 łyżeczki świeżego soku z cytryny
¼ łyżeczki soli
szczypta świeżo zmielonego czarnego pieprzu
2 zmielone ząbki czosnku
2 łyżeczki posiekanych świeżych liści rozmarynu lub 1 łyżeczka
pokruszonego suszonego
łodygi świeżego rozmarynu (według uznania)
kapary (według uznania)

Pokroić rybę na cztery porcje równej wielkości. Wymieszać w misce oliwę, sok cytrynowy, sól, pieprz, czosnek i rozmaryn. Otrzymaną mieszaniną natrzeć rybę.

Następnie ułożyć rybę na ruszcie grilla lub w koszyku do grillowania spryskanym oliwą. Piec nad średnim ogniem, aż będzie można łatwo ją rozdrabniać (4–6 minut na filet grubości 1,5 cm). Jeśli kawałek jest grubszy niż 2,5 cm, w połowie grillowania przewrócić go ostrożnie na drugą stronę.

Przy pieczeniu w piekarniku z funkcją opiekacza natłuścić ruszt nad blachą oliwą i ułożyć na nim rybę w odległości 10 cm od źródła ciepła. Piec przez 4–6 minut przy kawałkach o grubości 1,5 cm. Jeśli kawałki są grubsze niż 2,5 cm, w połowie pieczenia przewrócić je ostrożnie na drugą stronę.

Podawać z kaparami, udekorowane gałązkami rozmarynu (według uznania).

Liczba porcji: 4

WARTOŚĆ ODŻYWCZA

1 porcja: 231 kalorii, 23 g białka, 1 g węglowodanów, 15 g tłuszczu, 3 g tłuszczów nasyconych, 213 mg sodu, 67 mg cholesterolu, 0 g błonnika

---

Gardłosz atlantycki
w sosie szalotkowo-imbirowym

⅓ szklanki wytrawnej sherry lub wermutu
3 łyżki sosu sojowego o niskiej zawartości sodu
2 łyżeczki oleju sezamowego
¼ szklanki drobno posiekanej dymki
1 łyżeczka świeżo utartego imbiru
1 łyżeczka drobno posiekanego czosnku
2 filety z gardłosza atlantyckiego (45 dag)

Rozgrzać piekarnik do 200°C. W małej misce wymieszać sherry lub wermut, sos sojowy, olej sezamowy, cebulę, imbir i czosnek.

Umieścić filety w naczyniu do zapiekanek. Skropić rybę marynatą i piec przez 12 minut lub do czasu, aż będzie łatwo ją rozdrobnić.

Gardłosza można zastąpić dorszem, flądrą lub solą.

Liczba porcji: 2

WARTOŚĆ ODŻYWCZA

1 porcja: 242 kalorie, 35 g białka, 3 g węglowodanów, 6 g tłuszczu, 1 g tłuszczów nasyconych, 1154 mg sodu, 45 mg cholesterolu, 1 g błonnika

Z menu

JOE'S STONE CRAB

11 Washington Avenue, Miami Beach

SZEF KUCHNI: ANDRE BIENVENUE

W 1913 ROKU JOE WEISS OTWORZYŁ PRZY PLAŻY
W MIAMI NIEWIELKI BUFET, W KTÓRYM MOŻNA BYŁO
ZJEŚĆ LUNCH. OD 90 LAT ŻADNA WIZYTA
W MIAMI BEACH NIE MOŻE SIĘ OBYĆ
BEZ ODWIEDZENIA JOE'S STONE CRAB.
LOKAL TEN, OTWARTY W CZASIE SEZONU NA KRABY
KAMIENNE (15 PAŹDZIERNIKA DO 15 MAJA),
JEST STAŁYM PUNKTEM PROGRAMU
DLA ODWIEDZAJĄCYCH MIASTO SŁAW.
PRZEZ CAŁY CZAS POZOSTAJE WŁASNOŚCIĄ RODZINY
I JEST PRZEZ NIĄ PROWADZONY.
OBECNIE STANOWI JEDEN Z CHARAKTERYSTYCZNYCH
OBIEKTÓW MIAMI.

Sałatka Armanda

1 lub 2 małe ząbki czosnku
¼ łyżeczki soli
½ łyżeczki pieprzu
1 łyżeczka majonezu
¼–½ szklanki świeżego soku z cytryny
1 łyżeczka octu z czerwonego wina (według uznania)
¼ szklanki + 2 łyżki oliwy z oliwek
1 główka sałaty rzymskiej, obrana z zewnętrznych liści, umyta,
   osuszona, podarta na kawałki wielkości kęsa i schłodzona
1 mała główka sałaty lodowej, obrana z zewnętrznych liści, umyta,
   osuszona, podarta na kawałki wielkości kęsa i schłodzona
½ szklanki posiekanej świeżej natki pietruszki
½ słodkiej białej cebuli, pokrojonej w cienkie plasterki
½ szklanki świeżo utartego sera parmezan plus trochę do posypania
   na wierzchu
cienko pokrojona zielona papryka do dekoracji (według uznania)

Przygotowanie sosu: W dużej misce utrzeć czosnek, sól i pieprz na
pastę. Dodać majonez, nie przerywając ucierania, aż powstanie gładka
masa. Następnie domieszać sok z cytryny i ocet winny (według uznania). Ubijać, stopniowo dodając oliwę.

Dodać sałatę rzymską i lodową, natkę pietruszki, cebulę i pół szklanki parmezanu. Delikatnie wymieszać. Rozłożyć sałatkę do płytkich
salaterek, posypać niewielką ilością parmezanu i podawać.

Można udekorować zieloną papryką.

*W Joe's Stone Crab sałatka Armanda podawana jest tylko w porze
lunchu i serwowana z grzankami czosnkowymi na wierzchu. Starając
się dostosować ją do Fazy 1, nie podaliśmy w przepisie grzanek. Jedząc
ją w tym słynnym lokalu, można poprosić, żeby nie dodawano grzanek.
Natomiast kraby kamienne są doskonałe w każdej fazie diety!*

Liczba porcji: 6

WARTOŚĆ ODŻYWCZA

1 porcja: 176 kalorii, 4 g białka, 4 g węglowodanów, 16 g tłuszczu,
3 g tłuszczów nasyconych, 238 mg sodu, 6 mg cholesterolu, 2 g błonnika

Szaszłyk rybny

2 łyżki oliwy z oliwek (extra virgin)
2 łyżki świeżego soku z cytryny
1 łyżka musztardy Dijon
45 dag świeżego halibuta, miecznika, łososia, młodego dorsza
   lub tuńczyka (płat mięsa grubości 2,5 cm)
½ dużej czerwonej cebuli pokrojonej wzdłuż na ćwiartki
½ zielonej papryki pomidorowej, pozbawionej środka i nasion
   i przeciętej wzdłuż na cztery części
½ czerwonej papryki pomidorowej, pozbawionej środka i nasion
   i przeciętej wzdłuż na cztery części
4 pomidory winogronowe ugotowane na parze

W żaroodpornym naczyniu do zapiekanek o wymiarach 20×20 cm wymieszać oliwę, sok z cytryny i musztardę, tak żeby się połączyły. Pokroić rybę na 16 kostek o boku 2,5 cm. Ułożyć je jedną warstwą na marynacie. Nakryć i włożyć do lodówki na 5–10 minut. Następnie odwrócić kostki na drugą stronę i chłodzić przez dalsze 5 minut.

Rozgrzać opiekacz lub piekarnik z funkcją opiekacza. Osączyć kostki ryby, zachowując marynatę. Lekko rozdzielić warstwy cebuli. Nadziać rybę i warzywa na 4 szpadki, przekładając kostki ryby cebulą, papryką i pomidorami. Natrzeć lekko z wierzchu pozostałą marynatą.

Umieścić szpadki na blasze do pieczenia w odległości 10 cm od źródła ciepła i piec przez 3 minuty. Odwrócić na drugą stronę i ponownie natrzeć marynatą. Piec przez dalsze 3–4 minuty lub do chwili, gdy ryba przestanie być przejrzysta, a warzywa będą na pół miękkie. Podawać natychmiast.

Liczba porcji: 4

WARTOŚĆ ODŻYWCZA

1 porcja: 216 kalorii, 25 g białka, 6 g węglowodanów, 10 g tłuszczu,
1 g tłuszczów nasyconych, 158 mg sodu, 36 mg cholesterolu, 1 g błonnika

Koryfena (mahi mahi) z rusztu

45 dag koryfeny, świeżej lub mrożonej
2 łyżeczki oliwy z oliwek
2 łyżeczki soku cytrynowego
¼ łyżeczki soli
świeżo zmielony pieprz do smaku
2 zmielone ząbki czosnku
kapary (według uznania)

Pokroić koryfenę na cztery porcje. Obie strony ryby natrzeć oliwą i sokiem z cytryny. Oprószyć solą i pieprzem, a następnie natrzeć czosnkiem.

Ułożyć rybę na ruszcie grilla lub w koszyku do grillowania spryskanym oliwą. Filet grubości 1,5 cm piec nad średnim ogniem przez 4–6 minut lub aż będzie można łatwo rozdrabniać rybę widelcem. Jeśli kawałki są grubsze niż 2,5 cm, w połowie grillowania przewrócić je ostrożnie na drugą stronę.

Przy pieczeniu w opiekaczu lub piekarniku z funkcją opiekacza ułożyć rybę na natartym oliwą ruszcie piecyka w odległości ok. 10 cm od źródła ciepła. Kawałki grubości 1,5 cm piec przez 4–6 minut lub aż będzie można łatwo rozdrabniać rybę widelcem. Jeśli kawałki są grubsze niż 2,5 cm, w połowie pieczenia przewrócić je delikatnie na drugą stronę.

Podawać z kaparami (według uznania).

Zamiast koryfeny można użyć miecznika, tuńczyka lub suma.

Liczba porcji: 4

WARTOŚĆ ODŻYWCZA

1 porcja: 120 kalorii, 21 g białka, 1 g węglowodanów, 3 g tłuszczu, 1 g tłuszczów nasyconych, 245 mg sodu, 83 mg cholesterolu, 0 g błonnika

Warzywa pieczone w piekarniku

1 średnia cukinia pokrojona na kawałki wielkości kęsa
1 średni kabaczek pokrojony na kawałki wielkości kęsa
1 średnia czerwona papryka pomidorowa pokrojona na kawałki
   wielkości kęsa
1 średnia żółta papryka pomidorowa pokrojona na kawałki
   wielkości kęsa
45 dag świeżych szparagów pokrojonych na kawałki wielkości kęsa
1 czerwona cebula
3 łyżki oliwy z oliwek (extra virgin)
1 łyżeczka soli
½ łyżeczki świeżo zmielonego czarnego pieprzu

Rozgrzać piekarnik do 230°C. Umieścić cukinię, kabaczek, paprykę,
szparagi i cebulę w dużym naczyniu do zapiekanek. Wymieszać dokładnie z oliwą, solą i pieprzem. Rozłożyć na dnie naczynia pojedynczą warstwą. Piec przez 30 minut, od czasu do czasu mieszając, aż
wszystkie warzywa zmiękną i lekko się zrumienią.

Liczba porcji: 4

WARTOŚĆ ODŻYWCZA

1 porcja: 170 kalorii, 5 g białka, 15 g węglowodanów, 11 g tłuszczu,
2 g tłuszczów nasyconych, 586 mg sodu, 0 mg cholesterolu, 5 g błonnika

---

Pieczony bakłażan z papryką

1 bakłażan, obrany, przepołowiony i pokrojony w plasterki
2 czerwone papryki pomidorowe pokrojone w grube paski
1 zielona papryka pomidorowa pokrojona w grube paski
1 cebula pokrojona w plasterki
¼ szklanki oliwy z oliwek (extra virgin)
świeża bazylia (według uznania)

Rozgrzać piekarnik do 180°C. Umieścić bakłażan, paprykę i cebulę w naczyniu do zapiekanek w powłoką nieprzyczepną. Skropić oliwą. Piec 20 minut, regularnie polewając powstałym sosem. Ułożyć warzywa na półmisku i przybrać bazylią (wg uznania).

Liczba porcji: 4

WARTOŚĆ ODŻYWCZA

1 porcja: 193 kalorie, 2 g białka, 16 g węglowodanów, 14 g tłuszczu, 2 g tłuszczów nasyconych, 5 mg sodu, 0 mg cholesterolu, 5 g błonnika

---

Pieczarki nadziewane szpinakiem

30 dag mrożonego posiekanego szpinaku
⅛ łyżeczki soli
8 dużych pieczarek
1 łyżka oliwy z oliwek (extra virgin)

W średnim garnku zagotować ½ szklanki wody. Wrzucić szpinak i sól. Nakryć i gotować zgodnie z zaleceniami na opakowaniu. Umyć pieczarki. Wyciąć korzenie, a po usunięciu ich końcówek, posiekać. Podgrzać oliwę na dużej patelni. Wrzucić posiekane korzenie grzybów i usmażyć na złoty kolor (ok. 3 minut). Zdjąć je z patelni. Umieścić na patelni kapelusze pieczarek i smażyć przez 4–5 minut. Przełożyć je na żaroodporny półmisek.

Osączyć szpinak i wymieszać go z posiekanymi, przysmażonymi korzeniami.

Łyżką nałożyć ten farsz do kapeluszy i podawać natychmiast lub umieścić pieczarki w piekarniku na niewielkim ogniu, żeby pozostały ciepłe.

Liczba porcji: 8

WARTOŚĆ ODŻYWCZA
1 porcja: 33 kalorie, 2 g białka, 3 g węglowodanów, 2 g tłuszczu, 0 g tłuszczów nasyconych, 74 mg sodu, 0 mg cholesterolu, 2 g błonnika

Purée „ziemniaczane" South Beach

4 szklanki różyczek kalafiora
3 dag sprayu I Can't Believe It's Not Butter!
3 dag mleka pół na pół ze śmietaną, 0%
szczypta soli
szczypta świeżo zmielonego czarnego pieprzu

Ugotuj kalafior do miękkości na parze lub w mikrofalówce. Zmiksuj z tłuszczem i mlekiem ze śmietaną do smaku. Dopraw solą i pieprzem.

Liczba porcji: 4

WARTOŚĆ ODŻYWCZA

1 porcja: 81 kalorii, 2 g białka, 5 g węglowodanów, 6 g tłuszczu, 2 g tłuszczów nasyconych, 82 mg sodu, 4 mg cholesterolu, 3 g błonnika

---

Duszone pomidory z cebulą

$\frac{1}{2}$ szklanki posiekanej zielonej papryki pomidorowej
$\frac{1}{4}$ szklanki cienko pokrojonego selera
1 mała posiekana cebula
1 zmielony ząbek czosnku
3 szklanki obranych, posiekanych pomidorów
1 łyżka octu z czerwonego wina
$\frac{1}{8}$ łyżeczki świeżo zmielonego czarnego pieprzu

Natłuścić dużą patelnię z powłoką nieprzyczepną. Rozgrzać ją na dość mocnym ogniu. Wrzucić na patelnię paprykę, seler, cebulę i czosnek. Smażyć przez 5 minut lub do chwili, gdy warzywa będą miękkie. Dodać pomidory, ocet i pieprz.

Doprowadzić do wrzenia. Nakryć, zmniejszyć ogień i dusić przez 15 minut, od czasu do czasu mieszając.

Liczba porcji: 6

WARTOŚĆ ODŻYWCZA

1 porcja: 29 kalorii, 1 g białka, 7 g węglowodanów, 0 g tłuszczu, 0 g tłuszczów nasyconych, 10 mg sodu, 0 mg cholesterolu, 1 g błonnika

---

Pomidory opiekane

2 duże, dojrzałe czerwone pomidory przekrojone w poprzek
   na połowę
szczypta soli (według uznania)
szczypta świeżo zmielonego czarnego pieprzu (według uznania)

Umieścić pomidory w opiekaczu lub na ruszcie nad blachą piekarnika z funkcją opiekacza przeciętą stroną do góry. Oprószyć solą
i pieprzem (według uznania). Piec przez 7–10 minut, aż dobrze się
zrumienią.

Liczba porcji: 2

WARTOŚĆ ODŻYWCZA
1 porcja: 38 kalorii, 2 g białka, 8 g węglowodanów, 1 g tłuszczu,
0 g tłuszczów nasyconych, 16 mg sodu, 0 mg cholesterolu, 2 g błonnika
---

Opiekany pomidor z pesto

3 świeże pomidory
2 ząbki czosnku
1 szklanka posiekanych świeżych liści bazylii
2 łyżki oliwy z oliwek (extra virgin)
¼ szklanki świeżo utartego parmezanu
2 łyżki orzeszków piniowych

Przekroić pomidory na połowę. Umieścić czosnek, bazylię, oliwę, parmezan i orzeszki piniowe w pojemniku miksera i zmiksować na gładką masę. Łyżką nałożyć otrzymaną pastę na połówki pomidorów. Umieścić pomidory na blaszce do pieczenia w odległości około 8 cm od źródła ciepła i piec około 3–5 minut, aż się lekko zrumienią.

Liczba porcji: 6

WARTOŚĆ ODŻYWCZA

1 porcja: 90 kalorii, 3 g białka, 4 g węglowodanów, 7 g tłuszczu, 2 g tłuszczów nasyconych, 68 mg sodu, 3 mg cholesterolu, 1 g błonnika

JOE'S STONE CRAB

11 Washington Avenue, Miami Beach

SZEF KUCHNI: ANDRE BIENVENUE

Sos musztardowy Joego

1 łyżka + ½ łyżeczki lub więcej (według uznania) wytrawnej
  musztardy Colman
1 szklanka majonezu
2 łyżeczki sosu Worcestershire
1 łyżeczka sosu do steków
1 łyżka śmietany kremówki
1 łyżka mleka
sól

Umieścić musztardę w pojemniku miksera, dodać majonez i ubijać przez 1 minutę. Dodać sos Worcestershire, sos do steków, śmietanę, mleko i szczyptę soli. Ubijać, aż składniki dobrze się wymieszają, a masa nabierze kremowej konsystencji. Jeśli sos ma mieć silniejszy smak musztardy, dodać jeszcze pół łyżeczki musztardy i dobrze ubić. Przechować przykryty w lodówce aż do chwili podania.

Kraby kamienne w restauracji Joe's Stone Crab są podawane na zimno i rozłupane. Wraz z nimi przynoszone są małe metalowe pojemniczki z sosem musztardowym i roztopionym masłem. Smakują bajecznie i są doskonałą potrawą w Fazie 1, jeśli akurat odwiedzisz Miami Beach.

Porcja: ok. 1 szklanki

WARTOŚĆ ODŻYWCZA
1 łyżka: 109 kalorii, 0 g białka, 0 g węglowodanów, 12 g tłuszczu,
2 g tłuszczów nasyconych, 87 mg sodu, 6 mg cholesterolu, 0 g błonnika

Sałatka z zielonej soi

45 dag mrożonej wyłuskanej zielonej soi
¼ szklanki przyprawowego octu ryżowego
1 łyżka oleju roślinnego
¼ łyżeczki soli
⅛ łyżeczki świeżo zmielonego czarnego pieprzu
1 pęczek rzodkiewek (ok. 20 dag), przepołowionych i pokrojonych
na cienkie plasterki
1 szklanka posiekanych świeżych liści kolendry

W dużej misce wymieszać razem soję, ocet, olej, sól, pieprz, rzodkiewkę i kolendrę.

Sałatkę podawać schłodzoną lub o temperaturze pokojowej.

Jeżeli są problemy z nabyciem zielonej soi, można ją zastąpić ciecierzycą.

Liczba porcji: 4

WARTOŚĆ ODŻYWCZA

1 porcja: 224 kalorie, 15 g białka, 18 g węglowodanów, 12 g tłuszczu,
1 g tłuszczów nasyconych, 479 mg sodu, 0 mg cholesterolu, 6 g błonnika

---

Orientalna sałatka z kapusty

½ małej główki białej kapusty
3 posiekane szalotki
2 łyżki ciemnego oleju sezamowego
2 łyżki octu z wina ryżowego
2 łyżki prażonych nasion sezamu

Starannie wymieszać poszatkowaną kapustę, szalotkę, olej i ocet.
Odstawić do lodówki do czasu podania.
Dodać nasiona sezamu i ponownie wymieszać przed podaniem.

Liczba porcji: 4

WARTOŚĆ ODŻYWCZA

1 porcja: 103 kalorie, 2 g białka, 5 g węglowodanów, 9 g tłuszczu,
1 g tłuszczów nasyconych, 15 mg sodu, 0 mg cholesterolu, 2 g błonnika

---

PRZEKĄSKI

Humus

1 puszka (425 g) ciecierzycy
2 łyżki świeżego soku z cytryny
½ szklanki tahini (pasty sezamowej)
¼ szklanki posiekanej cebuli
3 posiekane ząbki czosnku
2 łyżeczki oliwy z oliwek (extra virgin)
2 łyżki zmielonego kminku
⅛ łyżeczki mielonej czerwonej papryki
½ łyżeczki soli
posiekana natka pietruszki (według uznania)

Osączyć ciecierzycę, zostawiając do dalszego użytku ¼ do ½ szklanki zalewy.

Umieścić ciecierzycę, sok z cytryny, tahini, cebulę, czosnek, oliwę, kminek, pieprz i sól w pojemniku miksera i rozetrzeć na gładką masę, w razie potrzeby rozcieńczając zalewą z ciecierzycy.

Przed podaniem włożyć na 3–4 godziny do lodówki, żeby smaki się połączyły. Udekorować natką pietruszki (według uznania).

Liczba porcji: 5

WARTOŚĆ ODŻYWCZA
1 porcja: 251 kalorii, 8 g białka, 23 g węglowodanów, 16 g tłuszczu,
2 g tłuszczów nasyconych, 447 mg sodu, 0 mg cholesterolu, 5 g błonnika

---

Roladki z indyka

4 plastry ugotowanej lub upieczonej piersi z indyka
4 liście średniej sałaty masłowej
majonez z kolendrą (patrz poniżej)
4 szalotki
4 paski czerwonej papryki pomidorowej

Ułożyć jeden plaster piersi z indyka na liściu sałaty posmarowanym majonezem z kolendrą (patrz poniżej). Dodać jedną szalotkę i pasek papryki. Zwinąć w ciasną, podobną do cygara roladkę.

Pierś indyka można zastąpić szynką. Majonez można wykorzystać do maczania roladki, zamiast smarować nim sałatę.

Liczba porcji: 2

WARTOŚĆ ODŻYWCZA
1 porcja: 54 kalorie, 10 g białka, 2 g węglowodanów, 1 g tłuszczu,
0 g tłuszczów nasyconych, 604 mg sodu, 17 mg cholesterolu, 1 g błonnika
---

Majonez z kolendrą

³/₄ szklanki majonezu o obniżonej zawartości tłuszczu
³/₄ szklanki liści kolendry
1 łyżka świeżego soku z cytryny
1 łyżeczka sosu sojowego light
1 mały ząbek czosnku

Zmiksować majonez, kolendrę, sok cytrynowy, sos sojowy i czosnek na gładką masę.

Porcja: ³/₄ szklanki

WARTOŚĆ ODŻYWCZA
1 łyżka stołowa: 36 kalorii, 0 g białka, 3 g węglowodanów, 3 g tłuszczu,
1 g tłuszczów nasyconych, 104 mg sodu, 4 mg cholesterolu, 0 g błonnika
---

DESERY

Krem z ricotty ze skórką cytrynową

½ szklanki częściowo odtłuszczonego sera ricotta
¼ łyżeczki otartej skórki cytryny
¼ łyżeczki olejku waniliowego
substytut cukru (słodzik)

Wymieszać razem ricottę, skórkę cytrynową, olejek waniliowy i słodzik (do smaku). Podawać schłodzony.

Liczba porcji: 1

WARTOŚĆ ODŻYWCZA

1 porcja: 178 kalorii, 14 g białka, 7 g węglowodanów, 10 g tłuszczu, 6 g tłuszczów nasyconych, 155 mg sodu, 38 mg cholesterolu, 0 g błonnika

Krem migdałowy z ricotty

½ szklanki częściowo odtłuszczonego sera ricotta
¼ łyżeczki olejku migdałowego
substytut cukru (słodzik)
1 łyżeczka pokrojonych prażonych płatków migdałowych

Wymieszać razem ricottę, olejek migdałowy i słodzik (do smaku).
Podawać schłodzony i posypany płatkami migdałowymi.

Liczba porcji: 1

WARTOŚĆ ODŻYWCZA

1 porcja: 192 kalorie, 15 g białka, 8 g węglowodanów, 11 g tłuszczu,
6 g tłuszczów nasyconych, 155 mg sodu, 38 mg cholesterolu, 0 g błonnika

---

Krem waniliowy z ricotty

½ szklanki częściowo odtłuszczonego sera ricotta
¼ łyżeczki olejku waniliowego
substytut cukru (słodzik)

Wymieszać razem ricottę, olejek waniliowy i słodzik (do smaku).
Podawać schłodzony.

Liczba porcji: 1

WARTOŚĆ ODŻYWCZA

1 porcja: 178 kalorii, 14 g białka, 7 g węglowodanów, 10 g tłuszczu,
6 g tłuszczów nasyconych, 155 mg sodu, 38 mg cholesterolu, 0 g błonnika

---

Krem kawowy z ricotty

½ szklanki częściowo odtłuszczonego sera ricotta
½ łyżeczki nie słodzonego proszku kakaowego
¼ łyżeczki olejku waniliowego
substytut cukru (słodzik)
szczypta kawy typu espresso
5 małych kawałeczków czekolady

Wymieszać razem ricottę, kakao, olejek waniliowy i słodzik (do smaku). Podawać schłodzony, posypany kawą i kawałeczkami czekolady.

Liczba porcji: 1

WARTOŚĆ ODŻYWCZA

1 porcja: 261 kalorii, 15 g białka, 17 g węglowodanów, 14 g tłuszczu,
9 g tłuszczów nasyconych, 166 mg sodu, 42 mg cholesterolu, 0 g błonnika

---

Krem z ricotty ze skórką z limonki

½ szklanki częściowo odtłuszczonego sera ricotta
¼ łyżeczki otartej skórki limonki
¼ łyżeczki olejku waniliowego
substytut cukru (słodzik)

Wymieszać razem ricottę, skórkę z limonki, olejek waniliowy i słodzik (do smaku). Podawać schłodzony.

Liczba porcji: 1

WARTOŚĆ ODŻYWCZA

1 porcja: 178 kalorii, 14 g białka, 7 g węglowodanów, 10 g tłuszczu,
6 g tłuszczów nasyconych, 155 mg sodu, 38 mg cholesterolu, 0 g błonnika

---

FAZA DRUGA

Jadłospis

Radzimy, żeby po dwóch tygodniach Fazy 1 przejść na tę złagodzoną formę diety. W tej fazie zaczynasz stopniowo wprowadzać z powrotem do jadłospisu pewne zdrowe węglowodany –
owoce, pieczywo i makarony z pełnego przemiału, pełnoziarnisty ryż,
słodkie ziemniaki (bataty). Utrata masy ciała następuje nieco wolniej
niż w fazie ścisłej, toteż niektórzy wolą kontynuować Fazę 1 nawet po
upływie 2 tygodni. Jeśli jesteś pewien, że potrafisz wytrwać jeszcze
przez tydzień lub dwa, zrób to. Jednak pamiętaj, że ze względu na
dość ograniczony wybór pokarmów Faza 1 nie jest dietą długofalową.
Powinieneś trzymać się Fazy 2, dopóki nie osiągniesz pożądanej masy
ciała, a wówczas przejść do Fazy 3. Niewątpliwie zdarzą ci się momen-
ty słabości, kiedy zboczysz z właściwego szlaku – na przykład pozwolisz sobie na zbyt dużo słodyczy podczas świąt czy wakacji. Mogą również przyjść w twoim życiu stresujące okresy, które sprawią, że przyty-
jesz kilka kilogramów. Jeśli do tego dojdzie, radzimy powrócić do fazy
ścisłej, ale dopóty, dopóki nie zrzucisz tego, co ci dodatkowo przybyło,
i nie wrócisz na właściwy kurs. Tak właśnie zaprojektowaliśmy dietę
South Beach – dzięki trzem fazom jest ona na tyle elastyczna, by
uwzględniać prawdziwe życie.

Dzień 1

Śniadanie

1 szklanka świeżych truskawek
Owsianka (½ szklanki tradycyjnych płatków owsianych zmieszanych
z 1 szklanką odtłuszczonego mleka, ugotowanych na wolnym ogniu
i posypanych cynamonem oraz łyżką stołową posiekanych
orzechów włoskich)
Kawa lub herbata bezkofeinowa z odtłuszczonym mlekiem
i substytutem cukru

Przekąska przedpołudniowa

1 jajko na twardo

Lunch

Śródziemnomorska sałatka z kurczaka (str. 220)

Przekąska popołudniowa

Surowa gruszka z jednym trójkątem serka Krówka Śmieszka light

Obiad

Filet z łososia faszerowany szpinakiem (str. 236)
Zapiekana mieszanka warzywna
Sałatka (mieszane warzywa liściaste, ogórek, zielona papryka,
pomidory winogronowe)
Oliwa z oliwek i ocet do smaku lub 2 łyżki sosu o niskiej zawartości
cukru

Deser

Truskawki maczane w czekoladzie (str. 252)

Dzień 2

Śniadanie

Koktajl jagodowy (25 dag owocowego jogurtu beztłuszczowego bez
cukru, ½ szklanki owoców jagodowych, ½ szklanki kruszonego
lodu; miksować do otrzymania gładkiej masy)
Kawa lub herbata bezkofeinowa z odtłuszczonym mlekiem
i substytutem cukru

Przekąska przedpołudniowa

1 jajko na twardo

Lunch

Cytrynowy kuskus z kurczakiem (str. 222)
Plasterki pomidora i ogórka

Przekąska popołudniowa

10 dag jogurtu beztłuszczowego bez cukru

Obiad

Klops (pieczeń rzymska) (str. 233)
Szparagi gotowane na parze
Pieczarki sauté smażone na oliwie z oliwek
Pomidor z cebulą, pokrojone w plasterki i skropione oliwą z oliwek

Deser

Plasterki kantalupy z 2 łyżkami sera ricotta

Dzień 3

Śniadanie
1 szklanka płatków zbożowych o wysokiej zawartości błonnika
(np. Uncle Sam) z $^3/_4$ szklanki odtłuszczonego mleka
1 szklanka świeżych truskawek
Kawa lub herbata bezkofeinowa z odtłuszczonym mlekiem
i substytutem cukru

Przekąska przedpołudniowa
Małe kwaśne jabłko z 1 łyżką masła orzechowego

Lunch
Sałatka grecka (str. 147)

Przekąska popołudniowa
10 dag jogurtu beztłuszczowego bez cukru

Obiad
Kurczak marynowany w ziołach (str. 229)
Sałatka „doskonała" (str. 245)
Cukinia i kabaczek pokrojone w długie, cienkie paski i ugotowane
na parze

Deser
Surowa gruszka z serem ricotta i orzechami włoskimi

Dzień 4

Śniadanie
½ świeżego grejpfruta
1 grzanka z chleba z pełnego ziarna z plasterkiem (ok. 3 dag) sera
cheddar o obniżonej zawartości tłuszczu, zapiekana,
dopóki ser się nie stopi
Kawa lub herbata bezkofeinowa z odtłuszczonym mlekiem
i substytutem cukru

Przekąska przedpołudniowa
10 dag jogurtu beztłuszczowego bez cukru

Lunch
Sałatka szefa kuchni (co najmniej po 30 g szynki, indyka i sera
niskotłuszczowego na mieszanych warzywach liściastych)
2 łyżki balsamicznego sosu winegret (str. 158) lub sosu o małej
zawartości cukru

Przekąska popołudniowa
Małe kwaśne jabłko z jednym trójkątem serka Krówka Śmieszka light

Obiad
Pakieciki z kurczaka z warzywami w stylu azjatyckim (str. 231)
Orientalna sałatka z kapusty (str. 187)

Deser
Krem migdałowy z ricotty (str. 191)

Dzień 5

Śniadanie
Koktajl jagodowy (25 dag owocowego jogurtu beztłuszczowego bez cukru, ½ szklanki owoców jagodowych, ½ szklanki kruszonego lodu; miksować do otrzymania gładkiej masy)
Kawa lub herbata bezkofeinowa z odtłuszczonym mlekiem i substytutem cukru

Przekąska przedpołudniowa
1 jajko na twardo

Lunch
Kanapka z rostbefem (8 dag pieczeni z chudego rostbefu, sałata, pomidor, cebula, musztarda i jedna kromka chleba z pełnego ziarna)

Przekąska popołudniowa
10 dag jogurtu beztłuszczowego bez cukru

Obiad
Kurczak i warzywa podsmażane na sposób chiński (str. 227)
Sałatka (mieszane warzywa liściaste, ogórek, zielona papryka, pomidory winogronowe)
Oliwa z oliwek i ocet do smaku lub 2 łyżki sosu o niskiej zawartości cukru

Deser
½ szklanki beztłuszczowego puddingu waniliowego bez cukru z 3–4 pokrojonymi truskawkami

Dzień 6

Śniadanie
180 ml soku wielowarzywnego
1 jajko w koszulce
1 angielski muffin z mąki z pełnego przemiału
Kawa lub herbata bezkofeinowa z odtłuszczonym mlekiem
    i substytutem cukru

Przekąska przedpołudniowa
Małe kwaśne jabłko z 1 łyżką masła orzechowego

Lunch
3/4 szklanki serka wiejskiego z 1/4 pokrojonej kantalupy
3 krakersy z pełnej pszenicy
Aromatyzowana galaretka bez cukru

Przekąska popołudniowa
Humus (str. 188) z surowymi warzywami (można użyć humusu
    kupionego w sklepie)

Obiad
Łatwy kurczak w winie (str. 228)
Kabaczek po włosku (str. 241)
Sałatka z rukoli, szpinaku i orzechów włoskich
Oliwa z oliwek i ocet balsamiczny do smaku lub 2 łyżki gotowego
    sosu o niskiej zawartości cukru

Deser
Kora pistacjowa (str. 253)

Dzień 7

Śniadanie
¼ kantalupy

1 grzanka z chleba pełnoziarnistego z plasterkiem (ok. 3 dag) sera cheddar o obniżonej zawartości tłuszczu, zapiekana, dopóki ser się nie stopi

Kawa lub herbata bezkofeinowa z odtłuszczonym mlekiem i substytutem cukru

Przekąska przedpołudniowa
10 dag jogurtu beztłuszczowego bez cukru

Lunch
Pomidor nadziewany sałatką z tuńczyka (85 g tuńczyka z zalewy wodnej, 1 łyżka posiekanego selera, 1 łyżka majonezu) podany na liściach sałaty

Przekąska popołudniowa
Baba Ghannouj (str. 251) z surowymi warzywami lub owinięty w liść sałaty

Obiad
Marynowany stek z łaty wołowej (str. 166)

Zielona i żółta fasola szparagowa z czerwoną papryką zasmażana w oliwie z oliwek

Purée „ziemniaczane" South Beach (str. 181)

Sałatka (mieszane warzywa liściaste, ogórek, zielona papryka, pomidory winogronowe)

Oliwa z oliwek i ocet do smaku lub 2 łyżki sosu o niskiej zawartości cukru

Deser
Plastry kantalupy z ćwiartką limonki

Dzień 8

Śniadanie
Parfait „Wschód słońca" (str. 214)
Kawa lub herbata bezkofeinowa z odtłuszczonym mlekiem
i substytutem cukru

Przekąska przedpołudniowa
1 jajko na twardo

Lunch
Sałatka z kurczaka z jabłkiem i orzechami włoskimi (str. 217)

Przekąska popołudniowa
10 dag jogurtu beztłuszczowego bez cukru

Obiad
Sola opiekana w lekkim sosie śmietanowym (str. 237)
Opiekany pomidor (str. 183)
Sałatka z sałaty masłowej
Oliwa z oliwek i ocet balsamiczny do smaku lub 2 łyżki sosu o niskiej
zawartości cukru

Deser
Krem z ricotty ze skórką cytrynową (str. 190)

Dzień 9

Śniadanie

Jajka po florencku (1 jajko w koszulce podane na ½ szklanki szpinaku
przysmażonego na niewielkiej ilości oliwy z oliwek)
Kawa lub herbata bezkofeinowa z odtłuszczonym mlekiem
i substytutem cukru

Przekąska przedpołudniowa

Małe kwaśne jabłko z 1 łyżką masła orzechowego

Lunch

Sałatka z kuskusu z pomidorami i bazylią (str. 221)

Przekąska popołudniowa

10 dag jogurtu beztłuszczowego bez cukru

Obiad

Kurczak salsa (str. 230)
Sałatka (mieszane warzywa liściaste, ogórek, zielona papryka,
pomidory winogronowe)
2 łyżki balsamicznego sosu winegret (str. 158) lub sosu o małej
zawartości cukru

Deser

Miseczki czekoladowe (str. 254)

Dzień 10

Śniadanie
Naleśnik z płatków owsianych (str. 213)
Kawa lub herbata bezkofeinowa z odtłuszczonym mlekiem
i substytutem cukru

Przekąska przedpołudniowa
Małe kwaśne jabłko z 1 łyżką masła orzechowego

Lunch
Sałatka szpinakowa z kurczakiem i malinami (można wykorzystać
pierś kurczaka pozostałą z dnia 9) (str. 216)

Przekąska popołudniowa
10 dag jogurtu beztłuszczowego bez cukru

Obiad
Klops (pieczeń rzymska) (str. 233)
Kabaczek po włosku (str. 241)

Deser
Truskawki ze słodzikiem Splenda (lub innym, według uznania)
lub porcją beztłuszczowej mrożonej bitej śmietanki

Dzień 11

Śniadanie
1 szklanka świeżych truskawek
1 szklanka płatków zbożowych o wysokiej zawartości błonnika
(np. Uncle Sam) z $^3/_4$ szklanki odtłuszczonego mleka
Kawa lub herbata bezkofeinowa z odtłuszczonym mlekiem
i substytutem cukru

Przekąska przedpołudniowa
1 jajko na twardo

Lunch
Pita z indykiem i pomidorem (85 g ugotowanego lub upieczonego
indyka w plasterkach, 3 plastry pomidora, $^1/_2$ szklanki posiekanej
sałaty, 1 łyżeczka musztardy Dijon w picie z mąki z pełnego ziarna)

Przekąska popołudniowa
10 dag jogurtu beztłuszczowego bez cukru

Obiad
Dorsz w papilotach (str. 240)
Sałatka z sałaty masłowej
Oliwa z oliwek i ocet balsamiczny do smaku lub 2 łyżki sosu
o niskiej zawartości cukru

Deser
Pieczone jabłko

Dzień 12

Śniadanie
½ grejpfruta
1 jajko w dowolnej postaci
1 kromka chleba z 7 zbóż
Dżem niskosłodzony
Kawa lub herbata bezkofeinowa z odtłuszczonym mlekiem
i substytutem cukru

Przekąska przedpołudniowa
1 paluszek z częściowo odtłuszczonej mozzarelli

Lunch
Zupa pomidorowa (str. 226)
Hamburger z siekanej polędwicy wołowej z 1 plasterkiem pomidora
i 1 plasterkiem cebuli w picie z pełnego ziarna

Przekąska popołudniowa
Baba Ghannouj (str. 251) z surowymi warzywami lub owinięty
w liść sałaty

Obiad
Sałatka z grillowanego kurczaka z sosem tzatziki (str. 243)
Opiekane szparagi skropione oliwą z oliwek
Sałatka (mieszane warzywa liściaste, ogórek, zielona papryka,
pomidory winogronowe)
2 łyżki balsamicznego sosu winegret (str. 158) lub sosu o małej
zawartości cukru

Deser
Surowa gruszka z serem ricotta i orzechami włoskimi

Dzień 13

Śniadanie
1 szklanka czarnych jagód
Jajecznica z jednego jajka z salsą pomidorową
Owsianka (½ szklanki tradycyjnych płatków owsianych zmieszanych
z 1 szklanką odtłuszczonego mleka, ugotowanych na wolnym ogniu
i posypanych cynamonem oraz łyżką stołową posiekanych
orzechów włoskich)
Kawa lub herbata bezkofeinowa z odtłuszczonym mlekiem
i substytutem cukru

Przekąska przedpołudniowa
10 dag jogurtu beztłuszczowego bez cukru

Lunch
Sałatka z tuńczyka (85 g tuńczyka z zalewy wodnej, 1 łyżka
siekanego selera, 1 łyżka majonezu, 3 plasterki pomidora,
3 plasterki cebuli) w picie z pełnego ziarna

Przekąska popołudniowa
1 paluszek z częściowo odtłuszczonej mozzarelli

Obiad
Stek pieczony z cebulą (str. 232)
Sałatka South Beach (str. 244)
Brokuły gotowane na parze

Deser
Truskawki maczane w czekoladzie (str. 252)

Dzień 14

Śniadanie
180 ml soku wielowarzywnego
Jajka zapiekane w miseczkach z chudego bekonu
1 grzanka z chleba z 7 zbóż
Kawa lub herbata bezkofeinowa z odtłuszczonym mlekiem
i substytutem cukru

Przekąska przedpołudniowa
10 dag jogurtu beztłuszczowego bez cukru

Lunch
Pizza Portobello (str. 223)

Przekąska popołudniowa
Małe kwaśne jabłko z jednym trójkątem sera Krówka Śmieszka light

Obiad
Łosoś z grilla
Kuskus
Sałatka z białych szparagów (str. 248)

Deser
Świeże truskawki z kremem z ricotty ze skórką z limonki (str. 192)

Co można z powrotem wprowadzić do jadłospisu

OWOCE

Brzoskwinie
Czarne jagody
Grejpfruty
Gruszki
Jabłka
Kantalupa
Kiwi
Mango
Morele, świeże i suszone
Pomarańcze
Śliwki
Truskawki
Winogrona
Wiśnie

NABIAŁ

Jogurty o smaku owocowym light
  naturalne niskotłuszczowe lub 0%
Mleko sojowe light odtłuszczone
  lub 1%

SKROBIE (RZADKO)

Angielskie muffiny z otrębami bez
  cukru (bez rodzynek)
Bajgle, małe, z pełnego ziarna
Makarony z pełnego ziarna

Pieczywo wielozbożowe
  z owsa i otrębów owsianych
  ryżowe z pełnej pszenicy
Pita pieczona ze śruty
  z mąki pszennej z pełnego
  ziarna
Płatki o wysokiej zawartości
  błonnika
Płatki owsiane
  (ale nie błyskawiczne)
Płatki zbożowe
Prażona kukurydza
Ryż brązowy dziki
Zielony groszek
Ziemniaki, małe, słodkie

WARZYWA I ROŚLINY STRĄCZKOWE

Fasola „Czarne oczko"
Fasola pinto
Jęczmień

INNE

Czekolada (rzadko) gorzka
  deserowa
Pudding beztłuszczowy
Wino czerwone

Czego należy unikać
lub jeść bardzo rzadko

SKROBIE I PIECZYWO

Bajgle z oczyszczonej mąki pszennej
Bułki z białej mąki
Ciasteczka
Ciasteczka ryżowe
Maca
Makarony z białej mąki
Pieczywo z oczyszczonej mąki
  pszennej białe
Płatki kukurydziane
Ryż, biały
Ziemniaki pieczone białe

WARZYWA

'Buraki
Kukurydza

Marchew
Ziemniaki

OWOCE

Ananas
Arbuz
Banany
Owoce z puszki w soku
Rodzynki
Soki owocowe

INNE

Dżemy
Lody
Miód

FAZA DRUGA
Przepisy kulinarne

Teraz, kiedy przezwyciężyłeś insulinooporność i schudłeś około 5 kilogramów, jesteś gotów przystąpić do długofalowego programu utraty masy ciała. W Fazie 2 zaczynamy stopniowo wprowadzać węglowodany z powrotem do jadłospisu, zaczynając od tych o niskim indeksie glikemicznym, takich jak płatki owsiane i kuskus. Przedstawione w tym rozdziale przepisy kulinarne nadal nie zalecają węglowodanów, które wprawdzie należą do „dobrych", jednak mają wysoki indeks glikemiczny, takich jak słodkie ziemniaki, makaron lub chleb z mąki z pełnego przemiału czy pełnoziarnisty ryż. Jednak elastyczność tej diety umożliwia ci dodawanie tych nie przetworzonych węglowodanów, kiedy uznasz to za właściwe. W tej fazie masz również do wyboru ciekawsze desery, np. truskawki maczane w czekoladzie.

 ŚNIADANIA

Naleśnik z płatków owsianych

½ szklanki tradycyjnych (nie błyskawicznych) płatków owsianych
¼ szklanki niskotłuszczowego serka wiejskiego (lub tofu)
4 białka
¼ łyżeczka olejku waniliowego
¼ łyżeczki cynamonu
¼ łyżeczki gałki muszkatołowej

Zmiksować płatki owsiane, serek, białka, olejek waniliowy, cynamon i gałkę muszkatołową na gładką masę.

Patelnię z powłoką nieprzyczepną natłuścić oliwą. Wlać ciasto na patelnię i smażyć na średnim ogniu, aż obie strony lekko się zrumienią.

Naleśnik można polać dowolnym syropem niskocukrowym.

Liczba porcji: 1

WARTOŚĆ ODŻYWCZA

1 porcja: 288 kalorii, 28 g białka, 32 g węglowodanów, 4 g tłuszczu, 1 g tłuszczów nasyconych, 451 mg sodu, 5 mg cholesterolu, 5 g błonnika

---

Parfait „Wschód słońca"

1 szklanka pokrojonych truskawek
1 szklanka beztłuszczowego jogurtu waniliowego bez cukru
½ szklanki płatków zbożowych

Ułożyć truskawki, jogurt i płatki warstwami w dwóch pucharkach do deseru na nóżce.

Liczba porcji: 2

WARTOŚĆ ODŻYWCZA

1 porcja: 185 kalorii, 8 g białka, 37 g węglowodanów, 1 g tłuszczu, 0 g tłuszczów nasyconych, 102 mg sodu, 3 mg cholesterolu, 6 g błonnika

---

LUNCHE

Sałatka z gotowanego łososia ze szpinakiem

2 łyżki oliwy z oliwek (extra virgin)
25 dag oczyszczonego świeżego szpinaku
$\frac{1}{4}$ łyżeczki soli
$\frac{1}{8}$ łyżeczki świeżo zmielonego czarnego pieprzu
$\frac{1}{2}$ szklanki posiekanej cebuli
3 duże świeże pomidory obrane, pozbawione pestek i pokrojone
na kawałki grubości ok. 1 cm.
gotowany łosoś pozostały z „Łososia gotowanego w sosie
koperkowo-ogórkowym" (str. 171)
1 łyżka grubo posiekanej natki pietruszki (według uznania)

Na patelni rozgrzać 1 łyżkę oliwy na średnim ogniu. Smażyć szpinak przez 1,5 minuty. Wymieszać z solą i pieprzem, a następnie rozłożyć go na 4 talerze.

Podgrzać na patelni pozostałą łyżkę oliwy. Smażyć na niej cebulę i pomidory na średnim ogniu, aż cebula będzie miękka, ok. 5–6 minut.

Na warstwie szpinaku ułożyć łososia, a na nim pomidory z cebulą. Udekorować posiekaną natką pietruszki (według uznania).

Liczba porcji: 4

WARTOŚĆ ODŻYWCZA

1 porcja: 98 kalorii, 2 g białka, 9 g węglowodanów, 7 g tłuszczu,
1 g tłuszczów nasyconych, 162 mg sodu, 0 mg cholesterolu, 2 g błonnika

---

Sałatka szpinakowa z kurczakiem i malinami

¼ szklanki octu z malin lub octu z białego wina
5 łyżek oliwy z oliwek (extra virgin)
1 łyżeczka miodu
½ łyżeczki drobno posiekanej skórki pomarańczowej
⅛ łyżeczki soli
¼ łyżeczki świeżo zmielonego czarnego pieprzu
4 połówki piersi kurczaka, bez kości i skóry (razem ok. 35 dag)
8–10 szklanek podartych liści szpinaku lub mieszanych warzyw liściastych
1 szklanka świeżych malin
1 obrana, pozbawiona pestek i pokrojona na plasterki papaja

W zakręcanym słoiku umieścić ocet, 4 łyżki oliwy, miód, skórkę pomarańczową, sól i pieprz. Zakręcić i przez chwilę mocno potrząsać. Sos trzymać w lodówce do czasu jego podania.

Na średniej patelni smażyć piersi kurczaka na pozostałej łyżce oliwy na średnim ogniu przez 8–10 minut lub do chwili, aż będą miękkie i stracą różowy kolor. Często przewracać, żeby równo się zrumieniły. Zdjąć mięso z patelni i pokroić w cienkie paski wielkości kęsa.

W dużej misce wymieszać razem ciepłe paski kurczaka ze szpinakiem lub mieszanką warzyw liściastych. Wstrząsnąć mocno sos i polać nim otrzymaną mieszaninę. Dodać maliny. Lekko zamieszać, żeby dobrze rozprowadzić sos.

Rozłożyć sałatkę na 4 talerzyki deserowe i ozdobić plasterkami papai.

Papaję można zastąpić dwoma średnimi nektarynkami pokrojonymi w plasterki lub dwoma brzoskwiniami obranymi ze skórki.

Liczba porcji: 4

WARTOŚĆ ODŻYWCZA

1 porcja: 320 kalorii, 22 g białka, 16 g węglowodanów, 19 g tłuszczu, 3 g tłuszczów nasyconych, 199 mg sodu, 49 mg cholesterolu, 5 g błonnika

Sałatka z kurczaka z jabłkiem
i orzechami włoskimi

15 dag ugotowanej piersi kurczaka pokrojonej w kawałki
  o grubości 1,5–2 cm
$\frac{1}{2}$ szklanki posiekanego selera
$\frac{3}{4}$ szklanki posiekanego jabłka
6 dag posiekanych orzechów włoskich
1 łyżka rodzynek
$\frac{1}{3}$ szklanki gotowego sosu włoskiego o niskiej zawartości cukru
sałata masłowa

W średniej misce delikatnie wymieszać kurczaka, seler, jabłko, orzechy i rodzynki. Polać sosem i jeszcze raz ostrożnie wymieszać, by równomiernie pokrył składniki.
Podawać na liściach sałaty.

Liczba porcji: 2

WARTOŚĆ ODŻYWCZA

1 porcja: 444 kalorie, 27 g białka, 33 g węglowodanów, 25 g tłuszczu,
3 g tłuszczów nasyconych, 391 mg sodu, 63 mg cholesterolu, 8 g błonnika

---

BLUE DOOR
W HOTELU DELANO

1685 Collins Avenue, Miami Beach

SZEF KUCHNI: ELIZABETH BARLOW

BLUE DOOR, RESTAURACJA ZNAJDUJĄCA SIĘ
W HOTELU DELANO, JEDNYM Z NAJMODNIEJSZYCH
MIEJSC POBYTU W MIAMI BEACH,
ZOSTAŁA ZALICZONA PRZEZ MAGAZYN „ESQUIRE"
DO NAJLEPSZYCH NOWYCH RESTAURACJI
AMERYKAŃSKICH ROKU 1998.
W ELEGANCKIM, URZĄDZONYM W STYLU ART DECO
WNĘTRZU CLAUDE TROISGROS, DORADCA KULINARNY,
POŁĄCZYŁ SIŁY Z ELIZABETH BARLOW,
MISTRZEM KUCHARSKIM, BY STWORZYĆ
NOWOCZESNĄ KUCHNIĘ,
OPARTĄ NA TRADYCJACH FRANCUSKICH
ZABARWIONYCH WPŁYWAMI TROPIKÓW

Cielęcina moutarde 4 pax

4 średnie zmielone szalotki
2 zmielone ząbki czosnku
2 łyżeczki musztardy Dijon
2 łyżeczki octu balsamicznego
4 szklanki bulionu cielęcego lub wołowego
4 małe dojrzałe na krzaku pomidory, obrane ze skórki, pozbawione
    nasion i pokrojone w średnią kostkę
3 dag nasion gorczycy
4 kotlety cielęce (ok. 30 dag) z odciętą kością
sól
świeżo zmielony czarny pieprz
¼ szklanki oliwy z oliwek
3 łyżeczki masła
4 ząbki czosnku
4 gałązki świeżego rozmarynu smażone przez 10 sekund

Zmielony czosnek i połowę szalotki smażyć na średnim ogniu na 1 łyżeczce masła, aż staną się przejrzyste (około 20–30 sekund).

Dodać musztardę i ocet i podgrzewać, dopóki niemal cały ocet nie wyparuje (około minuty). Dodać bulion i wygotować go do połowy, tak żeby pozostało około 2 szklanek.

Pomidory wraz z pozostałą szalotką smażyć na 2 łyżeczkach masła przez około 1,5 minuty. Dodać nasiona gorczycy.

Przecedzić zagęszczony bulion przez sitko i wlać do przysmażonych pomidorów. Dodać soli i pieprzu do smaku.

Przyprawić kotlety cielęce solą i pieprzem. Obsmażać na oliwie przez 1,5 minuty z każdej strony lub do chwili, gdy na ich powierzchni utworzy się złotobrązowa skórka. Przełożyć do piekarnika i piec w temperaturze 180°C przez 8–12 minut lub dopóki nie osiągną pożądanej miękkości. Następnie wyjąć z piekarnika i pozostawić na 3–4 minuty.

Ułożyć na środku płytkiej miski, oblać dookoła sosem (6 g) i udekorować smażoną gałązką rozmarynu i opieczonym ząbkiem czosnku.

Liczba porcji: 4

WARTOŚĆ ODŻYWCZA
1 porcja: 340 kalorii, 19 g białka, 13 g węglowodanów, 24 g tłuszczu, 5 g tłuszczów nasyconych, 958 mg sodu, 56 mg cholesterolu, 2 g błonnika

Śródziemnomorska sałatka z kurczaka

Sos

½ szklanki gotowego sosu włoskiego o niskiej zawartości cukru

1 łyżka sosu z pieprzem cayenne

½ łyżki suszonych liści mięty

¼ łyżki sproszkowanych nasion gorczycy

Sałatka

45 dag piersi kurczaka bez kości i skóry

2 łyżki oliwy z oliwek (extra virgin)

2 szklanki preparowanej pszenicy (bulghuru)

1½ szklanki ogórka pokrojonego w kostkę

1½ szklanki pomidorów pokrojonych w kostkę

1 szklanka zmielonej dymki

½ szklanki posiekanej natki pietruszki

liście sałaty rzymskiej

Przygotowanie sosu: Ubić sos włoski, sos pieprzowy, miętę i sproszkowaną gorczycę. Nakryć i pozostawić w lodówce do czasu podania.

Przygotowanie sałatki: Na średniej patelni smażyć kurczaka na oliwie na średnim ogniu przez 8–10 minut lub do chwili, aż będzie miękki i straci różowy kolor. Często przewracać, żeby się równo zrumienił. Następnie zdjąć mięso z patelni i pokroić w cienkie paski wielkości kęsa. Pozostawić do ostygnięcia, a następnie umieścić w lodówce, żeby całkowicie się schłodził.

W misce wymieszać kawałki kurczaka z kaszą, ogórkiem, pomidorem, cebulą i natką pietruszki. Podawać na liściach sałaty, skropione sosem.

Liczba porcji: 6

WARTOŚĆ ODŻYWCZA

1 porcja: 220 kalorii, 20 g białka, 18 g węglowodanów, 8 g tłuszczu, 1 g tłuszczów nasyconych, 279 mg sodu, 45 mg cholesterolu, 4 g błonnika

Sałatka z kuskusu z pomidorami i bazylią

$3/4$ szklanki ugotowanego kuskusu
1 posiekany pomidor
$1/3$ szklanki ciecierzycy z puszki, osączonej i przepłukanej
2 posiekane szalotki
1 łyżeczka oliwy z oliwek (extra virgin)
1 łyżka świeżego soku z cytryny
1 łyżka posiekanej świeżej bazylii
sałata

Wymieszać w misce kuskus, pomidory, ciecierzycę, szalotkę, oliwę, sok z cytryny i bazylię.
Podawać na liściach sałaty.

Liczba porcji: 7

WARTOŚĆ ODŻYWCZA

1 porcja: 43 kalorie, 2 g białka, 7 g węglowodanów, 1 g tłuszczu,
0 g tłuszczów nasyconych, 0 mg sodu, 0 mg cholesterolu, 1 g błonnika

---

Cytrynowy kuskus z kurczakiem

1¼ szklanki wody
1 łyżka oliwy z oliwek (extra virgin)
2 szklanki różyczek brokułów
1 paczka Roasted Garlic & Olive Oil Couscous (kuskus z pieczonym
    czosnkiem i oliwą z oliwek) firmy Near East
1½ szklanki posiekanego ugotowanego kurczaka
sok z jednej cytryny (około 3 łyżek)
¼ łyżeczki skórki cytrynowej

Na dużej patelni doprowadzić do wrzenia wodę z oliwą, brokułami i zawartością torebki z przyprawami z paczki z kuskusem. Dodać kuskus, kurczaka, sok cytrynowy i skórkę cytrynową. Zestawić z palnika. Nakryć i zostawić na 5 minut. Lekko spulchnić widelcem.
Dobrze schłodzić i podawać na zimno.

Liczba porcji: 4

WARTOŚĆ ODŻYWCZA

1 porcja: 311 kalorii, 24 g białka, 39 g węglowodanów, 7 g tłuszczu,
1 g tłuszczów nasyconych, 476 mg sodu, 45 mg cholesterolu, 3 g błonnika

---

Pizza Portobello

1 łyżeczka oliwy z oliwek (extra virgin)
1 zmielony ząbek czosnku
17 dag umytych kapeluszy pieczarek
szczypta soli
szczypta świeżo zmielonego czarnego pieprzu
35 dag sera mozzarella pokrojonego w plasterki lub utartego
na wiórki
10 liści świeżej bazylii
2 świeże pomidory, pokrojone w plasterki i opieczone
liście oregano (według uznania)

W małej miseczce wymieszać oliwę z czosnkiem i dokładnie natrzeć tą mieszaniną kapelusze pieczarek. Pieczarki ułożyć wierzchołkami na dół na posmarowanej oliwą blaszce, tworząc z nich okrąg. Oprószyć solą i pieprzem. Na wierzchu kolejnych grzybów kłaść na zmianę ser, bazylię lub plasterek pomidora. Posypać oregano (według uznania).

Piec w temperaturze 230°C, aż roztopi się ser (około 3 minut).

Liczba porcji: 2

WARTOŚĆ ODŻYWCZA

1 porcja: 549 kalorii, 36 g białka, 14 g węglowodanów, 40 g tłuszczu, 23 g tłuszczów nasyconych, 651 mg sodu, 133 mg cholesterolu, 3 g błonnika

---

RUMI SUPPER CLUB

330 Lincoln Road, Miami Beach

SZEFOWIE KUCHNI: SCOTT FREDEL I J. D. HARRIS

RUMI, Z NOWATORSKIM MENU
I WSPANIAŁYM WYSTROJEM WNĘTRZA, JEST MIEJSCEM,
GDZIE MOŻNA NAJPIERW ZJEŚĆ WYŚMIENITĄ KOLACJĘ,
A PÓŹNYM WIECZOREM RÓWNIEŻ POTAŃCZYĆ.
KUCHNIA RUMI SERWUJE NOWOCZESNE DANIA
FLORYDZKO-KARAIBSKIE, A W LOKALU
NIE MA ZAMRAŻARKI, GDYŻ CODZIENNIE
JEST TU PRZYWOŻONY ŚWIEŻY POŁÓW.

Siekana sałatka Rumi z cytrynowym sosem winegret

Sałatka
1 burak
60 ml octu z sherry
1 czerwona papryka pomidorowa
3 dag orzechów pekan
3 dag oliwek kalamata
6 liści bazylii
1 szalotka

Sos winegret

60 ml soku z cytryny
sól
biały pieprz
1 jajko
1 łyżeczka musztardy Dijon
90 ml oliwy z oliwek
90 ml oleju rzepakowego (canola)
1 główka cykorii endywii, poszatkowana w cienkie paski
3 dag liści endywii kędzierzawej
1 pomarańcza, obrana ze skórki i rozdzielona na cząstki

Przygotowanie sałatki: Upiec burak do miękkości i pokroić w kostkę. Sok, który wyciehnie, wlać do octu i razem zagotować, tak że powstanie marynata buraczana. Przecedzić marynatę i zalać nią kostki buraka. Upiec paprykę i pokroić w kostki. Upiec orzechy pekan i posiekać, zostawiając kilka całych do dekoracji. Pokroić oliwki w plasterki, liście bazylii w paski, a szalotkę drobno posiekać.

Przygotowanie sosu winegret: Zmiksować razem sok z cytryny, sól, pieprz, jajko i musztardę. Następnie dodawać powoli olej, nadal mieszając, żeby utworzyła się emulsja.

Wymieszać cykorię endywię, endywię kędzierzawą, pomarańczę, paprykę, orzeszki pekan, oliwki, bazylię i szalotkę z sosem winegret. Na talerzu ułożyć niewielką górkę z pokrojonych buraków (wraz z marynatą), a na niej wymieszaną z sosem sałatkę. Ozdobić całym orzechem.

Ponieważ jajka nie są pasteryzowane, być może wolisz użyć płynnego substytutu (np. Egg Beaters). $^1/_4$ *płynnego substytutu jajka odpowiada jednemu całemu jajku.*

Liczba porcji: 6

WARTOŚĆ ODŻYWCZA

1 porcja: 338 kalorii, 2 g białka, 9 g węglowodanów, 33 g tłuszczu, 4 g tłuszczów nasyconych, 120 mg sodu, 35 mg cholesterolu, 3 g błonnika

Zupa pomidorowa

1 mała posiekana cebula
¼ szklanki pokrojonych w plasterki pieczarek
9 dag pokrojonej w kostkę szynki
¼ łyżeczki oliwy z oliwek (extra virgin)
1 zmielony ząbek czosnku
⅛ łyżeczki słodkiej papryki
szczypta zmielonego ziela angielskiego
1 puszka (400 ml) odtłuszczonego bulionu z kurczaka
1 puszka (42 dag) ciecierzycy
3 całe obrane pomidory

W dużym garnku wymieszać cebulę, pieczarki, szynkę, oliwę, czosnek, paprykę i ziele angielskie. Gotować przez minutę. Dodać bulion z kurczaka, ciecierzycę i pomidory. Nakryć i gotować na wolnym ogniu przez 15 minut.

Zmiksować i podawać.

Liczba porcji: 2

WARTOŚĆ ODŻYWCZA

1 porcja: 404 kalorie, 29 g białka, 58 g węglowodanów, 7 g tłuszczu, 2 g tłuszczów nasyconych, 1341 mg sodu, 25 mg cholesterolu, 12 g błonnika

OBIADY

Kurczak i warzywa podsmażane na sposób chiński

3 łyżki oleju rzepakowego (canola)
20 dag ugotowanej piersi kurczaka pokrojonej ukośnie w plasterki grubości ok. 3 mm
30 dag mrożonej mieszanki warzyw, zawierającej brokuły, fasolkę szparagową, czerwoną paprykę i pieczarki
2 łyżki wody
2 łyżki sosu sojowego
30 dag świeżego szpinaku

Podgrzać dużą, ciężką patelnię lub wok na silnym ogniu, tak żeby kropla wody rzucona na metal od razu parowała. Wlać na patelnię półtorej łyżki oleju i obracać ją delikatnie we wszystkich kierunkach, żeby tłuszcz pokrył całą powierzchnię. Kiedy olej będzie gorący (ale nie będzie dymił), wrzucić kawałki kurczaka i smażyć, ciągle mieszając, przez 2 minuty. Następnie przełożyć mięso do miski.

Resztę oleju rozgrzać na patelni. Kiedy będzie gorący, włożyć mrożone warzywa i smażyć, mieszając, mniej więcej przez 4 minuty, aż większe kawałki zmiękną w środku. Wówczas wrzucić kurczaka z powrotem na patelnię, dodać wodę i sos sojowy i smażyć, ciągle mieszając, przez dalsze 2 minuty. Dodać szpinak. Przykryć patelnię i dusić na średnim ogniu przez 2 minuty. Za pomocą szczypiec obrócić szpinak, żeby równo się zagrzał; nakryć i dusić jeszcze przez 2 minuty.

Wyjąć kurczaka i warzywa za pomocą łyżki cedzakowej. Wlać wywar do małych miseczek i podawać jako sos.

Liczba porcji: 4

WARTOŚĆ ODŻYWCZA

1 porcja: 232 kalorie, 23 g białka, 7 g węglowodanów, 13 g tłuszczu, 2 g tłuszczów nasyconych, 616 mg sodu, 48 mg cholesterolu, 4 g błonnika

Łatwy kurczak w winie

4 łyżki oliwy z oliwek (extra virgin)
1 rozgnieciony ząbek czosnku
3 połówki piersi kurczaka bez kości i skóry pokrojone w paski
⅛ łyżeczki soli
¼ łyżeczki grubo zmielonego czarnego pieprzu
½ szklanki wytrawnego białego wina
3 średnie pomidory pokrojone w plasterki

Na średniej patelni podgrzać olej i czosnek na średnim ogniu. Posypać kurczaka solą i pieprzem, a następnie włożyć go na patelnię i smażyć przez 7–10 minut. Dodać białe wino i podgrzewać przez dalsze 2 minuty.

Zdjąć pierś kurczaka na półmisek. Pomidory obsmażyć do miękkości. Ułożyć je na kurczaku i wszystko polać sosem, który wytworzył się na patelni.

Liczba porcji: 4

WARTOŚĆ ODŻYWCZA

1 porcja: 190 kalorii, 6 g białka, 5 g węglowodanów, 15 g tłuszczu,
2 g tłuszczów nasyconych, 117 mg sodu, 12 mg cholesterolu, 1 g błonnika

---

Kurczak marynowany w ziołach

6 połówek piersi kurczaka bez kości i skóry
½ szklanki białego wina
2 łyżki oliwy z oliwek (extra virgin) lub oleju rzepakowego (canola)
1 łyżka białego octu
2 łyżeczki pokruszonej suszonej bazylii
1 łyżeczka pokruszonego suszonego oregano lub estragonu
½ łyżeczki proszku cebulowego
2 zmielone ząbki czosnku

W dużej misie ustawić grubą torebkę do przechowywania żywności ze szczelnym zamknięciem u góry. Włożyć do niej kurczaka, dodać wino, olej, ocet, bazylię, oregano lub estragon, proszek cebulowy i czosnek. Zamknąć szczelnie torebkę i obracać nią tak, żeby mieszanina przypraw dobrze pokryła mięso. Marynować przez 5–24 godzin, trzymając w lodówce i od czasu do czasu odwracając torbę na drugą stronę.

Następnie osączyć kurczaka, zostawiając marynatę. Ułożyć kurczaka w opiekaczu lub na nie podgrzanym ruszcie ułożonym na blasze w piekarniku z funkcją opiekacza. Posmarować marynatą. Piec w odległości 10–13 cm od źródła ciepła przez 20 minut lub aż mięso delikatnie się zrumieni, często smarując marynatą. Odwrócić kurczaka na drugą stronę i piec przez kolejne 5–15 minut, aż mięso będzie miękkie i straci różowy kolor.

Liczba porcji: 6

WARTOŚĆ ODŻYWCZA
1 porcja: 185 kalorii, 26 g białka, 1 g węglowodanów, 6 g tłuszczu, 1 g tłuszczów nasyconych, 75 mg sodu, 66 mg cholesterolu, 0 g błonnika

Kurczak salsa

8 szklanek drobno poszatkowanej sałaty lodowej
3 łyżki chili w proszku
1 łyżeczka zmielonego kminku
45 dag piersi kurczaka bez kości i skóry pokrojonych w kawałki
o grubości 2,5 cm
2 białka z dużych jajek
2 łyżki oliwy z oliwek (extra virgin)
25 dag salsy pomidorowej (nieprzetartej)
½ szklanki odtłuszczonej kwaśnej śmietany
gałązki kolendry (według uznania)

Rozłożyć sałatę na 4 talerzach, nakryć i odstawić. W dużej misce zmieszać chili i zmielony kminek. Włożyć mięso kurczaka i obracać, żeby przyprawy dokładnie je pokryły. Wyjąć kawałki mięsa, otrząsnąć nadmiar przypraw, zanurzyć w białku i ponownie obtoczyć w przyprawach.

Na dużej patelni z powłoką nieprzyczepną lub w woku rozgrzać olej na średnim ogniu. Kiedy będzie gorący, włożyć kurczaka i smażyć, delikatnie mieszając, aż przestanie być różowy w środku. Przekroić, żeby sprawdzić (po 5–7 minutach). Zdjąć mięso z patelni i trzymać w cieple. Na patelnię wlać salsę, zmniejszyć ogień i gotować, mieszając, aż dokładnie się zagrzeje i nieco zgęstnieje.

Ułożyć kurczaka na sałacie. Na mięso nałożyć salsę i kwaśną śmietanę. Udekorować kolendrą (według uznania).

Liczba porcji: 4

WARTOŚĆ ODŻYWCZA

1 porcja: 266 kalorii, 32 g białka, 12 g węglowodanów, 10 g tłuszczu, 2 g tłuszczów nasyconych, 457 mg sodu, 66 mg cholesterolu, 5 g błonnika

Pakieciki z kurczaka z warzywami w stylu azjatyckim

$\frac{1}{3}$ szklanki wytrawnej sherry lub wermutu
3 łyżki sosu sojowego o niskiej zawartości sodu
2 łyżeczki oleju sezamowego
$\frac{1}{4}$ szklanki drobno posiekanej dymki
1 łyżeczka świeżo utartego imbiru
1 łyżeczka drobno posiekanego czosnku
4 połówki piersi kurczaka bez kości i skóry pokrojone w kawałki
   o grubości ok. 1,5 cm
1 czerwona papryka pomidorowa pokrojona w plasterki
30 dag groszku bezłykowego w strączkach
30 dag różyczek brokułów
15 dag orzechów wodnych

Rozgrzać piekarnik do 230°C lub dość mocno rozpalić grill. W małej misce wymieszać sherry lub wermut, sos sojowy, oliwę, cebulę, cynamon i czosnek. Włożyć kurczaka, paprykę, groszek, brokuły i orzechy wodne i dokładnie wymieszać z przyprawami.

Przygotować cztery arkusze grubej folii aluminiowej o wymiarach mniej więcej 30×40 cm. Na każdym z nich ułożyć na środku jedną czwartą mieszaniny kurczaka z dodatkami. Podnieść brzegi folii i dokładnie zawinąć na górze i po bokach, tak żeby pakieciki były zamknięte. Piec przez 15–18 minut na blasze w piekarniku lub 12–14 minut na grillu z pokrywą.

Liczba porcji: 4

WARTOŚĆ ODŻYWCZA

1 porcja: 244 kalorie, 32 g białka, 16 g węglowodanów, 4 g tłuszczu, 1 g tłuszczów nasyconych, 855 mg sodu, 66 mg cholesterolu, 7 g błonnika

---

Stek pieczony z cebulą

1 łyżka oliwy z oliwek (extra virgin)
2 łyżki octu balsamicznego
1 łyżka sosu Worcestershire
1 łyżka musztardy Dijon
2 zmielone ząbki czosnku
45 dag łaty wołowej
1 łyżka kruszonego czarnego pieprzu
½ łyżeczki soli
1 szklanka odtłuszczonego bulionu z kurczaka
1 średnia cebula pokrojona w krążki o grubości ok. 7 mm

W dużym naczyniu do zapiekanek (nie może być aluminiowe) wymieszać oliwę, ocet, sos Worcestershire, musztardę i czosnek. Włożyć mięso i obtoczyć je w przyprawach. Przykryć naczynie i wstawić do lodówki na 30 minut lub do następnego dnia. W międzyczasie mięso raz obrócić.

Patelnię z powłoką nieprzyczepną natłuścić oliwą i rozgrzać na dość silnym ogniu. Oprószyć mięso solą i pieprzem. Obsmażyć je na patelni (po 2 minuty z każdej strony). Dodać ½ szklanki bulionu i podgrzewać dalej przez 5–6 minut z każdej strony (średnio wysmażony stek). Zdjąć mięso z patelni i przykryć je, żeby nie ostygło. Zmniejszyć ogień pod patelnią do średniego i dusić cebulę, aż przybierze złotobrązowy kolor, po 4–5 minut z każdej strony. W razie potrzeby podlewać pozostałym bulionem, żeby nie przywarła do patelni.

Pokroić stek w cienkie plastry w poprzek włókien; podawać z cebulą.

Liczba porcji: 4

WARTOŚĆ ODŻYWCZA
1 porcja: 239 kalorii, 24 g białka, 7 g węglowodanów, 12 g tłuszczu, 4 g tłuszczów nasyconych, 580 mg sodu, 55 mg cholesterolu, 1 g błonnika

Klops (pieczeń rzymska)

15 dag przecieru pomidorowego (bez dodatku soli)
½ szklanki wytrawnego czerwonego wina
½ szklanki wody
1 zmielony ząbek czosnku
½ łyżeczki suszonych liści bazylii
¼ łyżeczki suszonych liści oregano
¼ łyżeczki soli
45 dag mielonego z piersi indyka
1 szklanka płatków owsianych
¼ szklanki płynnego substytutu jajka (1 jajko)
½ szklanki startej na wiórki cukinii

Rozgrzać piekarnik do 180°C. W małym garnku wymieszać przecier pomidorowy, wino, wodę, czosnek, bazylię, oregano i sól. Doprowadzić do wrzenia, a następnie zmniejszyć ogień. Gotować powoli bez przykrycia przez 15 minut, a następnie odstawić.

W dużej misce dokładnie wymieszać mielone mięso z płatkami owsianymi, substytutem jajka, cukinią i ½ szklanki wywaru z przecierem. Uformować klops i umieścić go w foremce do pieczenia o wymiarach 20×10 cm (foremki nie natłuszczać). Piec 45 minut. Sok, który wyciekanie, wylać. Polać wierzch klopsa ½ szklanki pozostałego wywaru pomidorowego. Piec następne 15 minut.

Wyłożyć klops na półmisek. Przed pokrojeniem odczekać 10 minut. Pozostały sos pomidorowy podać osobno.

Liczba porcji: 8

WARTOŚĆ ODŻYWCZA

1 porcja: 188 kalorii, 12 g białka, 12 g węglowodanów, 10 g tłuszczu, 3 g tłuszczów nasyconych, 244 mg sodu, 39 mg cholesterolu, 2 g błonnika

---

TUSCAN STEAK

431 Washington Avenue, Miami Beach

SZEF KUCHNI: MICHAEL WAGNER

Tuńczyk żółtopłetwy z grilla z sałatką z białej fasoli i oregano

15 dag dobrej jakości (nadającego się na sushi) mięsa z tuńczyka żółtopłetwego
sól
kruszony czarny pieprz
$\frac{1}{4}$ łyżeczki rozduszonego czosnku
sok z połówki cytryny
60 ml oliwy z oliwek
$\frac{1}{4}$ szklanki wody
1 łyżeczka posiekanej świeżej bazylii
$\frac{1}{2}$ łyżki suszonego oregano
35 dag ugotowanej białej fasoli
1 łyżeczka posiekanej natki pietruszki

Przyprawić tuńczyka solą i pieprzem i opiekać na grillu po 30–45 sekund z każdej strony. Odłożyć na bok, żeby ostygł.

Wymieszać czosnek, sok z cytryny, oliwę, wodę, bazylię, oregano i fasolę i pozostawić na trzy godziny w lodówce.

Przed podaniem ogrzać sałatkę do temperatury pokojowej i umieścić na środku płytkiej misy. Na wierzchu ułożyć cienko pokrojonego tuńczyka. Udekorować talerz posiekaną natką pietruszki.

Liczba porcji: 4

WARTOŚĆ ODŻYWCZA

1 porcja: 299 kalorii, 18 g białka, 23 g węglowodanów, 15 g tłuszczu, 2 g tłuszczów nasyconych, 19 mg sodu, 19 mg cholesterolu, 10 g błonnika

---

Filet z łososia faszerowany szpinakiem

4 filety z łososia (ok. 15 dag każdy)
szczypta soli
szczypta świeżo zmielonego czarnego pieprzu
30 dag grubo posiekanego młodego szpinaku
2 łyżki gotowego pesto
1 łyżka posiekanych suszonych na słońcu pomidorów
1 łyżka orzeszków piniowych

Rozgrzać piekarnik do 200°C. W środku każdego filetu zrobić nacięcie na dwie trzecie jego długości, uważając, żeby nie przeciąć mięsa na wylot. Następnie każdy z filetów przyprawić solą i pieprzem. W misce wymieszać szpinak z pesto, pomidorami i orzeszkami piniowymi. Łyżką nałożyć po ¼ tej mieszaniny w rozcięcia filetów.

Ułożyć filety w opiekaczu lub na natłuszczonej blaszce do pieczenia w piekarniku z funkcją opiekacza. Piec przez 8–10 minut lub do momentu, aż cały szpinak będzie gorący.

Liczba porcji: 4

WARTOŚĆ ODŻYWCZA

1 porcja: 329 kalorii, 32 g białka, 4 g węglowodanów, 20 g tłuszczu, 4 g tłuszczów nasyconych, 213 mg sodu, 86 mg cholesterolu, 3 g błonnika

Sola opiekana
w lekkim sosie śmietanowym

3 łyżki margaryny I Can't Believe It's Not Butter!
1 szklanka sosu Worcestershire
¼ szklanki odtłuszczonej śmietanki pół na pół z mlekiem
4 filety z soli

Margarynę umieścić w średniej wielkości garnku. Domieszać sos Worcestershire, doprowadzić do wrzenia i lekko odparować. Domieszać mleko ze śmietaną. Dopilnować, żeby sos nie ostygł.

W międzyczasie rozgrzać piekarnik i umieścić filety w opiekaczu lub na ruszcie nad blachą w piekarniku z funkcją opiekacza. Piec w odległości 10–16 cm od źródła ciepła przez 2–6 minut lub aż mięso będzie łatwo się kruszyć. Przełożyć solę na półmisek i polać przygotowanym sosem.

Liczba porcji: 4

WARTOŚĆ ODŻYWCZA

1 porcja: 262 kalorie, 27 g białka, 12 g węglowodanów, 11 g tłuszczu, 3 g tłuszczów nasyconych, 860 mg sodu, 76 mg cholesterolu, 0 g błonnika

---

JOE'S STONE CRAB

11 Washington Avenue, Miami Beach

SZEF KUCHNI: ANDRE BIENVENUE

Krewetki Louisa

Krewetki
35 dag małych lub średnich krewetek
sól
sok z jednej małej limonki
liście sałaty
1 szklanka osączonej ciecierzycy z puszki
1 duży dojrzały pomidor z wykrojonym gniazdem nasiennym
   i pokrojony w plasterki
2 jajka na twardo
2 cytryny przecięte w poprzek
4 dojrzałe czarne oliwki
4 cienkie okrągłe plasterki zielonej papryki pomidorowej

Sos Louisa
½ szklanki majonezu
2 łyżki sosu chili
1 łyżka utartej cebuli
1 łyżka posiekanej natki pietruszki
sól
pieprz
1 łyżka śmietany kremówki + dodatkowa ilość do ewentualnego
   rozrzedzenia sosu
¼ łyżeczki (lub więcej) sosu Worcestershire
kilka kropli sosu tabasco

Przygotowanie krewetek: Wrzucić krewetki do wrzącej wody doprawionej niewielką ilością soli i sokiem z limonki. Gotować, aż zmienią kolor na różowy, zazwyczaj 1 lub 2 minuty. Osączyć i lekko przestudzić, a następnie wyjąć ze skorupek i usunąć żyłę. Umieścić w misce, nakryć folią plastikową i schłodzić.

Na dwóch dużych talerzach obiadowych ułożyć liście sałaty tak, by całkowicie je zakryły (w Joe's Stone Crab podają duże owalne talerze). Uformować górkę z krewetek po jednej stronie talerza, a z ciecierzycy po drugiej. Na czterech „rogach" talerza ułożyć plasterki pomidora. Przeciąć jajka wzdłuż na ćwiartki i przy każdym plasterku pomidora umieścić ćwiartkę jajka. Połówki cytryn ułożyć po bokach talerza, a na górze i na dole po jednej oliwce. Brzeg ozdobić krążkami zielonej papryki. Nakryć i odstawić w chłodne miejsce, jeśli nie podajemy natychmiast.

Przygotowanie sosu Louisa: Wymieszać dokładnie majonez, sos chili, utartą cebulę, natkę pietruszki, sól, pieprz, śmietanę, sos Worcestershire i tabasco. Nakryć i przechowywać w lodówce do czasu podania. Jeśli sos będzie zbyt gęsty, rozrzedzić dodatkową porcją śmietany. Podawać w małych sosjerkach obok krewetek.

Tak udekorowany talerz bardzo ładnie wygląda. Sos Louisa można wykorzystać także do innych owoców morza. Wprawdzie zawiera on dużo majonezu, ale nie będzie to problemem, jeśli użyjesz go tylko do maczania. Nie jedz go jak zupy!

Liczba porcji: 2

WARTOŚĆ ODŻYWCZA

1 porcja: 867 kalorii, 46 g białka, 40 g węglowodanów, 58 g tłuszczu, 10 g tłuszczów nasyconych, 1493 mg sodu, 501 mg cholesterolu, 7 g błonnika

---

Dorsz w papilotach

2 dzwonka dorsza o grubości 2,5 cm
2 łyżki soku z cytryny
1 szklanka drobno posiekanych pieczarek
½ małej cukinii pokrojonej w długie, cienkie paski
½ małej czerwonej papryki pomidorowej pokrojonej w długie, cienkie paski
½ małej cebuli pokrojonej w cienkie plasterki
2 łyżki margaryny I Can't Believe It's Not Butter!
¼ łyżeczki suszonych liści estragonu
szczypta świeżo zmielonego czarnego pieprzu

Uciąć dwa kawałki pergaminu o długości 60 cm każdy. Złożyć na pół, tworząc kwadrat o boku 30 cm. Umieścić po jednym dzwonku dorsza nieco poniżej środka kwadratu. Każde skropić połową soku z cytryny i posypać połową pieczarek, cukinii, papryki i cebuli. Na wierzchu umieścić łyżkę margaryny.

Zawinąć rybę w pergamin lub folię i szczelnie ścisnąć brzegi. Umieścić pakieciki tuż obok siebie w nadającym się do gotowania w mikrofalówce naczyniu o wymiarach 33×23×5 cm. Ustawić mikrofalówkę na wysoką moc i piec przez 6 minut. Po trzech minutach obrócić naczynie o 180°.

Przed podaniem naciąć pergamin nożyczkami w kształcie litery X i rozedrzeć.

Liczba porcji: 2

WARTOŚĆ ODŻYWCZA

1 porcja: 370 kalorii, 56 g białka, 7 g węglowodanów, 12 g tłuszczu, 2 g tłuszczów nasyconych, 260 mg sodu, 130 mg cholesterolu, 2 g błonnika

---

Kabaczek po włosku

kabaczek o wadze około 1 kg, przecięty wzdłuż na połowę
i pozbawiony nasion
2 łyżki oliwy z oliwek (extra virgin)
1 średnia czerwona cebula pokrojona w cienkie plasterki
1 cukinia (około 20 dag) pokrojona w centymetrową kostkę
4 średnie pomidory pokrojone w kostkę
1/4 łyżeczki soli
1/4 łyżeczki grubo zmielonego pieprzu
1/2 szklanki utartego parmezanu o obniżonej zawartości tłuszczu
(według uznania)
1 mała cytryna pokrojona w plasterki

Połówki kabaczka umieścić przeciętą stroną do dołu w szklanym naczyniu do zapiekanek. Dodać 1/4 szklanki wody, nakryć naczynie folią plastikową i wstawić na 8–10 minut do mikrofalówki włączonej na dużą moc. Kiedy kabaczek będzie miękki, lekko go ostudzić.

W międzyczasie rozgrzać na dużej patelni 1 łyżkę oliwy. Cebulę smażyć na średnim ogniu przez 3 minuty, aż stanie się szklista. Dodać cukinię i smażyć przez kolejne 4–5 minut, tak żeby cukinia zaczęła się rumienić. Dodać pomidory, sól i pieprz. Zmniejszyć ogień i dusić powoli przez 10 minut.

Widelcem odrywać kawałki kabaczka i wkładać do miski. Następnie wymieszać z pozostałą łyżką oliwy. W czterech miseczkach do makaronu ułożyć na środku cząstki kabaczka i za pomocą łyżki oblać je dookoła mieszaniną duszonych warzyw. W razie potrzeby skropić oliwą i posypać parmezanem (według uznania). Udekorować plasterkami cytryny.

Liczba porcji: 4

WARTOŚĆ ODŻYWCZA

1 porcja: 190 kalorii, 5 g białka, 28 g węglowodanów, 9 g tłuszczu,
1 g tłuszczów nasyconych, 199 mg sodu, 0 mg cholesterolu, 6 g błonnika

---

Pieczone pomidory z bazylią i parmezanem

3 duże, dojrzałe pomidory (około 70 dag), przekrojone na połowę
¼ szklanki zmielonych świeżych ziół (bazylia, natka pietruszki, majeranek)
½ szklanki tartej bułki
½ szklanki utartego parmezanu lub sera asiago
2 drobno zmielone ząbki czosnku
szczypta soli
szczypta świeżo zmielonego czarnego pieprzu
3 łyżki oliwy z oliwek (extra virgin)

Rozgrzać piekarnik do 180°C. Ułożyć pomidory w naczyniu do zapiekanek z powłoką nieprzyczepną, przeciętą stroną do góry. W małej misce wymieszać zioła, tartą bułkę, ser, czosnek, sól, pieprz i oliwę. Na każdy pomidor nałożyć taką samą porcję tej pasty.

Piec przez 30 minut lub aż pasta będzie chrupka. Pomidory muszą być miękkie, lecz powinny zachować swój kształt.

Liczba porcji: 6

WARTOŚĆ ODŻYWCZA

1 porcja: 132 kalorie, 4 g białka, 9 g węglowodanów, 9 g tłuszczu, 2 g tłuszczów nasyconych, 161 mg sodu, 5 mg cholesterolu, 1 g błonnika

Sałatka z grillowanego kurczaka z sosem tzatziki

Kurczak
30 ml oliwy z oliwek
(extra virgin)
2 łyżeczki świeżego soku
z cytryny
1 łyżeczka oregano
¼ łyżeczki soli koszernej
1 łyżeczka kruszonego
czarnego pieprzu
4 połówki piersi kurczaka
bez kości i skóry

Sos tzatziki
1 szklanka beztłuszczowego
jogurtu naturalnego
²/₃ szklanki obranego
i pozbawionego nasion ogórka
pokrojonego w kostkę
³/₄ łyżeczki zmielonego czosnku
20 ml oliwy z oliwek (extra virgin)
20 ml białego octu
3 dag posiekanego świeżego
koperku
4 dag posiekanej świeżej mięty
¼ łyżeczki soli koszernej
15 dag poszatkowanej sałaty
lodowej
1 pomidor (15 dag) pokrojony
w kostkę

Przygotowanie kurczaka: W płytkim naczyniu wymieszać oliwę, sok z cytryny, oregano, sól i pieprz. Do otrzymanej marynaty włożyć piersi kurczaka i wstawić do lodówki na 2–3 godziny. Następnie osączyć mięso, a marynatę wylać.

Piec kurczaka na grillu, aż termometr włożony w najgrubszą część pokaże 70°C, a w wypływającym soku nie będzie krwi. Następnie włożyć mięso do lodówki, żeby całkowicie ostygło.

Przygotowanie sosu: W pojemniku miksera umieścić jogurt, ogórek, czosnek, oliwę, ocet, koperek, miętę i sól. Miksować do otrzymania gładkiego sosu. Schłodzić w lodówce.

Kurczaka podawać pokrojonego w długie, wąskie paski na liściach sałaty. Na wierzchu położyć kostki pomidora. Podawać z sosem.

Liczba porcji: 4

WARTOŚĆ ODŻYWCZA
1 porcja: 281 kalorii, 30 g białka, 10 g węglowodanów, 14 g tłuszczu, 2 g tłuszczów nasyconych, 355 mg sodu, 67 mg cholesterolu, 1 g błonnika

Sałatka South Beach

Sos winegret
3 łyżki oliwy z oliwek
(extra virgin)
3 łyżki oleju roślinnego
3 łyżki octu winnego
½ łyżeczki musztardy Dijon
½ łyżeczki soli
½ łyżeczki świeżo zmielonego
czarnego pieprzu

Sałatka
1 puszka (40 dag) szparagów
osączonych i pokrojonych
½ szklanki posiekanej zielonej
papryki pomidorowej
½ szklanki posiekanej czerwonej
papryki pomidorowej
1 puszka (40 dag) karczochów,
osączonych i pokrojonych
na ćwiartki
10 oliwek faszerowanych
czerwoną papryką,
przekrojonych na pół
1 główka sałaty masłowej
2 jajka na twardo pokrojone
na ćwiartki
10 pomidorów winogronowych
przekrojonych na pół

Przygotowanie sosu winegret: W słoiku z nakrętką umieścić oliwę, olej roślinny, ocet, musztardę, sól i pieprz. Dokładnie zamknąć pokrywkę i energicznie potrząsać, aż składniki się wymieszają.

Przygotowanie sałatki: Wrzucić do miski szparagi, paprykę, karczochy i oliwki. Dodać sos winegret i dokładnie wymieszać. Umieścić w lodówce co najmniej na godzinę.

Podawać na liściach sałaty, udekorowaną jajkami i pomidorami.

Liczba porcji: 6

WARTOŚĆ ODŻYWCZA

1 porcja: 226 kalorii, 7 g białka, 15 g węglowodanów, 17 g tłuszczu, 2 g tłuszczów nasyconych, 710 mg sodu, 71 mg cholesterolu, 6 g błonnika

---

Sałatka „doskonała"

85 g żelatyny
$\frac{1}{2}$ + 1$\frac{1}{4}$ szklanki wody
$\frac{1}{4}$ szklanki słodziku Equal
$\frac{1}{4}$ szklanki białego octu
$\frac{1}{2}$ łyżeczki soli
$\frac{3}{4}$ szklanki drobno poszatkowanej kapusty
1 szklanka selera pokrojonego w kostkę
1 słodka czerwona papryka posiekana

Wlać do garnka $\frac{1}{2}$ szklanki wody i wsypać żelatynę, żeby się namoczyła. Następnie podgrzewać na małym ogniu i mieszać, dopóki żelatyna się nie rozpuści. Zdjąć z palnika. Dodać słodzik, resztę wody, ocet i sól. Schłodzić do uzyskania konsystencji białka jajka.

Wrzucić kapustę, seler i paprykę. Wlać do formy o pojemności trzech szklanek lub do trzech foremek i schłodzić, żeby stężała.

Liczba porcji: 6

WARTOŚĆ ODŻYWCZA

1 porcja: 44 kalorie, 2 g białka, 9 g węglowodanów, 0 g tłuszczu,
0 g tłuszczów nasyconych, 219 mg sodu, 0 mg cholesterolu, 1 g błonnika

---

Z menu

MACALUSO'S

1747 Alton Road, Miami Beach

SZEF KUCHNI / WŁAŚCICIEL: MICHAEL D'ANDREA

MACALUSO'S TO JEDYNA RESTAURACJA
W POŁUDNIOWEJ FLORYDZIE,
KTÓRA SERWUJE DANIA
WŁOSKIEJ KUCHNI DOMOWEJ ZE STATEN ISLAND
W STANIE NOWY JORK.

Sałatka Macaluso's

Wewnętrzne części z 2–3 główek sałaty rzymskiej, pokrojone
  w kawałki o szerokości 2,5 cm
1 czerwona papryka pomidorowa pokrojona w kawałki
  o szerokości 2,5 cm
1 ogórek pokrojony w cienkie plasterki
1 średni pomidor przekrojony na 8 części
¼ szklanki czerwonej cebuli pokrojonej w cienkie plasterki,
  a następnie w kawałki o szerokości 2,5 cm
¼ szklanki oliwy z oliwek (extra virgin)
¼ szklanki wysokiej jakości octu z czerwonego wina
3 łyżeczki sera romano
sól
świeżo zmielony czarny pieprz
¼ szklanki ciecierzycy z puszki

Do salaterki włożyć sałatę, paprykę, ogórek, pomidor i cebulę.
W słoiku z nakrętką umieścić oliwę, ocet, ser, sól i pieprz. Zamknąć
i przez chwilę energicznie potrząsać. Otrzymanym sosem polać sałatkę. Dodać ciecierzycę i dobrze wymieszać.

Liczba porcji: 2

WARTOŚĆ ODŻYWCZA

1 porcja: 389 kalorii, 9 g białka, 25 g węglowodanów, 30 g tłuszczu,
5 g tłuszczów nasyconych, 153 mg sodu, 3 mg cholesterolu, 9 g błonnika

---

Sałatka z białych szparagów

1 łyżeczka posiekanego świeżego estragonu
½ szklanki drobno posiekanych pomidorów pozbawionych pestek
⅓ szklanki oliwy z oliwek (extra virgin)
1 zmielony ząbek czosnku
2 łyżki octu z białego wina
liście sałaty
1 słoik (35 dag) białych szparagów, osączonych

W małej misce wymieszać estragon, pomidory, oliwę, czosnek i ocet. Na talerzach ułożyć liście sałaty, a na nich po 4–6 szparagów. Każdą porcję szparagów polać trzema łyżkami przygotowanego sosu.

Liczba porcji: 4

WARTOŚĆ ODŻYWCZA
1 porcja: 193 kalorie, 2 g białka, 5 g węglowodanów, 19 g tłuszczu, 3 g tłuszczów nasyconych, 247 mg sodu, 0 mg cholesterolu, 2 g błonnika

Wstążki z cukinii z koperkiem

4 średnie cukinie (około 70 dag) pokrojone wzdłuż na wstążki
2 łyżki utartego parmezanu
2 łyżki posiekanego świeżego koperku
1 łyżka oliwy z oliwek (extra virgin)
1 łyżeczka ostrej czerwonej papryki

W garnku zagotować wodę i wrzucić do niej cukinię. Gotować przez 30–60 sekund, aż będzie na pół miękka, a następnie osączyć.

Przełożyć cukinię do miski. Dodać parmezan, koperek, oliwę i płatki papryki. Delikatnie wymieszać, żeby przyprawy dokładnie pokryły cukinię.

Liczba porcji: 4

WARTOŚĆ ODŻYWCZA
1 porcja: 68 kalorii, 3 g białka, 5 g węglowodanów, 5 g tłuszczu,
1 g tłuszczów nasyconych, 52 mg sodu, 2 mg cholesterolu, 2 g błonnika

---

Zapiekana mieszanka warzywna

1 średnia cukinia pokrojona na kawałki wielkości kęsa
1 średni kabaczek pokrojony na kawałki wielkości kęsa
1 średnia czerwona papryka pomidorowa pokrojona na kawałki wielkości kęsa
1 średnia żółta papryka pomidorowa pokrojona na kawałki wielkości kęsa
45 dag świeżych szparagów pokrojonych na kawałki wielkości kęsa
1 czerwona cebula pokrojona na kawałki wielkości kęsa
3 łyżki oliwy z oliwek (extra virgin)
1 łyżeczka soli
½ łyżeczki świeżo zmielonego czarnego pieprzu

Rozgrzać piekarnik do 230°C. Na dużej blasze do pieczenia umieścić cukinię, kabaczek, czerwoną i żółtą paprykę, szparagi i cebulę. Dodać oliwę, sól i pieprz i wymieszać. Rozłożyć warzywa pojedynczą warstwą.

Piec przez 30 minut, od czasu do czasu mieszając, aż warzywa będą miękkie i lekko się zrumienią.

Liczba porcji: 4

WARTOŚĆ ODŻYWCZA

1 porcja: 169 kalorii, 5 g białka, 15 g węglowodanów, 11 g tłuszczu, 2 g tłuszczów nasyconych, 590 mg sodu, 0 mg cholesterolu, 5 g błonnika

---

PRZEKĄSKA

Baba Ghannouj

1 średni bakłażan
1 zmielony ząbek czosnku
1 łyżka tahini (pasty sezamowej)
⅛ łyżeczki zmielonego kminku
surowe warzywa mieszane

Rozgrzać opiekacz lub piekarnik z funkcją opiekacza. Pokroić bakłażan w poprzek w plastry grubości ok. 1,5 cm. Umieścić plastry na blasze i piec w odległości 8 cm od źródła ciepła, aż będą miękkie, a na ich powierzchni zbiorą się kropelki wody. Ostudzić i obrać ze skórki. Zmiksować wraz z czosnkiem, tahini i kminkiem.

Schłodzić i podawać z warzywami.

Liczba porcji: 1

WARTOŚĆ ODŻYWCZA

1 porcja: 213 kalorii, 8 g białka, 32 g węglowodanów, 9 g tłuszczu,
1 g tłuszczów nasyconych, 20 mg sodu, 0 mg cholesterolu, 12 g błonnika

---

DESERY

Truskawki maczane w czekoladzie

2 kostki (3 g każda) gorzkiej lub deserowej czekolady posiekanej
na kawałki
½ łyżeczki bitej śmietany
odrobina olejku migdałowego
8 truskawek

Do szklanej miarki lub miseczki włożyć czekoladę i śmietanę. Podgrzewać w mikrofalówce nastawionej na średnią moc przez 1 minutę lub do czasu, aż czekolada się stopi; po 30 sekundach zamieszać. Następnie dodać olejek migdałowy, wymieszać i masę lekko ostudzić.

Zanurzać każdą truskawkę w roztopionej czekoladzie, pozwalając, żeby nadmiar spłynął z powrotem do miski. Truskawki układać na woskowanym papierze. Kiedy wszystkie będą gotowe, umieścić je w lodówce na około 15 minut, dopóki czekolada nie stężeje.

Liczba porcji: 2

WARTOŚĆ ODŻYWCZA

1 porcja: 175 kalorii, 3 g białka, 24 g węglowodanów, 9 g tłuszczu,
6 g tłuszczów nasyconych, 1 mg sodu, 5 mg cholesterolu, 4 g błonnika

Truskawki z jogurtem waniliowym

10 dag odtłuszczonego jogurtu waniliowego bez cukru
½ szklanki pokrojonych truskawek

Przełożyć jogurt do wysokiego pucharka i dodać truskawki.
Podawać natychmiast.

Liczba porcji: 1

> **WARTOŚĆ ODŻYWCZA**
>
> **1 porcja:** 85 kalorii, 4 g białka, 16 g węglowodanów, 0 g tłuszczu,
> 0 g tłuszczów nasyconych, 66 mg sodu, 3 mg cholesterolu, 2 g błonnika

Kora pistacjowa

12 kostek czekolady deserowej (3 g każda)
1 szklanka orzeszków pistacjowych obranych ze skorupek
i prażonych

W naczyniu nadającym się do gotowania w mikrofalówce włożyć
czekoladę na 2 minuty do mikrofalówki włączonej na wysoką moc. Po
minucie zamieszać. Kiedy całkowicie się roztopi, dodać orzeszki i wymieszać.

Tak przygotowaną mieszaninę wyłożyć na blachę wyłożoną papierem woskowanym. Umieścić na godzinę w lodówce, żeby masa stężała. Połamać na kawałki wielkości kęsa.

Porcja: 45 dag

> **WARTOŚĆ ODŻYWCZA**
>
> **3 g:** 150 kalorii, 3 g białka, 16 g węglowodanów, 10 g tłuszczu,
> 4 g tłuszczów nasyconych, 0 mg sodu, 0 mg cholesterolu, 2 g błonnika

Miseczki czekoladowe

1 paczka (10 dag) waniliowego budyniu w proszku, bez cukru
1¼ szklanki mleka 0%
¾ szklanki beztłuszczowej bitej śmietany
8 foremek czekoladowych
kakao

Przygotować budyń, wykorzystując całe mleko. Za pomocą gumowej szpatułki wymieszać z nim bitą śmietanę. Nałożyć krem do czekoladowych foremek. Posypać kakao.

Jeśli czekoladowe foremki są trudno dostępne, można użyć foremek waflowych oblanych roztopioną czekoladą.

Liczba porcji: 8

WARTOŚĆ ODŻYWCZA

1 porcja: 99 kalorii, 2 g białka, 17 g węglowodanów, 3 g tłuszczu,
1 g tłuszczów nasyconych, 206 mg sodu, 5 mg cholesterolu, 0 g błonnika

FAZA TRZECIA

Jadłospis

O becnie powinieneś już osiągnąć idealną masę ciała. Jeśli przestrzegasz diety, skład chemiczny twojej krwi również się poprawił. Wchodzisz teraz w fazę, która ma pomóc ci utrzymać
korzystne zmiany, które osiągnąłeś dzięki Fazie 1 i 2. Faza 3 to sposób,
w jaki powinieneś się odżywiać przez resztę życia. Jest ona najmniej
restrykcyjną częścią tej diety i stanowi raczej jeden z ważnych aspek-
tów zdrowego stylu życia niż program odchudzania. Powinieneś mieć
już dostateczną wiedzę na temat działania diety South Beach i jej wpływu na twój organizm, żeby móc w pełni wykorzystać jej elastyczność.
Dlatego dla tej fazy nie podaję listy pokarmów zabronionych i dozwolonych. Innymi słowy, jeśli czegoś bardzo pragniesz i nie zniweczy to
wszystkich twoich dotychczasowych poświęceń, powinieneś sobie na
to pozwolić. Niewątpliwie zdarzą się chwile, gdy za bardzo sobie po-
folgujesz, nawet po latach diety. Wówczas powinieneś powrócić na
tydzień lub dwa do Fazy 1. Kiedy znów osiągniesz pożądaną masę ciała, przestawisz się ponownie na Fazę 3. Absolutnie nie myśl o tym jako
o cofaniu się – specjalnie zaprojektowaliśmy tę dietę tak, żeby normal-
ni ludzie mogli jeść tak, jak lubią. Jeśli dla ciebie oznacza to od czasu
do czasu niedozwolony deser, w porządku. Delektuj się nim.

Dzień 1

Śniadanie
½ grejpfruta
2 babeczki jarzynowe quiche na wynos (str. 144)
Owsianka (½ szklanki tradycyjnych płatków owsianych zmieszanych
z 1 szklanką odtłuszczonego mleka, ugotowanych na wolnym
ogniu i posypanych cynamonem oraz łyżką stołową posiekanych
orzechów włoskich)
Kawa lub herbata bezkofeinowa z odtłuszczonym mlekiem
i substytutem cukru

Lunch
Zawijana kanapka z pieczonej wołowiny (str. 279)
Świeże jabłko

Obiad
Kurczak z grilla po marokańsku (str. 280)
Szparagi gotowane na parze
Kuskus
Sałatka śródziemnomorska (str. 297)
Oliwa z oliwek i ocet do smaku lub 2 łyżki sosu o niskiej zawartości
cukru

Deser
Truskawki z jogurtem waniliowym (str. 253)

Dzień 2

Śniadanie
Świeża pomarańcza pokrojona w plasterki
$\frac{1}{4}$–$\frac{1}{2}$ płynnego substytutu jajka (1–2 jajka)
2 plastry chudego bekonu
1 kromka chleba pełnoziarnistego
Kawa lub herbata bezkofeinowa z odtłuszczonym mlekiem
    i substytutem cukru

Lunch
Siekana sałatka South Beach z tuńczykiem (str. 150)
Aromatyzowana galaretka bez cukru

Obiad
Kurczak i warzywa podsmażane na sposób chiński (str. 227)
Orientalna sałatka z kapusty (str. 187)

Deser
Krem z ricotty ze skórką cytrynową (str. 190)

Dzień 3

Śniadanie
½ grejpfruta
Omlet z białka z salsą
1 kromka chleba wielozbożowego
Kawa lub herbata bezkofeinowa z odtłuszczonym mlekiem
 i substytutem cukru

Lunch
Kanapka z szynką i serem szwajcarskim na chlebie ryżowym
1 świeże jabłko

Obiad
Pieczony stek z polędwicy wołowej
Krem ze szpinaku (str. 294)
Purée „ziemniaczane" South Beach (str. 181)
Sałatka ze świeżej mozzarelli z pomidorami (str. 295)

Deser
Morele maczane w czekoladzie (str. 307)

Dzień 4

Śniadanie
½ grejpfruta
Owsianka (½ szklanki tradycyjnych płatków owsianych zmieszanych
z 1 szklanką odtłuszczonego mleka, ugotowanych na wolnym
ogniu i posypanych cynamonem oraz łyżką stołową posiekanych
orzechów włoskich)
1 jajko w koszulce
1 kromka chleba wielozbożowego
1 łyżka dżemu niskosłodzonego
Kawa lub herbata bezkofeinowa z odtłuszczonym mlekiem
i substytutem cukru

Lunch
Pomidor nadziewany sałatką z tuńczyka
Kawałek świeżego melona
10 dag beztłuszczowego jogurtu bez cukru

Obiad
Ryba po prowansalsku (str. 288)
Strączki groszku bezłykowego gotowane na parze
Pilaw ryżowy
Sałatka (mieszane warzywa liściaste, ogórek, zielona papryka,
pomidory winogronowe)
Oliwa z oliwek i ocet do smaku lub 2 łyżki sosu o niskiej zawartości
cukru

Deser
Gruszka ugotowana na parze nadziewana czekoladą (str. 306)

Dzień 5

Śniadanie
½ grejpfruta
Zachodni omlet z białek (str. 143)
½ angielskiego muffina z mąki pszennej z pełnego ziarna
Kawa lub herbata bezkofeinowa z odtłuszczonym mlekiem
    i substytutem cukru

Lunch
Sałatka grecka (str. 147)
10 dag beztłuszczowego jogurtu malinowego bez cukru

Obiad
Szaszłyki z wołowiny, papryki i pieczarek (str. 287)
Brązowy ryż
Sałatka z awokado i pomidorów
Oliwa z oliwek i ocet do smaku

Deser
Krem migdałowy z ricotty (str. 191)

Dzień 6

Śniadanie
Świeże czarne jagody
Cynamonowa niespodzianka (str. 274)
Kawa lub herbata bezkofeinowa z odtłuszczonym mlekiem
    i substytutem cukru

Lunch
Sałatka cesarska z kurczaka (bez grzanek)
2 łyżki gotowego sosu cesarskiego

Obiad
Pikantne krewetki na dzikim ryżu (str. 291)
Sałatka z rukoli
2 łyżki balsamicznego sosu winegret (str. 158) lub sosu o małej
    zawartości cukru

Deser
Swiss Knight Fondue au Chocolate ze świeżymi truskawkami

Dzień 7

Śniadanie
Świeża pomarańcza pokrojona w plasterki
Fritata z pomidorami i ziołami (str. 273)
1 kromka chleba wielozbożowego
1 łyżka dżemu niskosłodzonego
Kawa lub herbata bezkofeinowa z odtłuszczonym mlekiem
    i substytutem cukru

Lunch
Sałatka z tuńczyka, ogórka i czerwonej papryki z sosem cytrynowo-
    -koperkowym (str. 278)
Aromatyzowana galaretka bez cukru

Obiad
Kura kornwalijska z polewą morelową (str. 285)
Kuskus
Sałatka z sałaty masłowej
Oliwa z oliwek i ocet do smaku lub 2 łyżki sosu o niskiej zawartości
    cukru

Deser
Biszkopt czekoladowy (str. 305)

Dzień 8

Śniadanie
180 ml soku wielowarzywnego
¼–½ płynnego substytutu jajka (1–2 jajka)
1 plaster chudego bekonu
½ angielskiego muffina z mąki pszennej z pełnego ziarna
1 łyżeczka dżemu niskosłodzonego
Kawa lub herbata bezkofeinowa z odtłuszczonym mlekiem
  i substytutem cukru

Lunch
Sałatka z grillowanego kurczaka
2 łyżki balsamicznego sosu winegret (str. 158) lub sosu o małej
  zawartości cukru

Obiad
Stek wołowy z grilla w rozmarynie (str. 286)
Zielony groszek ugotowany na parze
Pieczone pomidory z bazylią i parmezanem (str. 242)
Sałatka z rukoli i rukwi wodnej (str. 296)
2 łyżki balsamicznego sosu winegret (str. 158) lub sosu o małej
  zawartości cukru

Deser
Świeże jagody i truskawki w miseczkach czekoladowych (str. 254)

Dzień 9

Śniadanie
Świeża pomarańcza pokrojona w plasterki
2 babeczki jarzynowe quiche na wynos (str. 144)
1 grzanka z chleba wielozbożowego
Kawa lub herbata bezkofeinowa z odtłuszczonym mlekiem
   i substytutem cukru

Lunch
Sałatka z kuskusu z pikantnym sosem jogurtowym (str. 276)
Świeża nektarynka

Obiad
Cytrynowa ryba w folii (str. 289)
Cukinia z koperkiem
Plasterki pomidora
Plasterki melona

Deser
Truskawki w occie balsamicznym (str. 301)

Dzień 10

Śniadanie
½ grejpfruta
Naleśnik z płatków owsianych (str. 213)
Kawa lub herbata bezkofeinowa z odtłuszczonym mlekiem
 i substytutem cukru

Lunch
Kanapka z pieczoną wołowiną (8 dag chudej pieczeni wołowej,
 sałata, pomidor, cebula, musztarda i jedna kromka chleba
 pełnoziarnistego)
Małe kwaśne jabłko

Obiad
Pieczona pierś kurczaka
Kabaczek po włosku (str. 241)
Sałatka (mieszane warzywa liściaste, ogórek, zielona papryka,
 pomidory winogronowe)
Gotowy sos włoski o niskiej zawartości cukru

Deser
Nektarynka pokrojona w plasterki i świeże jagody z 10 dag
 beztłuszczowego jogurtu waniliowego bez cukru

Dzień 11

Śniadanie

Koktajl jagodowy (23 dag owocowego jogurtu beztłuszczowego
bez cukru, ½ szklanki owoców jagodowych, ½ szklanki kruszonego
lodu; miksować do otrzymania gładkiej masy)
Kawa lub herbata bezkofeinowa z odtłuszczonym mlekiem
i substytutem cukru

Lunch

Sałatka z endywii i orzechów pekan (str. 275)
Pita z indykiem i pomidorem (85 g ugotowanego lub upieczonego
indyka w plasterkach, 3 plastry pomidora, ½ szklanki posiekanej
sałaty, 1 łyżeczka musztardy Dijon w picie z mąki pełnoziarnistej)
10 dag beztłuszczowego jogurtu cytrynowego bez cukru

Obiad

Marynowana wołowina z rusztu po londyńsku (str. 168)
Szparagi i papryka z grilla
Młode ziemniaki pieczone w ziołach
Sałatka (mieszane warzywa liściaste, ogórek, zielona papryka,
pomidory winogronowe)
Oliwa z oliwek i ocet do smaku lub 2 łyżki sosu o niskiej zawartości
cukru

Deser

Serniczki limonkowe (str. 304)

Dzień 12

Śniadanie
½ grejpfruta
Jajka teksańsko-meksykańskie (jajecznica z 2 jajek z utartym serem
  Monterey Jack i salsą)
1 kromka chleba z pełnego ziarna
Kawa lub herbata bezkofeinowa z odtłuszczonym mlekiem
  i substytutem cukru

Lunch
Zawijana kanapka z pieczoną wołowiną (z marynowaną wołowiną
  po londyńsku z dnia 11) (str. 168)
Świeża nektarynka

Obiad
Łosoś z grilla z salsą pomidorową
Szparagi grillowane
Sałatka (mieszane warzywa liściaste, ogórek, zielona papryka,
  pomidory winogronowe)
Oliwa z oliwek i ocet do smaku lub 2 łyżki sosu o niskiej zawartości
  cukru

Deser
Morele maczane w czekoladzie (str. 307)

Dzień 13

Śniadanie
½ grejpfruta
Lekka fritata szpinakowa z salsą pomidorową (str. 140)
Kawa lub herbata bezkofeinowa z odtłuszczonym mlekiem
i substytutem cukru

Lunch
Serek wiejski i siekane warzywa w miseczkach z papryki
Plasterki kantalupy z jagodami

Obiad
Kury kornwalijskie tandoori (str. 284)
Sałatka z endywii i orzechów pekan (str. 275)
Kuskus
Humus (str. 188) z kawałkami pity i świeżymi warzywami
(można wykorzystać gotowy humus)

Deser
Gruszka gotowana w czerwonym wytrawnym winie

Dzień 14

Śniadanie
Blin South Beach (1 jajko ubite z ⅓ szklanki pokruszonego białego
sera i Splendą do smaku, usmażone na natłuszczonej patelni
z powłoką nieprzyczepną)
Kawa lub herbata bezkofeinowa z odtłuszczonym mlekiem
i substytutem cukru

Lunch
Sałatka szefa kuchni (co najmniej po 30 g szynki, indyka i sera
szwajcarskiego niskotłuszczowego na mieszanych warzywach
liściastych)
Oliwa z oliwek i ocet do smaku lub 2 łyżki sosu o niskiej zawartości
cukru
1 kromka chleba z pełnego ziarna

Obiad
Ryba pieczona z limonką (str. 290)
Opiekane pomidory (str. 183)
Brukselka gotowana na parze
Sałatka z karczochów (ugotowane i ostudzone pączki karczochów
z połówkami pomidorów winogronowych i posiekaną szalotką)
2 łyżki balsamicznego sosu winegret (str. 158) lub sosu o małej
zawartości cukru

Deser
Truskawki maczane w czekoladzie (str. 252)

FAZA TRZECIA

Przepisy kulinarne

K iedy osiągniesz pożądaną masę ciała, będziesz mógł korzystać z przepisów Fazy 3, które przewidują jedzenie takich produktów, jak chleb wielozbożowy, tortille i brązowy ryż. Na tym etapie będziesz już wiedział, które węglowodany możesz jeść bez przybierania na wadze, więc włączysz je do swoich posiłków. Zauważ, że obecnie zlikwidowaliśmy dwie przekąski w ciągu dnia, gdyż także bez nich nie powinieneś odczuwać głodu pomiędzy posiłkami. Jednak jest to również faza, w której dozwolone jest jedzenie czekoladowego biszkopta, a to chyba korzystna wymiana.

ŚNIADANIA

Fritata z pomidorami i ziołami

½ szklanki posiekanych pomidorów śliwkowych
¼ szklanki posiekanej szalotki
3 posiekane liście bazylii
1 łyżka sprayu I Can't Believe It's Not Butter!
1 szklanka płynnego substytutu jajka (4 jajka)

Natłuścić naczynie żaroodporne o średnicy 25 cm i rozgrzać na średnim ogniu. Usmażyć na nim pomidory, szalotkę i bazylię do miękkości. Zmniejszyć ogień do słabego i równomiernie polać warzywa substytutem jajka. Przykryć i smażyć przez 5–7 minut lub do momentu, aż jajko zetnie się na spodzie i będzie niemal ścięte na wierzchu.

Włożyć patelnię do piekarnika z funkcją opiekacza na 2–3 minuty, aż wierzch całkowicie się zetnie. Zsunąć fritatę na półmisek i podawać pokrojoną w trójkąty.

Liczba porcji: 2

WARTOŚĆ ODŻYWCZA

1 porcja: 169 kalorii, 16 g białka, 5 g węglowodanów, 9 g tłuszczu,
2 g tłuszczów nasyconych, 278 mg sodu, 1 mg cholesterolu, 1 g błonnika

---

Cynamonowa niespodzianka

¼ szklanki niskotłuszczowego serka wiejskiego
1 kromka chleba wielozbożowego
szczypta cynamonu

Posmaruj chleb serkiem, posyp cynamonem i opiekaj, aż pojawią się bąbelki, przez 2–3 minuty.

Liczba porcji: 1

WARTOŚĆ ODŻYWCZA

1 porcja: 87 kalorii, 9 g białka, 12 g węglowodanów, 1 g tłuszczu, 0 g tłuszczów nasyconych, 347 mg sodu, 5 mg cholesterolu, 3 g błonnika

LUNCHE

Sałatka z endywii i orzechów pekan

3 szklanki luźno wrzuconej sałaty masłowej
1 cebula pokrojona w plasterki
3 szklanki luźno wrzuconych liści endywii kędzierzawej
$\frac{1}{4}$ łyżeczki świeżo zmielonego czarnego pieprzu
$\frac{3}{4}$ szklanki grubo posiekanych, opieczonych orzechów pekan
$\frac{1}{4}$ szklanki octu z czerwonego wina
$\frac{1}{4}$ łyżeczki soli

Do dużej miski wrzucić sałatę, cebulę, endywię i pieprz. Odstawić na bok.

Na patelni podgrzać na małym ogniu orzechy, ocet i sól. Polać tą mieszaniną sałatę i wymieszać.

Liczba porcji: 6

WARTOŚĆ ODŻYWCZA

1 porcja: 118 kalorii, 2 g białka, 7 g węglowodanów, 10 g tłuszczu,
1 g tłuszczów nasyconych, 101 mg sodu, 0 mg cholesterolu, 3 g błonnika

Sałatka z kuskusu
z pikantnym sosem jogurtowym

Kuskus
1 łyżka oliwy z oliwek (extra virgin)
1 mała drobno posiekana cebula
1 mały drobno posiekany seler naciowy
1 szklanka kuskusu
1½ szklanki wody

Pikantny sos jogurtowy
3 łyżki świeżego soku z cytryny
3 łyżki beztłuszczowego jogurtu naturalnego
1 łyżka oliwy z oliwek (extra virgin)
2 łyżeczki zmielonego świeżego imbiru
1 rozgnieciony ząbek czosnku
1 łyżeczka zmielonego kminku
1 łyżeczka zmielonej kolendry
szczypta świeżo zmielonego czarnego pieprzu

Sałatka
½ szklanki suszonych rodzynek
½ szklanki ciecierzycy z puszki, przepłukanej i osączonej
½ szklanki posiekanej czerwonej papryki pomidorowej
½ szklanki posiekanej zielonej papryki pomidorowej
½ szklanki posiekanych świeżych liści kolendry (cilantro)
   lub natki pietruszki
½ szklanki średnich szalotek pokrojonych w plasterki
1 cytryna pokrojona na cząstki (według uznania)

Przygotowanie kuskusu: W dwulitrowym garnku podgrzać olej na średnim ogniu. Następnie wrzucić na niego cebulę i seler i smażyć przez 2–3 minuty, od czasu do czasu mieszając, aż warzywa zmiękną. Wsypać kuskus i wymieszać z olejem. Podgrzewać i mieszać przez minutę, aż lekko się zrumieni. Wlać wodę i doprowadzić do wrzenia, delikatnie mieszając. Zdjąć z palnika i pozostawić pod przykryciem na 30 minut, aż ostygnie i wchłonie wodę. Od czasu do czasu spulchnić widelcem.

Przygotowanie pikantnego sosu jogurtowego: W dużej misce wymieszać sok cytrynowy, jogurt, oliwę, imbir, czosnek, kminek, kolendrę i pieprz. Przed podaniem ubić.

Przygotowanie sałatki: Przełożyć kuskus do dużej salaterki. Za pomocą łyżki ułożyć na nim osobne kopczyki z rodzynek, ciecierzycy, papryki, liści kolendry lub pietruszki oraz szalotki. Polać sosem. Wymieszać wszystkie składniki dopiero po podaniu na stół. Udekorować ćwiartkami cytryny (według uznania).

Liczba porcji: 4

WARTOŚĆ ODŻYWCZA
1 porcja: 393 kalorie, 12 g białka, 69 g węglowodanów, 9 g tłuszczu, 1 g tłuszczów nasyconych, 31 mg sodu, 1 mg cholesterolu, 8 g błonnika

Sałatka z tuńczyka, ogórka i czerwonej papryki z sosem cytrynowo-koperkowym

Sos cytrynowo-koperkowy
¼ szklanki oliwy z oliwek
  (extra virgin)
3 łyżki świeżego soku z cytryny
1–2 łyżki posiekanego świeżego
  koperku
½ łyżeczki soli
½ łyżeczki grubo zmielonego
  czarnego pieprzu

Sałatka
2 średnie posiekane ogórki
1 posiekana czerwona papryka
  pomidorowa
2 puszki (po 180 g każda) białego
  tuńczyka, osączonego
  i rozdrobnionego
sałata rzymska
1 mała cytryna, obrana,
  pozbawiona pestek i pokrojona
  na plasterki

Przygotowanie sosu cytrynowo-koperkowego: W małej misce ubić oliwę, sok cytrynowy, koper, sól i czarny pieprz.

Przygotowanie sałatki: W dużej misce wymieszać ogórki, paprykę i tuńczyka. Odstawić na bok. Na czterech talerzach ułożyć liście sałaty, a na nich na środku jedną czwartą sałatki. Ozdobić plasterkami cytryny i polać przygotowanym sosem.

Liczba porcji: 4

WARTOŚĆ ODŻYWCZA

1 porcja: 282 kalorie, 24 g białka, 9 g węglowodanów, 17 g tłuszczu, 3 g tłuszczów nasyconych, 640 mg sodu, 39 mg cholesterolu, 2 g błonnika
---

Zawijana kanapka
z pieczoną wołowiną

¼ szklanki sera śmietankowego o obniżonej zawartości tłuszczu
4 tortille z mąki o średnicy 23–25 cm
½ czerwonej cebuli pokrojonej w plasterki
4 umyte liście szpinaku
25 dag pieczonej wołowiny pokrojonej w plastry

Wszystkie tortille posmarować niewielką ilością sera. Na każdej ułożyć cebulę, szpinak i pieczoną wołowinę. Zawinąć przeciwległe brzegi placka ku środkowi na szerokość około 4 centymetrów, a następnie zwinąć tortille w ruloniki.

Liczba porcji: 4

WARTOŚĆ ODŻYWCZA
1 porcja: 300 kalorii, 13 g białka, 42 g węglowodanów, 9 g tłuszczu,
3 g tłuszczów nasyconych, 659 mg sodu, 21 mg cholesterolu, 3 g błonnika
---

OBIADY

Kurczak z grilla po marokańsku

¼ szklanki oliwy z oliwek (extra virgin)
1 łyżeczka suszonego oregano
½ łyżeczki zmielonego ziela angielskiego
½ łyżeczki zmielonego kminku
½ łyżeczki zmielonych goździków
3 zmielone ząbki czosnku
4 połówki piersi kurczaka bez kości i skóry
1 pudełko (160 g) kuskusu
sos ze słodkiej czerwonej papryki (str. 281)

W dużej misce wymieszać oliwę, oregano, ziele angielskie, kminek, goździki i czosnek. Włożyć piersi kurczaka i dokładnie obtoczyć je w tej mieszaninie. Piec kurczaka na uprzednio rozgrzanym grillu na średnim ogniu przez 30 minut lub do momentu, aż sok wypływający po przekłuciu będzie przejrzysty. Następnie zdjąć z grilla i trzymać w cieple.

W międzyczasie ugotować kuskus zgodnie z przepisem na opakowaniu. Kiedy będzie gotowy, rozdzielić go na 4 talerze. Cienko pokroić piersi kurczaka i na talerzach ułożyć w wachlarz na warstwie kuskusu. Każdą pierś skropić dwoma łyżkami sosu.

Liczba porcji: 4

WARTOŚĆ ODŻYWCZA

1 porcja: 429 kalorii, 32 g białka, 37 g węglowodanów, 16 g tłuszczu, 2 g tłuszczów nasyconych, 89 mg sodu, 66 mg cholesterolu, 4 g błonnika

---

Sos ze słodkiej czerwonej papryki

½ szklanki osączonej słodkiej czerwonej papryki z puszki
2 łyżki soku z cytryny

Paprykę i sok cytrynowy umieścić w pojemniku miksera i miksować przez 30–45 sekund lub do czasu, aż sos będzie gładki. Przelać do zamykanego pojemnika. Podawać w temperaturze pokojowej.

Porcja: 8 łyżek

WARTOŚĆ ODŻYWCZA

1 porcja: 10 kalorii, 0 g białka, 2 g węglowodanów, 0 g tłuszczu, 0 g tłuszczów nasyconych, 4 mg sodu, 0 mg cholesterolu, 0 g błonnika

---

RUMI SUPPER CLUB

330 Lincoln Road, Miami Beach

SZEFOWIE KUCHNI: SCOTT FREDEL I J. D. HARRIS

Pieczony kurczak ze słodkim czosnkiem, gotowaną cebulą i kwaśną pomarańczą

półtorakilogramowy kurczak
½ szklanki obranych ząbków czosnku w całości
1 szklanka + 3 łyżki oliwy z oliwek
1 pęczek natki pietruszki
skórka z 1 pomarańczy
skórka z 1 limonki
45 dag manioku (kasawy), obranego
2 cebule pokrojone na cienkie plasterki
470 ml soku z kwaśnych pomarańczy
1 szklanka esencjonalnego bulionu z kurczaka

Przekroić kurczaka na połowę i usunąć kości. Czosnek przysmażyć do miękkości na ½ szklanki oliwy. Kiedy ostygnie, rozetrzeć połowę z natką pietruszki, skórką cytrynową i pomarańczową oraz ¾ szklanki oliwy. Otrzymaną mieszaniną natrzeć kurczaka i pozostawić na 1 dzień w lodówce.

Maniok ugotować do miękkości w osolonej wodzie i osączyć. Cebulę powoli dusić do miękkości w niewielkiej ilości wody. Odstawić.

Sok z kwaśnej pomarańczy gotować na małym ogniu, aż osiągnie konsystencję syropu. Dodać bulion z kurczaka i gotować, dopóki nieco nie zgęstnieje. Odstawić.

Piec kurczaka w temperaturze 180°C przez 45 minut, aż będzie upieczony w środku, a sok wypływający po nakłuciu widelcem będzie przejrzysty. Obsmażyć maniok w pozostałych 3 łyżkach oliwy, tak żeby był chrupki. Dodać cebulę oraz rozgnieciony pozostały czosnek.

Tak przygotowany maniok dobrze osączyć i ułożyć na talerzu wraz z kurczakiem. Polać mieszaniną z soku pomarańczowego z bulionem.

Maniok jest warzywem korzeniowym popularnym w rejonie południowej Florydy dzięki wpływom kuchni południowoamerykańskiej i karaibskiej. Oleju, który ścieknie przy osączaniu manioku, dodawaj do smaku bardzo oszczędnie, jeśli się odchudzasz lub starasz się utrzymać masę ciała. Pamiętaj, żeby smażyć na niewielkiej ilości oliwy, a nie w głębokim tłuszczu!

Kwaśne pomarańcze są karaibską odmianą pomarańcz o nazwie naranja. Jeśli ich nie dostaniesz, zmieszaj ½ szklanki soku cytrynowego z 1½ szklanki soku pomarańczowego.

Liczba porcji: 6

WARTOŚĆ ODŻYWCZA

1 porcja: 630 kalorii, 25 g białka, 50 g węglowodanów, 37g tłuszczu, 8 g tłuszczów nasyconych, 240 mg sodu, 85 mg cholesterolu, 4 g błonnika

Kury kornwalijskie tandoori

3 kury kornwalijskie, po około 45 dag każda
1½ łyżeczki chili w proszku
½ łyżeczki soli (według uznania)
szczypta świeżo zmielonego czarnego pieprzu
3 łyżki świeżego soku z limonek
1 szklanka beztłuszczowego jogurtu naturalnego
3 posiekane ząbki czosnku
2,5 cm kawałek świeżego imbiru, grubo posiekany
1 mała, grubo posiekana cebula
1 łyżeczka nasion kminku
½ łyżeczki mielonej kurkumy
1 limonka pokrojona w ćwiartki (według uznania)
gałązki świeżej kolendry lub natki pietruszki (według uznania)

Odmrozić kury, jeśli są zamrożone. Opłukać, usunąć podroby i szyje, a następnie osuszyć. Naciąć skórę w kilku miejscach i przekroić kury na połowę wzdłuż mostka.

Wymieszać 1 łyżeczkę chili, sól, pieprz i sok z limonki. Natrzeć tą mieszaniną kury i odłożyć je na 15 minut.

Zmiksować razem jogurt, czosnek, imbir, cebulę, kminek, kurkumę i pozostałe pół łyżeczki chili. Umieścić kurę w misce i zalać otrzymaną mieszaniną. Wymieszać, żeby wszystkie kawałki zostały dokładnie nią pokryte. Przykryć i wstawić do lodówki na co najmniej 8 godzin. Od czasu do czasu obracać mięso.

Rozgrzać piekarnik do 200°C. Umieścić kury, stroną ze skórą do góry, na ruszcie nad blachą piekarnika. W trakcie pieczenia od czasu do czasu polewać mieszaniną z jogurtem. Piec 45–60 minut lub aż do całkowitej miękkości. Sprawdzić, czy się upiekły, nakłuwając skórę na udzie; sok, który wycieknie, powinien być przejrzysty. Podawać na gorąco. Przed podaniem zdjąć skórę i udekorować mięso limonką i kolendrą lub natką pietruszki (według uznania).

Liczba porcji: 4

WARTOŚĆ ODŻYWCZA
1 porcja: 150 kalorii, 22 g białka, 8 g węglowodanów, 4 g tłuszczu,
1 g tłuszczów nasyconych, 100 mg sodu, 80 mg cholesterolu, 1 g błonnika

Kura kornwalijska z polewą morelową

1 szklanka dżemu morelowego bez cukru
⅓ szklanki świeżego soku z pomarańczy
¼ szklanki sprayu I Can't Believe It's Not Butter!
4 odmrożone kury kornwalijskie
szczypta soli
szczypta świeżo zmielonego czarnego pieprzu

Wymieszać dżem, sok pomarańczowy i tłuszcz, żeby otrzymać polewę. Kury opłukać i osuszyć. Natrzeć w zagłębieniach solą i pieprzem. Umieścić piersiami do góry na ruszcie nad blachą piekarnika, uważając, żeby się nie stykały ze sobą. Polać polewą. Piec przez godzinę w temperaturze 180°C, podlewając co 10 minut, lub aż będą zupełnie miękkie. Sprawdzić, czy się upiekły, nakłuwając skórę na udzie; sok, który wyciekne, powinien być przejrzysty.

Wyjąć kury z piekarnika i odczekać 10 minut przed podaniem.

Liczba porcji: 4

WARTOŚĆ ODŻYWCZA

1 porcja: 449 kalorii, 22 g białka, 26 g węglowodanów, 28 g tłuszczu, 7 g tłuszczów nasyconych, 171 mg sodu, 126 mg cholesterolu, 1 g błonnika

Stek wołowy z grilla w rozmarynie

4 steki z polędwicy wołowej lub rostbefu bez kości
2 łyżki zmielonych świeżych liści rozmarynu
2 zmielone ząbki czosnku
1 łyżka oliwy z oliwek (extra virgin)
1 łyżeczka otartej skórki z cytryny
1 łyżeczka grubo zmielonego czarnego pieprzu
gałązki świeżego rozmarynu (według uznania)

Ponacinać steki po obu stronach w ukośną kratkę. Wymieszać rozmaryn, czosnek, oliwę, skórkę cytrynową i pieprz w małej miseczce. Natrzeć steki otrzymaną mieszaniną, przykryć i wstawić na godzinę do lodówki.

Piec steki na grillu, aż termometr wbity w środek wskaże 65°C (dla średnio wysmażonego steku). Pokroić steki ukośnie w plastry grubości około 1,5 cm. Udekorować gałązkami rozmarynu (według uznania).

Liczba porcji: 4

WARTOŚĆ ODŻYWCZA

1 porcja: 247 kalorii, 21 g białka, 1 g węglowodanów, 17 g tłuszczu,
6 g tłuszczów nasyconych, 50 mg sodu, 60 mg cholesterolu, 0 g błonnika

---

Szaszłyki z wołowiny, papryki i pieczarek

1 łyżka świeżego soku z cytryny
1 łyżka oliwy z oliwek (extra virgin)
1 łyżka wody
2 łyżeczki musztardy Dijon
½ łyżeczki posiekanego świeżego oregano
¼ łyżeczki świeżo zmielonego czarnego pieprzu
45 dag polędwicy wołowej pokrojonej w kostki o boku 2,5 cm
1 duża czerwona papryka pomidorowa pokrojona w kawałki
  o szerokości 2,5 cm
12 dużych pieczarek
2 szklanki ugotowanego brązowego ryżu
¼ szklanki prażonych orzeszków piniowych

W dużej misce wymieszać dokładnie sok z cytryny, oliwę, wodę, musztardę, oregano i pieprz. Włożyć mięso, paprykę i pieczarki i dokładnie wymieszać. Na 4 metalowe szpadki nadziać na zmianę mięso, paprykę i pieczarki. Odłożyć na bok.

Ugotować ryż zgodnie z instrukcją na opakowaniu. Trzymać w cieple. W międzyczasie umieścić szaszłyki na grillu nad średnio rozpalonym węglem. Piec bez przykrycia, od czasu do czasu obracając, przez 8–11 minut lub do czasu, aż termometr do mięsa wskaże 65°C (dla średnio wysmażonych steków).

Wymieszać prażone orzeszki piniowe z ryżem. Podawać szaszłyki na ryżu (½ szklanki ryżu na porcję).

Liczba porcji: 4

WARTOŚĆ ODŻYWCZA

1 porcja: 493 kalorie, 33 g białka, 50 g węglowodanów, 18 g tłuszczu, 5 g tłuszczów nasyconych, 125 mg sodu, 75 mg cholesterolu, 4 g błonnika

---

Ryba po prowansalsku

¼ szklanki oliwy z oliwek (extra virgin)
70 dag świeżych filetów rybnych
⅓ szklanki oliwek
2½ łyżki kaparów
1 szklanka pomidorów z puszki
3 łyżki posiekanej szalotki
½ łyżki świeżych liści rozmarynu
½ łyżki zmielonego czosnku
⅓ szklanki białego wina

Rozgrzać piekarnik do 230°C. Dużą, ciężką patelnię podgrzewać na silnym ogniu przez 2–3 minuty. Wlać na nią oliwę i poprzechylać w różnych kierunkach, żeby tłuszcz dokładnie pokrył dno patelni. Włożyć rybę na patelnię i zmniejszyć ogień do średnio dużego. Opiekać filety przez 6–10 minut, w międzyczasie raz przewracając. Zdjąć z patelni, kiedy będzie można łatwo oddzielić kawałek.

Delikatnie zsunąć rybę na blachę i umieścić w piekarniku, żeby zachowała ciepło. Na patelnię wrzucić oliwki, kapary, pomidory i szalotkę. Domieszać rozmaryn i czosnek, wlać wino i dusić przez 5 minut.

Wyjąć filety z piekarnika, ułożyć na półmisku i polać mieszaniną z patelni.

Liczba porcji: 4

WARTOŚĆ ODŻYWCZA

1 porcja: 362 kalorie, 36 g białka, 6 g węglowodanów, 19 g tłuszczu, 3 g tłuszczów nasyconych, 543 mg sodu, 63 mg cholesterolu, 1 g błonnika

---

Cytrynowa ryba w folii

4 duże filety rybne
¼ szklanki marchwi pokrojonej w kostkę
¼ szklanki selera pokrojonego w kostkę
¼ szklanki posiekanej dymki
2 łyżki posiekanej natki pietruszki
2 cytryny pokrojone w cienkie plasterki

Rozgrzać piekarnik do 180°C. Uciąć cztery kawałki folii aluminiowej o długości 60 cm i złożyć je na pół, tworząc kwadrat o boku 30 cm. Umieścić po jednym filecie nieco poniżej środka kawałków folii. Na każdy nałożyć ¼ przygotowanej marchwi, selera, cebuli i natki. Na wierzchu umieścić plasterki cytryny.

Zawinąć folię wokół ryby i szczelnie ścisnąć brzegi. Owinięte folią filety ułożyć na blaszce i piec przez 15–20 minut lub do momentu, aż ryba będzie się łatwo kruszyć.

Liczba porcji: 2

WARTOŚĆ ODŻYWCZA

1 porcja: 119 kalorii, 22 g białka, 5 g węglowodanów, 1 g tłuszczu, 0 g tłuszczów nasyconych, 97 mg sodu, 65 mg cholesterolu, 1 g błonnika

---

Pieczona ryba z limonką

25 dag świeżych filetów rybnych
¼ szklanki świeżego soku z limonki
1 łyżeczka liści estragonu
¼ szklanki szczypioru z dymki

Ułożyć filety rybne w naczyniu do zapiekanek. Skropić sokiem z limonki, posypać estragonem i szczypiorem. Piec pod przykryciem w temperaturze 160°C przez 15–20 minut lub do chwili, gdy będzie łatwo oddzielić kawałek ryby.

Liczba porcji: 2

WARTOŚĆ ODŻYWCZA

1 porcja: 114 kalorii, 22 g białka, 4 g węglowodanów, 1 g tłuszczu,
0 g tłuszczów nasyconych, 80 mg sodu, 65 mg cholesterolu, 1 g błonnika

Pikantne krewetki na dzikim ryżu

15 dag dzikiego ryżu
45 dag krewetek
2 łyżeczki słodkiej papryki
½ łyżeczki białego pieprzu
½ łyżeczki soli
½ zmielonego ząbka czosnku
1 łyżka oliwy z oliwek (extra virgin)
1 szklanka pomidorów winogronowych przekrojonych na pół
posiekana natka pietruszki (według uznania)

Ugotować ryż zgodnie z instrukcją na opakowaniu.

W dużej misce dobrze wymieszać krewetki z papryką, pieprzem, solą i czosnkiem. Odstawić.

Mocno rozgrzać oliwę na patelni. Włożyć krewetki i smażyć na średnim ogniu przez 30 sekund. Następnie zamieszać i smażyć przez dalsze 45 sekund lub do momentu, aż stracą przejrzystość, przez cały czas mieszając. Zdjąć z palnika i podawać na ¼ szklanki ugotowanego ryżu.

Liczba porcji: 4

WARTOŚĆ ODŻYWCZA

1 porcja: 368 kalorii, 32 g białka, 46 g węglowodanów, 6 g tłuszczu,
1 g tłuszczów nasyconych, 467 mg sodu, 172 mg cholesterolu, 4 g błonnika

CHINA GRILL

404 Washington Avenue, Miami Beach

SZEF KUCHNI: CHRISTIAN PLOTCZYK

Sałatka z gruszek azjatyckich

4 gruszki azjatyckie, obrane ze skórki, wydrążone i posiekane
1 zmielona szalotka
2½ łyżeczki utartego świeżego imbiru
2 szklanki wody
1 laska wanilii nacięta w połowie
3 łyżki octu z sherry
2 łyżki mirinu (słodkiej sake)
¼ szklanki oleju sojowego
sól
czarny pieprz
25 dag młodych warzyw liściastych
1 utarta marchew (według uznania)

Do litrowego garnka wlać wodę i na średnim ogniu ugotować w niej do miękkości gruszki z szalotką i imbirem. Przecedzić i odstawić, żeby ostygły. Kiedy osiągną temperaturę pokojową, jedną gruszkę odłożyć, a resztę zmiksować i przetrzeć przez sito.

Ze strączka wanilii wyjąć nasionka i domieszać je do purée z gruszek. Strączki wyrzucić. Dodać ocet z sherry i mirin. Miksować, dodając powoli oliwę, żeby powstała emulsja. Doprawić solą i pieprzem. Pozostałą gruszkę pokroić w kostkę i wykorzystać jako przybranie.

Młode warzywa liściaste dokładnie wymieszać z gruszkowym purée. Rozłożyć na 4 talerze i udekorować utartą marchwią (według uznania) i pokrojoną gruszką.

W China Grill ta sałatka jest podawana do ich słynnych żeberek jagnięcych z grilla. Dzięki ciekawemu doborowi składników jest to nowatorska sałatka doskonale pasująca do diety South Beach.

Liczba porcji: 4

WARTOŚĆ ODŻYWCZA
1 porcja: 200 kalorii, 2 g białka, 17 g węglowodanów, 14 g tłuszczu, 2 g tłuszczów nasyconych, 20 mg sodu, 0 mg cholesterolu, 5 g błonnika

Krem ze szpinaku

60 dag mrożonego szpinaku
2 małe zmielone szalotki
1 zmielony ząbek czosnku
⅓ szklanki kwaśnej śmietany 0%
½ łyżeczki soli
¼ łyżeczki grubo zmielonego czarnego pieprzu

Rozmrożony szpinak podgrzewać na patelni na średnim ogniu przez 5 minut lub dopóki woda nie wyparuje. Dodać szalotkę i czosnek. Smażyć do miękkości. Zmniejszyć ogień do słabego, dodać kwaśną śmietanę, sól i pieprz. Mieszać do chwili rozprowadzenia śmietany. Nie dusić.

Liczba porcji: 6

WARTOŚĆ ODŻYWCZA
1 porcja: 35 kalorii, 3 g białka, 6 g węglowodanów, 0 g tłuszczu,
0 g tłuszczów nasyconych, 282 mg sodu, 0 mg cholesterolu, 3 g błonnika
---

Sałatka ze świeżej mozzarelli z pomidorami

2 średnie dojrzałe pomidory pokrojone w plasterki
10 dag świeżej mozzarelli pokrojonej w plasterki
¼ szklanki świeżych liści bazylii
1 rozetka bazylii
2 łyżki oliwy z oliwek (extra virgin)
2 łyżki octu balsamicznego
1 łyżeczka kruszonego czarnego pieprzu

Na dużym talerzu ułożyć dookoła na zmianę porcje pomidorów, mozzarelli i bazylii. Wymieszać oliwę z octem i skropić sałatkę. Posypać pieprzem.

Liczba porcji: 4

WARTOŚĆ ODŻYWCZA

1 porcja: 163 kalorie, 6 g białka, 5 g węglowodanów, 13 g tłuszczu, 5 g tłuszczów nasyconych, 114 mg sodu, 22 mg cholesterolu, 1 g błonnika

Sałatka z rukoli i rukwi wodnej

Pikantna konfitura z truskawek
15 dag truskawek bez szypułek pokrojonych w plasterki
1 łyżka octu balsamicznego
1 ½ łyżki wody
½ łyżki kruszonego czarnego pieprzu

Sos winegret
1 ¼ łyżki świeżego soku z cytryny
1 ¼ łyżki octu z białego wina
½ szklanki oliwy z oliwek (extra virgin)
1 ¼ łyżki kruszonego czarnego pieprzu

Sałatka
10 dag liści rukoli
10 dag liści rukwi wodnej
16 truskawek bez szypułek przekrojonych na pół
szczypta świeżo zmielonego czarnego pieprzu

Przygotowanie pikantnej konfitury z truskawek: Wymieszać w garnku truskawki, ocet, wodę i pieprz i podgrzewać na średnim ogniu. Doprowadzić do wrzenia, a następnie gotować na wolnym ogniu przez 25 minut, od czasu do czasu mieszając, aż masa nieco zgęstnieje. Po ugotowaniu ostudzić, wlać do miski, przykryć i umieścić w lodówce.
Przygotowanie sosu winegret: W średniej misce wymieszać sok cytrynowy i ocet. Następnie dodawać olej i pieprz, ubijając mieszaninę, żeby składniki dokładnie się połączyły. Przykryć i odstawić. Przed podaniem ponownie ubić.
Przygotowanie sałatki: W dużej misce wymieszać rukolę i rukiew wodną z sosem winegret, zostawiając 4 łyżki sosu. Rozłożyć sałatkę na 4 talerze. Na każdym talerzu obramować porcję sałatki ośmioma połówkami truskawek, w tym czterema zanurzonymi przeciętą stroną w pieprzu. Następnie nałożyć na każdy talerz łyżkę sosu winegret i 2 łyżki konfitury z truskawek.

Liczba porcji: 4

WARTOŚĆ ODŻYWCZA

1 porcja: 308 kalorii, 2 g białka, 13 g węglowodanów, 28 g tłuszczu, 4 g tłuszczów nasyconych, 22 mg sodu, 0 mg cholesterolu, 4 g błonnika

Sałatka śródziemnomorska

1 sałata rzymska, umyta i podarta na kawałki wielkości kęsa
$\frac{1}{2}$ szklanki czarnych oliwek pokrojonych w plasterki
$\frac{1}{4}$ szklanki pokruszonego sera feta
$\frac{1}{2}$ szklanki balsamicznego sosu winegret (str. 158) lub gotowego sosu
o niskiej zawartości cukru

W dużej misce dokładnie wymieszać sałatę z oliwkami. Rozłożyć na 4 talerze, posypać serem i skropić sosem winegret.

Liczba porcji: 4

WARTOŚĆ ODŻYWCZA

1 porcja: 101 kalorii, 2 g białka, 11 g węglowodanów, 5 g tłuszczu,
1 g tłuszczów nasyconych, 716 mg sodu, 8 mg cholesterolu, 1 g błonnika

---

MACALUSO'S

1747 Alton Road, Miami Beach

SZEF KUCHNI / WŁAŚCICIEL: MICHAEL D'ANDREA

Cielęcina z grilla z brokułem chińskim

Cielęcina z grilla
1 łyżeczka posiekanej świeżej bazylii
2 ząbki drobno posiekanego czosnku
¼ łyżeczki papryki
sól
świeżo zmielony czarny pieprz
3 łyżki najlepszej oliwy z oliwek (extra virgin), z pierwszego tłoczenia
   na zimno
2 filety z cielęciny (10–15 dag), cienko rozbite

Brokuł chiński
3 szklanki brokułu chińskiego
¼ szklanki oliwy z oliwek (extra virgin), z pierwszego tłoczenia
  na zimno
¼ łyżeczki świeżo zmielonego czarnego pieprzu
¼ łyżeczki soli
4 całe ząbki czosnku (obrane)
szczypta kruszonej czerwonej papryki

Przygotowanie cielęciny z grilla: Wymieszać bazylię, czosnek, paprykę, sól i pieprz z oliwą. Włożyć cielęcinę i ręcznie wymieszać. Następnie umieścić filety na grillu i polać z wierzchu marynatą. Piec nad średnio rozpalonym ogniem, aż będą gotowe (około 3 minut na stronę).

Przygotowanie brokułu chińskiego: Umyć brokuł w zimnej wodzie i dokładnie osuszyć. Do garnka wlać oliwę i wrzucić pieprz, sól, czosnek oraz paprykę. Podgrzać oliwę na średnim ogniu. Umieścić brokuł w garnku, nakryć i dusić przez 4–7 minut lub do miękkości.

Brokuł wyjąć na talerz, a na wierzchu ułożyć grillowaną cielęcinę.

Jeśli brokuł chiński jest niedostępny, można użyć brokułów włoskich lub kalafiora.

Liczba porcji: 2

WARTOŚĆ ODŻYWCZA
1 porcja: 357 kalorii, 25 g białka, 9 g węglowodanów, 25 g tłuszczu, 4 g tłuszczów nasyconych, 380 mg sodu, 100 mg cholesterolu, 0 g błonnika

Młode ziemniaki pieczone w ziołach

70 dag małych ziemniaków z czerwoną skórką
2 łyżki oliwy z oliwek (extra virgin)
$^3/_4$ łyżeczki suszonego, pokruszonego rozmarynu
$^3/_4$ łyżeczki sproszkowanej gorczycy
$^1/_2$ łyżeczki suszonej szałwii
$^1/_2$ łyżeczki suszonego tymianku
$^1/_4$ łyżeczki pieprzu

Rozgrzać piekarnik do 230°C lub rozpalić węgiel na grillu. Za pomocą obieraczki do warzyw usunąć cienki pasek skórki wokół środka każdego ziemniaka. W dużej misce wymieszać oliwę, rozmaryn, gorczycę, szałwię, tymianek i pieprz. Włożyć ziemniaki i dobrze wymieszać.

Uciąć 4 kawałki folii aluminiowej o długości 30 cm. Rozdzielić ziemniaki z przyprawami na cztery równe porcje i umieścić każdą na jednej folii. Ciasno zawinąć. Umieścić pakieciki z ziemniakami w piekarniku lub na grillu. Piec przez 30–35 minut w piekarniku lub 25–30 minut na grillu, aż będą miękkie. W czasie pieczenia raz obrócić.

Liczba porcji: 4

WARTOŚĆ ODŻYWCZA
1 porcja: 183 kalorie, 5 g białka, 30 g węglowodanów, 7 g tłuszczu,
1 g tłuszczów nasyconych, 0 mg sodu, 0 mg cholesterolu, 4 g błonnika

---

DESERY

Truskawki w occie balsamicznym

1 litr truskawek bez szypułek przekrojonych na pół
2 paczki substytutu cukru
3 łyżki octu balsamicznego
grubo zmielony czarny pieprz
gałązki mięty (według uznania)

W średniej misce wymieszać truskawki, substytut cukru i ocet balsamiczny. Pozostawić w temperaturze pokojowej aż do chwili podania.

Rozłożyć do czterech miseczek deserowych. Posypać z wierzchu odrobiną pieprzu i udekorować gałązką mięty (według uznania).

Liczba porcji: 4

WARTOŚĆ ODŻYWCZA

1 porcja: 59 kalorii, 1 g białka, 14 g węglowodanów, 1 g tłuszczu,
0 g tłuszczów nasyconych, 5 mg sodu, 0 mg cholesterolu, 4 g błonnika

Gruszki „w koszulkach"

1 paczka (na 4 porcje) galaretki malinowej lub truskawkowej
  bez cukru
2 szklanki wrzącej wody
4 małe gruszki obrane i wydrążone

W garnku dostatecznie dużym, by zmieściły się w nim wszystkie
gruszki, rozpuścić galaretkę we wrzącej wodzie. Włożyć gruszki i dusić na słabym ogniu pod przykryciem przez 8–10 minut. Obrócić je
kilkakrotnie, tak żeby równomiernie się zabarwiły. Za pomocą szpi-
kulca do ciasta lub wykałaczki sprawdzać miękkość. Kiedy szpikulec
zagłębia się w gruszki bez oporu, wyjąć je za pomocą łyżki cedzakowej. Nie rozgotować. Po ostudzeniu schłodzić w lodówce.

Resztę galaretki wlać do czterech małych miseczek i chłodzić, aż się
zetnie.

Liczba porcji: 4

WARTOŚĆ ODŻYWCZA
1 porcja: 199 kalorii, 11 g białka, 25 g węglowodanów, 1 g tłuszczu,
0 g tłuszczów nasyconych, 549 mg sodu, 0 mg cholesterolu, 4 g błonnika

Gruszki imbirowe

4 średnie gruszki, obrane, przepołowione i wydrążone
¼ szklanki świeżego soku z pomarańczy
½ szklanki drobno pokruszonych ciasteczek imbirowych
2 łyżki posiekanych orzechów włoskich
2 łyżki margaryny lub masła

Rozgrzać piekarnik do 180°C. Umieścić połówki gruszek, przekrojoną stroną do góry, w naczyniu żaroodpornym o wymiarach 30×19 cm. Gruszki skropić sokiem pomarańczowym. W małej misce wymieszać pokruszone ciasteczka, orzechy i masło lub margarynę. Posypać gruszki. Piec przez 20–25 minut lub do momentu, aż gruszki będą miękkie.

Liczba porcji: 8

WARTOŚĆ ODŻYWCZA

1 porcja: 110 kalorii, 1 g białka, 16 g węglowodanów, 5 g tłuszczu, 1 g tłuszczów nasyconych, 55 mg sodu, 0 mg cholesterolu, 2 g błonnika

---

Serniczki limonkowe

12 wafli waniliowych
¾ szklanki odtłuszczonego serka wiejskiego
23 dag pokruszonego sera neufchatel
¼ szklanki + 2 łyżki cukru
2 jajka
1 łyżka otartej skórki z limonki
1 łyżka świeżego soku z limonki
1 łyżeczka olejku waniliowego
¼ szklanki niskotłuszczowego jogurtu waniliowego
2 średnie kiwi, obrane i pokrojone na plasterki, które należy
    przepołowić

Wyłożyć 12 foremek do muffinów papierem do pieczenia. Umieścić na dnie każdej z nich jeden wafel waniliowy.

Zmiksować serek wiejski na gładką masę. W średniej misce połączyć go z serem neufchatel i miksować ze średnią prędkością do uzyskania gładkiej konsystencji. Nadal mieszając, dodawać stopniowo cukier. Dodać jajka, skórkę i sok z limonki oraz aromat waniliowy. Ubić na gładką masę i rozłożyć ją równo do foremek z waflem na dnie. Piec w temperaturze 180°C przez 20 minut lub do chwili, gdy wierzch ciastek będzie niemal ścięty (nie przepiec). Ostudzić w piekarniku. Następnie wyjąć serniczki z foremek i całkowicie schłodzić.

Położyć równe porcje jogurtu waniliowego na wierzch serniczków i udekorować plasterkami kiwi.

Liczba porcji: 12

WARTOŚĆ ODŻYWCZA
1 porcja: 129 kalorii, 5 g białka, 13 g węglowodanów, 7 g tłuszczu,
3 g tłuszczów nasyconych, 161 mg sodu, 51 mg cholesterolu, 1 g błonnika

Biszkopt czekoladowy

7 białek jaj
⅛ łyżeczki wodorowinianu potasu
¾ szklanki cukru
3 żółtka jaj
1 łyżeczka olejku waniliowego
1 szklanka przesianej mąki tortowej
3 łyżki masła, roztopionego i ostudzonego do letniej temperatury
4 dag czekolady deserowej
2 łyżki roślinnego tłuszczu do pieczenia

Rozgrzać piekarnik do 180°C. W dużej misce ubić pianę z białek z dodatkiem wodorowinianu potasu. Nadal ubijając, dodawać po jednej łyżce cukier, aż powstanie sztywna (ale nie zasychająca) masa bezowa. W drugiej dużej misce wymieszać żółtka jaj z aromatem waniliowym. Dodać, mieszając, jedną trzecią masy bezowej. Następnie dodać resztę tej masy i dokładnie wymieszać, żeby nie pozostały białe smugi. Wsypać na wierzch mąkę i wymieszać. Bardzo delikatnie domieszać roztopione masło. Przełożyć masę do tortownicy i równo rozprowadzić. Piec przez 40–45 minut lub aż drewniany szpikulec wkłuty w ciasto w pobliżu środka wyjmiemy czysty.

Po wyjęciu odwrócić tortownicę i oprzeć o duży lejek lub butelkę. Pozostawić w tym położeniu aż biszkopt ostygnie, co najmniej przez 90 minut. Następnie przesunąć nóż dookoła pomiędzy ciastem i tortownicą, wyjąć je chrupką stroną do góry i całkowicie ostudzić.

Czekoladę z masłem roślinnym roztopić, wkładając do mniejszego garnka ustawionego nad większym, wypełnionym gorącą, lecz nie wrzącą wodą. Od czasu do czasu zamieszać, aż masa będzie gładka. Nieco ostudzić i łyżką równo rozsmarować ją na biszkopcie, pozwalając, żeby nadmiar spłynął po bokach ciasta.

Liczba porcji: 10

WARTOŚĆ ODŻYWCZA

1 porcja: 197 kalorii, 4 g białka, 26 g węglowodanów, 9 g tłuszczu, 4 g tłuszczów nasyconych, 76 mg sodu, 73 mg cholesterolu, 0 g błonnika

---

Gruszka ugotowana na parze nadziewana czekoladą

2 dojrzałe gruszki odmiany Bartlett
10 gwiazdek czekoladowych (z czekolady deserowej)

Odciąć wierzchołki gruszek, nieco powyżej najszerszej części. Z dolnej połówki usunąć gniazdo nasienne za pomocą łyżeczki do melona lub małej łyżeczki. Do każdej z wydrążonych części włożyć po 5 gwiazdek czekoladowych i nakryć ją górną połową.

Ustawić każdą gruszkę pionowo w miseczce żaroodpornej. Miseczki wstawić do garnka i wlać wodę na wysokość około 2,5 cm. Na średnim ogniu doprowadzić wodę do delikatnego wrzenia. Przykryć garnek i gotować gruszki na parze przez 20 minut, aż będą półprzejrzyste. Podawać na gorąco.

Liczba porcji: 2

WARTOŚĆ ODŻYWCZA

1 porcja: 179 kalorii, 2 g białka, 35 g węglowodanów, 5 g tłuszczu,
2 g tłuszczów nasyconych, 0 mg sodu, 1 mg cholesterolu, 4 g błonnika

---

Morele maczane w czekoladzie

6 dag czekolady deserowej
24 suszone morele
1 łyżka posiekanych orzechów pistacjowych

Wstawić czekoladę do mikrofalówki ustawionej na dużą moc na 2 minuty. Po upływie minuty zamieszać. Mieszać, aż się całkowicie roztopi. Zanurzyć morele do połowy w czekoladzie, pozwalając, żeby jej nadmiar spłynął. Ułożyć na woskowanym papierze. Części pokryte czekoladą posypać pistacjami. Umieścić w lodówce do czasu, aż czekolada stężeje.

Liczba porcji: 8

WARTOŚĆ ODŻYWCZA
1 porcja: 99 kalorii, 1 g białka, 17 g węglowodanów, 3 g tłuszczu,
2 g tłuszczów nasyconych, 1 mg sodu, 0 mg cholesterolu, 2 g błonnika

---

Podziękowania

Przepis na str. 148 wykorzystany za zgodą Rogera Rucha, szefa kuchni 1220 at the Tides w Miami Beach.

Przepisy na str. 154 i 292 wykorzystane za zgodą China Grill Management zarządzającego China Grill w Miami Beach.

Przepisy na str. 164 i 234 wykorzystane za zgodą China Grill Management zarządzającego Tuscan Steak w Miami Beach.

Przepisy na str. 185 i 238 wykorzystane za zgodą Andre Bienvenue, szefa kuchni Joe's Stone Crab w Miami Beach.

Przepis na str. 218 wykorzystany za zgodą China Grill Management zarządzającego Blue Door w hotelu Delano w Miami Beach.

Przepisy na str. 224 i 282 wykorzystane za zgodą Scotta Fredela i J. D. Harrisa, szefów kuchni Rumi Supper Club w Miami Beach.

Przepisy na str. 246 i 298 wykorzystane za zgodą Michaela D'Andrei, szefa kuchni i właściciela Macaluso's w Miami Beach.

Przepis na „Sałatkę Armanda" na str. 173 został przedrukowany z książki *Eat at Joe's Cookbook* i wykorzystany za zgodą Bay Books, © 2000.

Indeks

Spis treści